JAMAL

RUSSLAND

• Moskau

burg

• Hagenburg
• Frankfurt am Main

EUROPA

Rom •   • Istanbul

Kairo •

CHINA

Peking •

Dschidda • • Bahrah

Mumbai • • Pune

FRIKA

Ugo •

Indischer
Ozean

Kapstadt •

N

W   O

S

DIRK ROSSMANN
Der neunte Arm des Oktopus

Über den Autor:

Dirk Rossmann, geboren 1946, gründete 1972 den ersten deutschen Drogeriemarkt mit Selbstbedienung. Heute betreibt die Unternehmensgruppe ROSSMANN 4100 Filialen in Deutschland und sieben Auslandsgesellschaften. Seine 2018 erschienene Autobiografie »... dann bin ich auf den Baum geklettert!« platzierte sich bereits kurz nach Erscheinen auf der SPIEGEL-Bestsellerliste und schaffte es Anfang 2019 auf Platz 1. Dirk Rossmann setzt sich intensiv für den Klimaschutz ein. Dass der Klimawandel eine Bedrohung für die Menschheit, unsere Kinder und Kindeskinder ist, beschäftigt ihn nicht nur als Unternehmer, sondern auch als Vater und Großvater. Als Mitbegründer der Deutschen Stiftung Weltbevölkerung engagiert sich Dirk Rossmann seit 1991 für eine zukunftsfähige Bevölkerungsentwicklung. Der Autor ist verheiratet mit Alice Schardt-Rossmann und hat zwei Söhne, die ebenfalls im Unternehmen tätig sind.

DIRK ROSSMANN

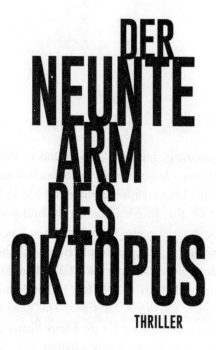

DER NEUNTE ARM DES OKTOPUS

THRILLER

LÜBBE

Dieser Titel ist auch als Hörbuch-Download und E-Book erschienen

Originalausgabe

Copyright © 2020 by Bastei Lübbe AG, Köln

Der Abdruck der Textpassagen aus dem Buch »Rendezvous mit einem
Oktopus« von Sy Montgomery (übersetzt aus dem Amerikanischen
von Heide Sommer) erfolgt mit freundlicher Genehmigung des
mareverlags, Hamburg (© 2017 by mareverlag, Hamburg)

Umschlaggestaltung: ZERO Werbeagentur, München
Kartenillustration: Markus Weber, Guter Punkt München
Einbandmotiv: © plainpicture/NOI Pictures/Dominic Blewett
Satz: hanseatenSatz-bremen, Bremen
Gesetzt aus der Adobe Garamond Pro
Druck und Einband: GGP Media GmbH, Pößneck

Printed in Germany
ISBN 978-3-7857-2741-6

7   9   11   10   8

Sie finden uns im Internet unter
www.luebbe.de
Bitte beachten Sie auch: www.lesejury.de

Mit Dank an A. und R.
Und an Prof. Fritz Schardt

Das Hirn eines Oktopus besteht aus – je nach Spezies und Zählmethode – fünfzig bis fünfundsiebzig verschiedenen Bereichen, aber die meisten Neuronen eines Oktopus sind nicht im Gehirn angesiedelt, sondern sitzen in den Armen. Die extremen Multitasking-Anforderungen, mit denen Oktopoden konfrontiert sind, mögen zu dieser Entwicklung beigetragen haben: Er muss alle seine Arme koordinieren, Farbe und Form verändern, er muss lernen, denken, entscheiden und sich erinnern – und zur gleichen Zeit die Flut an Geschmacks- und Tastinformationen, die sich von jedem Zentimeter Haut in sein System ergießen, verarbeiten und darüber hinaus das Wirrwarr visueller Reize sortieren, die seine gut entwickelten, den menschlichen sehr ähnlichen Augen liefern.

(Aus: Sy Montgomery, »Rendezvous mit einem Oktopus«)

Prolog

Und so begann es: Der Planet Erde, den wir gerne »unseren« Planeten nennen, entstand vor etwa 4,4 Milliarden Jahren.

Und wir Menschen sind darauf eine sehr, sehr neue und vielleicht auch flüchtige Erscheinung. *Wie* unbedeutend wir sind, wie demütig wir darum vielleicht sein sollten, das lässt sich mit einem kleinen Rechenspiel veranschaulichen.

Hätte sich die Geschichte des Planeten Erde in einem einzigen Jahr, also in 365 Tagen, abgespielt, so würde ein Monat 375 Millionen Jahren entsprechen. Ein Tag wären 12 Millionen Jahre, eine Stunde des Modelljahres wären 500 000 Jahre, eine Minute wären 8 500 Jahre, eine Sekunde wären 140 Jahre.

Am Neujahrstag, dem 1. Januar, beginnt die Erdentstehung. Es existiert die Sonne, und in ihrer Umgebung entstehen Planeten im Urzustand.

Im Januar erhitzt sich die Erde, die Erdkugel wird flüssig, vorhandenes Eisen sinkt in den Erdkern.

Im Februar bildet sich eine Kruste, die Erde ist von Wasser bedeckt. Die chemische Evolution beginnt.

Anfang März entstehen die ersten Kontinente. Als erste biologische Lebensformen entstehen Blaualgen und Bakterien. Beim Stoffwechsel der Algen wird Sauerstoff freigesetzt. Die Umwandlung der Atmosphäre beginnt.

Im August gibt es genügend Sauerstoff für die einfachsten Tiere, wie zweischalige Krebse.

Im Oktober wird bei gewaltigen Lavaergüssen der gesamte Nordosten Kanadas mit einer Lavaschicht überzogen. Es beginnt eine Eiszeit.

Am 16. November unseres Modelljahres beginnt ein neuer Abschnitt der Erdgeschichte – das Kambrium.

Etwa am 17. November beginnt die zweite Vereisung.

Am 19. November entstehen innerhalb weniger Stunden die Baupläne für sämtliche Lebewesen.

Am 27. November entwickeln sich die ersten Pflanzen an Land.

Am 3. Dezember kriechen die ersten Tiere auf das Festland.

Am 4. Dezember beginnt das Karbonzeitalter. Es entwickeln sich aus Reptilien die ersten Säugetiere, Vögel, Riesenechsen und die Saurier.

Am 8. Dezember, dem Ende des Karbonzeitalters, beginnt eine neue große Eiszeit, die bis zum 12. Dezember anhält.

Beim Zusammenstoßen des Nord- und des Südkontinents am 11. Dezember falten sich in Nordamerika die Appalachen und in Nordafrika das Atlasgebirge auf. Alle Kontinente bilden noch einen einzigen Festlandsblock.

Zwischen dem 14. und 17. Dezember zerbricht der Urkontinent in vier große Platten:

Nordamerika, Europa/Asien, Südamerika/Afrika, Indien/Australien und die Antarktis.

Die Saurier sind die beherrschende Lebensform auf der Erde bis zum 25. Dezember, an dessen Nachmittag die Karriere der Säugetiere beginnt.

Am 27. und 28. Dezember entstehen bei Zusammenstößen kontinentaler Schollen alle heutigen Hochgebirge. In Asien rammt am 28. Dezember Indien gegen Tibet, der Zusammenstoß führt zur Auffaltung des Himalaya-Gebirges.

Erst am Abend des 31. Dezember finden sich erste Spuren früher Menschentypen in Ostafrika.

Um 23:50 Uhr, in einer Zwischen-Warmzeit, ist eine Höhle im Neandertal unweit von Düsseldorf bewohnt. Um 23:52 Uhr beginnt der vorläufig letzte Vorstoß von Eismassen und bedeckt auch Teile Norddeutschlands.

Um 23:56 Uhr, während der Eiszeit, erscheint der anatomisch moderne Mensch, der Homo sapiens, in Europa.

Um 23:59 Uhr tauen die Gletscher in Norddeutschland und Skandinavien.

In dieser letzten Minute des Modelljahres, erdgeschichtlich im Holozän, beginnt die eigentliche Kulturgeschichte der Menschheit.

Um 23:59 Uhr und 28 Sekunden wird in Ägypten die Cheops-Pyramide errichtet. 22 Sekunden vor Mitternacht lebt Abraham als Begründer des Judentums.

20 Sekunden vor Mitternacht werden die Bücher Moses und Homers »Ilias« und »Odyssee« geschrieben. 14 Sekunden vor Mitternacht wird Jesus Christus gebo-

ren, 10 Sekunden vor Mitternacht der Prophet Moham-
med.

Drei Sekunden vor Mitternacht sucht Kolumbus den
Seeweg nach Indien und stößt auf Amerika.

In den letzten zwei Sekunden des Jahres steigt die Anzahl der auf dem Planeten Erde lebenden Menschen von
einer auf acht Milliarden.

In der letzten Sekunde unseres Modelljahres, erd-
geschichtlich nun im Anthropozän, also erstmals einer
Zeit, die maßgeblich vom Menschen beeinflusst wird,
verbraucht die Menschheit einen Großteil aller Kohle-,
Öl-, Gas- und Erzvorräte, die fossilen Brennstoffe mittels
Verbrennung.

Dadurch gerät die Spezies Mensch in Gefahr, die
Umwelt zu vernichten und die Erde unbewohnbar zu
machen.

Wie werden unsere Kinder auf uns zurückblicken?
Oder wird es keine mehr geben?

[Inspiriert durch einen Vortrag von Alvo von Alvensleben (1970):
»Erde und Weltraum – ein Streifzug durch Raum und Zeit«. Mit Er-
gänzungen von Wolfgang Beyer und Udo von Barckhausen]

Dienstag, 16. Oktober 2018

Jamal-Halbinsel, Nordwestsibirien, Russland

Die meisten Menschen mögen die Kälte nicht, Gennadi Schadrin liebte sie. Sein Mantel bestand aus zwei Schichten Leder, das hielt den Wind ab. Ein Futter aus Rentierfell sorgte für Wärme, ebenso wie der Fellbesatz am Kragen und an den Ärmeln. Gennadi war gerüstet für die Kälte Sibiriens.

Aber es wurde nicht kalt.

Schon der vergangene Winter war zu milde gewesen, der davor ebenfalls. Aber jetzt war es noch wärmer geworden, und das machte Gennadi Schadrin Sorgen. Die Erde war zu feucht und der Wind zu warm. Seine Rentiere würden auf den weichen Böden nicht vorankommen, sie brauchten den Frost.

Eigentlich hätte Gennadi längst zu den nährstoffreichen Wäldern im Süden aufbrechen müssen, aber wie sollten sie es schaffen, vierhundert Kilometer über den viel zu weichen Boden? Gennadi war ein Hirte, so wie seine Eltern Hirten gewesen waren, seine Großeltern und alle Ahnen, über die ihm je berichtet worden war. Er und seine Familie lebten mit und von den Rentieren. Sie aßen das Fleisch und tranken ihr Blut. Aus den Fellen nähten

13

die Frauen Mäntel und Decken, aus den Knochen fertigten sie Ruten, Messer und Haken für die Zelte, die Sehnen wurden zum Nähen verwendet.

Doch das ganze Wissen seiner Vorfahren half Gennadi nicht bei der Beantwortung einer einfachen Frage: Was tun, wenn der Frost nicht kommt?

In Gennadis Sprache bedeutete Jamal »die große Weite«. Und tatsächlich war die Halbinsel über Jahrhunderte ein abgelegener Ort im Permafrost gewesen, von der Welt nicht weiter beachtet. Als Gennadi geboren wurde, lebten in seiner Heimat, dem autonomen Kreis der Jamal-Nenzen, gerade mal 80 000 Menschen. Dann wurden hier die größten Gasvorkommen der Erde gefunden. Als Gennadi vierzig Jahre alt war, gab es in seinem Land schon über eine halbe Million Menschen. Wie viele es heute waren, in seinem einundfünfzigsten Lebensjahr, konnte er nicht sagen.

Was er aber wusste: Den meisten von ihnen war das Land nicht mehr wichtig. Sie verdienten Geld in den Fabriken und Bohranlagen. Sie schlugen ihre Trassen durch das Weideland der Rentiere, sie vergifteten das Wasser. In einem einzigen Jahr flossen über den Fluss Ob 125 000 Tonnen Rohöl in das Nordpolarmeer.

Gennadi ahnte, dass er seine Familie nicht mehr lange schützen konnte.

In dieser Nacht wachte Gennadi plötzlich auf, weil er ein Wimmern hörte. Sergei, sein jüngster Sohn, der gerade vier Jahre alt geworden war, fieberte. Er hatte seit zwei Tagen kaum etwas gegessen, nicht einmal von den Beeren, die sie im Sommer gesammelt hatten. Jetzt lag der Junge bleich und schwitzend auf dem Fell. Er zitterte. Gennadis Frau, die beiden Töchter und der ältere Bruder knieten vor dem Kind, die Mutter streichelte seinen Kopf. Gennadi stieg in die Fellschuhe und lief los.

Er brauchte Jorak, den Schamanen.

Die Nenzen heilten mit dem, was die Natur ihnen gab. Der Schamane kannte Kräuter, er konnte aus Weidenzweigen eine Milch pressen, die bei Fieber half, er kannte die Beschwörungsformeln gegen den Schmerz. Aber er war auch modern genug, um zu wissen, wann seine Magie nicht mehr half.

Jorak legte Gennadi die Hand auf die Schulter. »Ihr werdet Sergei begraben müssen, mein Freund, so tief wie ihr könnt. Ein Fluch ist zurück, eine uralte Krankheit.«

Sergei, der kleine Junge, atmete flach. Sein Fieber stieg, die Milch aus Weidenruten würde ihm nicht helfen. Jorak strich ihm über die Stirn. »Der Frost hatte uns vor dem Fluch der Krankheit geschützt. Doch nun, wo alles taut, wächst die Gefahr. Wahrscheinlich ist eines deiner Tiere befallen, vielleicht auch mehrere.«

Am nächsten Tag begrub Gennadi seinen jüngsten Sohn, direkt danach brach die Familie auf. Am Abend holte das Fieber die beiden Töchter, sie starben zwei Tage später. Als Katharyna starb, seine Frau, war Gennadi schon zu schwach, die Leiche zu vergraben. Dann war die ganze Familie tot, eine Sippe der Jamal-Nenzen erloschen.

Als kurze Zeit später eine andere Familie die verwaisten Rentiere fand, starben in kurzer Zeit fünfzehn weitere Menschen sowie die komplette Herde. Alles, was

von ihnen blieb, war eine winzige Notiz auf einer un-
bedeutenden russischen Nachrichtenseite im Netz: »Tote
im Permafrost: Kommt der Milzbrand-Erreger zurück?«

Dienstag, 29. Januar 2019

Datscha des Präsidenten der Russischen Föderation
Nowo-Ogarjowo, Odinzow-Bezirk bei Moskau

»Freunde, die Nachrichten sind nicht gut«, sagte Setschin. »Wir haben neue Lecks. Siebenundzwanzig Fälle sind in den letzten Wochen aufgetaucht, alles neue Risse und Absackungen an den Pipelines. An zwei Stellen sind Wohnblocks eingestürzt.« Igor Iwanowitsch Setschin, Vorstandsvorsitzender bei »Rosneft«, blickte in die Runde. Erst zu Alexei Borissowitsch Miller, dann zu Gerhard Schröder, dann zu Wladimir Putin.

Draußen schneite es seit Tagen, ein Schneepflug hatte den Weg zur Datscha erst frei räumen müssen, links und rechts der Einfahrt türmten sich die Schneemassen. Vom Kaminzimmer aus konnte man normalerweise die Fahrer beobachten, wenn sie vor dem Garagenhaus rauchten und auf ihre Chefs warteten. Aber jetzt waren die Flocken viel zu dicht. Keine fünf Meter weit konnte man sehen. Es war schwer vorstellbar, dass ein ausbleibender Winter ein Problem sein könnte.

Putin schwieg. Er blickte in den Kamin. Seine Datscha war ein Landhaus mit Konferenzsälen, Nebenhäusern, Sporthalle, zwei Küchentrakten, einem Fernsehstudio und einer Bunkeranlage im dritten Tiefgeschoss.

17

Und das Kaminzimmer sah nur auf Fotos heimelig aus: Dort, wo üblicherweise die Hausfotografin stand, blieb der Raum schmucklos getäfelt.

Putin sah auf. »Noch mehr so beschissene Nachrichten?«, fragte er.

Miller streckte sich. »Fünfundvierzig Prozent unserer Anlagen und Pipelines liegen in den gefährdeten Gebieten.« Die gesamte Infrastruktur seiner »Gazprom« würde leiden, wenn die Böden weiter so schnell und tief tauten. Manchmal entzündeten sich Gashydrate unter den Eishügeln, niemand konnte sagen, wo und wann es Explosionen geben könnte. Die Lage war ernst, offenkundig.

Dazu kamen die Waldbrände in Sibirien: mehr denn je zuvor und größer denn je zuvor. Sie ließen den Boden schneller tauen, was wiederum für mehr Methan sorgte und den Klimawandel beschleunigte. Das alles war prognostiziert – aber mit welcher Wucht die Vorhersagen eintreffen würden und dass Russland eines der ersten Opfer des Klimawandels werden sollte, das änderte alles.

So wie es jetzt lief, das war den Männern klar, würde es nicht weitergehen können.

Es hörte nicht auf zu schneien. Am späten Nachmittag, es war bereits dunkel, endete das kleine, inoffizielle Treffen. Die Fahrer manövrierten ihre Autos durch das Schneeflockengrau, Miller und Setschin verschwanden im Getümmel der Flocken. Bevor Schröder sich verabschiedete, kramte er in seiner Tasche. Er zog ein Buch hervor.

»Das wollte ich dir noch geben«, sagte er. Putin zog die Augenbrauen zusammen. »Du weißt doch, dass ich

18

keine Zeit habe, Bücher zu lesen. Und jetzt erst recht nicht.«

»Ich dachte, du willst mit deinem Deutsch im Training bleiben?«, entgegnete Schröder.

»Hm«, sagte Putin.

»Du musst auch nicht das ganze Buch lesen«, sagte Schröder. »Ich habe dir drei Seiten markiert. Es geht um Oktopoden in Boston.«

Putin nahm das Buch entgegen, einen Anflug von Spott in seinen Augen. »Oktopoden. Ah ja.«

»Du wirst verstehen, warum!«, sagte Schröder und stapfte zu seinem Wagen. Putin hob die Hand, winkte, ging zurück in seine Datscha und schlug das Buch auf.

Montag, 3. Mai 2100

Hagenburg am Steinhuder Meer, nahe Hannover, Deutschland

Gundlach schlägt die Augen auf, er ist sofort wach. Früher konnte er allmählich aus dem Schlaf in den Tag hinübergleiten, sich noch ein wenig räkeln und strecken. Aber nun ist da diese künstliche Intelligenz, diese Roboterfrau: Krankenschwester, Sekretärin, Gouvernante – in einer Maschine. Und natürlich bemerkt Tracy, so heißt das Ding, sofort, dass Gundlach nicht mehr schläft.

»Guten Morgen, Maximilian. Es ist sechs Uhr zwanzig.« Tracy hat eine warme, sinnliche Stimme. Sie hat am Fußende des Bettes gewartet, nun dreht sie ihren weiß glänzenden Kopf. Sie lässt es hell werden im Zimmer, schaltet Musik ein. Ein Klavierstück aus den Siebzigerjahren des 20. Jahrhunderts, »Song for Guy«, Elton John, eine wehmütige Melodie über einer Handvoll Akkorde. »Du hast schlecht geschlafen. Ich möchte deine Vitalwerte messen.«

»Ach, Tracy«, murmelt Gundlach. »Lass mich doch erstmal aufstehen.«

Doch die Roboterdame hat seine Hand schon ergriffen.

»Blutdruck einhundertzehn zu sechzig«, entgegnet

20

sie. »Mangel an Eisen, Vitamin D und B$_{12}$. Säureüberschuss im Magen. Medikation wie immer.« Sie hält Gundlach ihre weiße Hand entgegen, öffnet sie und gibt den Blick auf eine purpurfarbene Pille in ihrer Handfläche frei. Gundlach nimmt die Tablette. Tracy lächelt und schickt einen Befehl in die Küche. Es soll ein eiweiß- und eisenhaltiges Frühstück sowie einen grünen Matcha geben. Von der Küche dringt ein Summen herüber.

Gundlach ist müde. Ja, er schläft schlecht. Und sein Magen schmerzt. Langsam erhebt er sich und tritt vor den Kleiderschrank.

»Drei Tage wird das Treffen dauern …«, seine Stimme klingt flach.

Tracy rollt heran mit einem Bambuskoffer. »So steht es in deinem Kalender«, sagt sie und räumt Hemden, Anzug, Unterwäsche und Socken in den Koffer.

»Danke«, sagt Gundlach.

Gundlach ist froh über Tracy. Sie ist angenehm unmenschlich, keines dieser chinesischen Robo-Produkte mit Human-Emotionen. Sein alter Freund Seitz, der Soziophysiker, hatte ihm so etwas aufschwatzen wollen. Aber Gundlach ist Witwer, nach sechsundachtzig Jahren Ehe wäre eine Humanoide ihm wie Verrat vorgekommen. Nein, Tracy ist einfach da, sie hilft im Alltag, aber sie versucht nicht, irgendjemanden zu ersetzen.

Gundlach hat inzwischen geduscht, jetzt betrachtet er sein Gesicht im Spiegel. Einige Falten erscheinen ihm tiefer als sonst. Er ist einhundertfünf Jahre alt. Man kann nicht immer siebzig sein, denkt er, da helfen kein Sport, kein Cardio-Studio, keine Vorlesungen und keine Reisen zu Konferenzen. Gute Ernährung hilft.

Sein Küchenroboter, eine Maschine ohne Namen, pflückt mit einem Arm frischen Salat und Kräuter aus der Aquaponik-Anlage, in der Tilapia-Buntbarsche gezüchtet und Nutzpflanzen kultiviert werden. Ein anderer der insgesamt vier Service-Arme verrührt eine weiße, zähe Flüssigkeit in der Pfanne, während zwei Scherenfinger die Kräuter zerkleinern. Ein weiterer Arm streut Gewürze dazu.

»Gerührtes Mungobohnen-Ei an Algen-Spinat-Salat mit Dill«, sagt eine männliche Stimme. »Guten Appetit!«

Gundlach setzt sich in die Nische zwischen Aquaponik-Anlage und Herd. Er wäre gern etwas besser bei Kräften, um die Tage in Paris genießen zu können. Denn eigentlich gehört das Treffen mit den sechs anderen zu den besten Terminen im Jahr. Er ist gespannt darauf, die neuen Spielzeuge in der Wohnung von Michelle zu sehen. Als Agrarwissenschaftler und Ingenieur teilt er ihre Faszination für nachhaltige Alltagstechnik, insbesondere im Bereich Öko-Design. Mit Sicherheit hat die Produktdesignerin wieder ein paar interessante neue Möbel zu präsentieren. Und natürlich freut er sich auf Seitz. Ein brillanter Denker. Es wird hervorragendes Essen geben und beste Weine. Wie immer werden sie bis tief in die Nacht diskutieren.

In diesem Jahr wollen sie über ein historisches Thema reden, über die Jahre der Entscheidungen, damals um 2025, und warum es so kommen musste, wie es kam. Und ob es damals anders gelaufen wäre, wenn nicht

Menschen regiert hätten, sondern Algorithmen. Gundlach wird besonders viel beitragen müssen, er ist der einzige Zeitzeuge. Von den sieben Teilnehmern war nur er damals dabei.

Über Computerintelligenz wird er bereitwillig debattieren, denkt Gundlach. Aber über die Erlebnisse vor siebzig, achtzig Jahren redet er nicht gern.

Er trinkt den Tee aus. Der Magen brennt schon etwas weniger.

Tracy rollt den Koffer zur Tür. »Die Reisezeit in der Magnetschwebebahn beträgt zweiundvierzig Minuten und sechzehn Sekunden. Es bietet sich an, eine Meditation zu realisieren.«

»Ja, eventuell.« Gundlach muss lächeln.

Tracy schließt die Augen. »Eine gute Reise, Maximilian.«

Freitag, 19. April 2019

São Paulo/Vila Madalena, Brasilien

Ricardo da Silva interessierte sich nicht für Sex, er hatte keine Freundin, er las keine Bücher, war nicht religiös, er hatte kaum Freunde, trieb keinen Sport, sah nicht gut aus, tanzte nicht gern, hörte keine Musik, interessierte sich nicht für Politik, Autos, Geld, Ruhm, Kunst, Wirtschaft, Filme, Mode – Ricardo da Silva, zweiunddreißig Jahre alt, hatte eigentlich nur eine Leidenschaft in seinem Leben: Er kochte.

Ricardo da Silva, klein, etwas rundlich, Diplomatensohn, Kindheit in China, wollte, solange er denken konnte, nichts anderes sein als ein Koch.

Und dass er eines Tages die Welt retten müsste, daran hätte er im Traum nicht gedacht.

Drittes Jahrtausend, drittes Jahrzehnt in der Geschichte der Menschheit

Das Jahrzehnt zwischen den Jahren 2020 und 2030 war die entscheidende Dekade. Niemals zuvor hatte der Mensch vor einer so schicksalhaften Weichenstellung gestanden. Vor einigen hunderttausend Jahren hatte er seine Karriere begonnen, vom kleinen, schutzlosen, ängstlichen Säugetier zum Herrscher der Erde. Seine Vormachtstellung schien, zu Beginn des dritten Jahrtausends, unantastbar. Aber das war ein Irrtum.

Die Globalisierung war keine neue Erscheinung, sie hatte vor mindestens einem halben Jahrtausend eingesetzt mit der Eroberung und Erschließung der Meere und Kontinente durch Spanier und Portugiesen; doch noch nie waren die Vorgänge auf dem Planeten derart systemisch vernetzt. Noch nie zuvor hatte das, was auf der einen Seite der Erde geschah, so direkte Folgen auf eine Region, ein Land, einen Kontinent – die scheinbar weit entfernt waren.

Die Klimakatastrophe kannte keine Ländergrenzen, keine politischen Autonomien, keine Ideologien.

Nach dem Bericht des Weltklimarats von 2018 würde sich die Erde, selbst wenn alle Regierungen sämtliche im

Pariser Abkommen beschlossenen Maßnahmen umsetzten, dennoch bis 2100 um etwa 3,2 Grad aufheizen. Indes war 2019 kein einziges Industrieland annähernd auf dem Weg, seine Klimaziele zu erreichen. Bei einer Erwärmung von drei Grad würden Hunderte Großstädte überflutet, etwa Shanghai, Miami, Hongkong. Die Waldbrände in den USA würden sechsmal so viel Waldland verwüsten.

Würde, nach einer pessimistischen oder vielleicht sogar realistischen Studie der Vereinten Nationen, die Erde sich bis 2100 um acht Grad aufheizen, wären die Folgen kaum vorstellbar.

Feuerstürme würden die Wälder versengen. Zwei Drittel aller Städte auf der Welt würden überschwemmt. Tropische Krankheiten würden wüten. Der Permafrostboden der Arktis, der derzeit noch bis zu schätzungsweise 1,8 Billionen Tonnen Kohlenstoff gleichsam festhält, würde tauen, das CO_2 in die Atmosphäre gelangen, die Erde zusätzlich aufheizen.

Die Polarkappen würden immer schneller schmelzen, das Wasser der Ozeane um etwa 1,2 bis schätzungsweise 2,4 Meter steigen, Bangladesch würde versinken, der Markusdom würde versinken, das Weiße Haus würde untergehen, die chinesische Stadt Shenzhen, mit mehr als zwölf Millionen Menschen, würde überflutet.

Und dann würde die Nahrungsproduktion einbrechen, Hunger und Kriege wären die Folge. Das Süßwasser würde knapp werden – knapp in einer Form, die man sich nie vorzustellen gewagt hätte. In einer heißeren, trockeneren Welt würden Aggressionen und Konflikte rapide zunehmen.

Sicherlich würden Menschen überleben, hier und dort. Doch unter welchen Bedingungen? In welcher Science-Fiction-Dystopie würden sie leben müssen? Die Zivilisationen, mit ihrer Schönheit und ihrem Glauben an Vernunft und Zukunft, würden ausgelöscht.

Anfang des 21. Jahrhunderts erlebte das Religiöse eine Renaissance, ausgelöst vor allem durch den Islam, leider auch in seiner verblendeten Erscheinungsform als islamistischer Terror. Aber insgesamt schien, obwohl das atheistische Denken offenbar alle Vernunft auf seiner Seite hatte, die Sehnsucht nach einem Gott zuzunehmen. Nach einem Gott, der sich einschaltet, der den Menschen mit größter, nämlich göttlicher Autorität erklärt, was sie zu tun und zu lassen haben.

Doch dieser Gott zeigte sich nicht, jedenfalls stieg er nicht herab, um die Klimakatastrophe zu verhindern.

Die – nach Gott – mächtigsten Kräfte auf diesem Planeten waren die Weltmächte: China, Russland, die USA. Die Macht, etwas zu entscheiden, konzentrierte sich in den Staatsapparaten – alles in allem waren es einige hundert Männer und einige Frauen, die über das Schicksal der Schöpfung entscheiden konnten.

*

Und unter den Menschen, die in die Zukunft blickten, mit Angst und Grausen, waren einige, die dachten, eine Allianz der Supermächte sei die letzte Chance zur Umkehr.

Samstag, 27. April 2019
Kongresshalle, Peking, VR China

Mistkerle, dachte die Senatorin. Sie war beeindruckt und belustigt. *Auf jeden Fall können sie's besser als wir.*

Das Ganze war perfekt organisiert: Jede Limousine mit einer Motorrad-Eskorte in genauer Keil-Formation. Die Polizisten am Straßenrand standen stramm und lächelten. Der Grünstreifen, in einem Bilderbuchgrün, *chartreuse,* war exakt geschnitten. *Wahrscheinlich Rollrasen, sie sind einfach effizient, unsere chinesischen Freunde und Konkurrenten.*

Sie empfand einen Anflug von Neid, lächelte, schüttelte den Kopf.

Es war kaum eine Bewegung, doch ihr Assistent, John Chang, der neben ihr saß, hatte es registriert.

»Alles in Ordnung, Frau Senatorin?«, er sprach mit gesenktem Blick, höflich, besorgt. Die Chinesen waren immer besorgt, dass irgendwas nicht in Ordnung wäre.

»Nein, alles wunderbar. Ich sah nur auf den Straßen die Wide-Screens und die Fahnen und die Banner und dachte: Wow! Wenn wir in Sacramento oder L.A. so eine Konferenz veranstalten, da würde einiges schiefgehen, schätze ich, und es wäre chaotischer, schmuddeliger …«

»Nun, es ist natürlich der Ehrgeiz der überaus weisen Staatsführung und des Volkes, unseren Gästen den besten Eindruck zu vermitteln«, sagte Chang.

Es klingt, als wenn er ein Gedicht aufsagt. Sein Englisch war beinahe akzentfrei.

Er legte seine Hände auf die Knie, parallel. Die Fingernägel waren makellos, wahrscheinlich manikürt.

Sie lächelte ihn an. »Das haben Sie schön gesagt, Mr Chang.«

Er senkte bescheiden den Kopf.

John Chang war ihr von der Botschaft zugeteilt worden, aber mit dem Hinweis: Vermittelt vom chinesischen Außenministerium, wir empfehlen Zurückhaltung. Mit anderen Worten: Chang würde jeden Abend einen Bericht verfassen, ans Außenministerium, an diverse Geheimdienste.

Senatorin Kamala Harris aus Kalifornien und John Chang, ihr »Assistant On Time«, sozusagen ihr Leih-Assistent für die drei Tage der Konferenz, saßen auf dem Rücksitz einer dunkelblauen Mercedes-S-Klasse, die im Konvoi auf der freigemachten und von Polizisten gesäumten Spur zügig vom »Pangu-Hotel« zur Kongresshalle rauschte. Dass Peking eine versmogte Millionenstadt war, davon merkte man nichts. Der Fahrer war durch eine abgedunkelte Scheibe getrennt. Im Wagen duftete es dezent nach Blumen und Leder. Die Sitze waren weinrot.

Eindeutig eine Sonderbehandlung, dachte die Senatorin. Wie auch das Upgrade im »Pangu«, eine De-luxe-Suite mit Aussicht auf das Geglitzer der Riesenstadt. Das

Badezimmer war doppelt so groß wie ihr Büro in Sacramento.

Aber warum?

Die Senatorin war zwar eine auffällige Erscheinung: Mitte fünfzig, lebhaft, schlank, blitzende Augen, ehemalige Staatsanwältin, Tochter einer Tamilin und eines jamaikanischen Wirtschaftsprofessors, Demokratin. Aber in der informellen Hierarchie des internationalen Konferenzbetriebs war sie ein eher kleines Licht.

Der April war sonnig und klar. Die Senatorin blickte aus dem Fenster. Noch mehr Banner, noch mehr Fahnen. Und da war auch schon die Kongresshalle. Die Limousine rollte weich aus. Livrierte Konferenz-Guides und Security-Beamte eilten heran. Die Tür auf ihrer Seite wurde geöffnet, die Senatorin stieg aus. Sie trug ein marineblaues Kostüm, eine Handtasche in demselben Farbton. Sie bemerkte, dass die Limousinen der meisten anderen Konferenzteilnehmer, die vor- oder abfuhren, etwas weniger elegant waren als ihr Wagen.

Sie blickte auf die Männer, die sie in Empfang nehmen sollten und sich in respektvoller Distanz, genau drei Meter vor ihr, verbeugten, und sie sagte sehr laut: »*Nin hau!*« Kaum hatte sie den Morgengruß ausgesprochen, hoben sich etliche Köpfe, hier und da sah sie ein vorsichtiges Lächeln.

Na also, auch wenn uns die Chinesen in Sachen Wirtschaftsleistung und Organisation inzwischen den Rang ablaufen – aber das immerhin können wir Amerikaner: Wir können nett sein.

Die Konferenz war auf drei Tage angesetzt, Thema:

»Die neue Seidenstraße«, das geliebte Großprojekt des Staatspräsidenten Xi Jinping, seit sechs Jahren arbeiteten die Chinesen bereits daran. Neue Handelswege zwischen Asien und Europa, neue Schienenverbindungen, Straßen, Kreditvergaben für Länder auf dem Weg oder abseits, Infrastrukturprojekte. Nach Jahrzehnten des Aufholens und der Konzentration auf die innere Entwicklung nahm China nun den Rest der Welt in den Blick. Immerhin war das Reich bis Anfang des 19. Jahrhunderts die Nummer eins gewesen, so sahen es jedenfalls die Chinesen. Und würde es wieder sein.

Daher die Konferenz. Sie war der Begegnung, den Arbeitskreisen gewidmet – aber vor allem einer Botschaft: Wir treten an, wir streben nach ganz oben.

Vertreter aus hundert Ländern, darunter fast vierzig Staats- und Regierungschefs. Eine einfache Senatorin aus Kalifornien gehörte eigentlich eher zum Konferenz-Fußvolk und verdiente keine Sonderbehandlung; aber offenbar wussten die Chinesen etwas, was nicht viele wussten.

Vor den Sicherheitskontrollen, Körperscans, Taschenscans gab es einen leichten Stau. Die Senatorin sah arabische Delegierte in ihren blütenweißen *Dischdascha*-Gewändern, afrikanische Politiker in ihren langen, buntgemusterten Hemden, und da war auch die Prinzessin von Tonga, gewandet in eine Art traditionelles, mit Muscheln besetztes Südseekleid, lächelnd nach allen Seiten. Tonga, der polynesische Inselstaat, lag zwar nicht wirklich an der Seidenstraße, eigentlich überhaupt nicht – aber hierin waren die Chinesen nicht kleinlich. Die Senatorin sah einige Bekannte: Da war dieser italienische

Diplomat, den sie von anderen Konferenzen kannte, er hatte ständig mit ihr flirten wollen. Dort stand der ehemalige deutsche Bundespräsident, groß, blond, freundlich, den sie sympathisch fand, sie winkte ihm zu, er winkte zurück.

Die Haupthalle war im zweiten Stock. Die Senatorin legte jetzt ihre Handtasche auf das Scanner-Band. Sie merkte, dass sie tatsächlich etwas aufgeregt war.

Montag, 3. Mai 2100

15 Quai de la Tournelle, 5. Arrondissement, Paris,
Frankreich

Diese Frau weiß, wie man Gäste beeindruckt, denkt Gundlach, als er Michelles Wohnung in Paris betritt.

Ein Baum, mitten im großen Empfangszimmer, bedeckt mit hellgelben und mintfarbenen Flechten. Auf dem Tisch, groß, aber nicht wuchtig, wahrscheinlich Kunstholz, liegen Früchte, blutrot, veilchen- oder fliederfarben – alles so, als läge es in zufälliger Ordnung und die Farben würden nur aus Versehen perfekt zueinander passen. Pflanzenfasern auch an den Wänden, neben den Sesseln und Sofas stehen weiße Behälter mit Tomatenstauden und Paprika. Kleine alte Kulturpflanzen, wie sie früher überall wuchsen.

Dann sieht Gundlach das Aquarium. Es ist so groß, dass man es im ersten Moment für eine Fensterfront halten könnte oder für eine Monitorwand. Darin: ein Oktopus. Knapp einen Meter lang, auf der Haut ein hellrot-weißes Streifenmuster, unterbrochen von einer Art Gitterstruktur aus gleichmäßig verteilten hellen Punkten und dunkleren Partien. Am Kopf des Tieres sitzen mit weitem Abstand voneinander rechts und links die Augen, deren Lider geschlossen sind. Sie müssen gut zehn Zenti-

33

meter messen. Direkt darunter beginnen die schlanken, sich bis zum Ende verjüngenden acht Arme.

Michelle steht am Tisch. »Maximilian Gundlach!«, ihre Stimme klingt noch heller, als er es in Erinnerung hatte, und als er in Michelles Gesicht blickt, kann er es kaum glauben. Die Vitamin-Infusionen allein können es nicht sein.

»Du siehst aus, als hättest du gerade dein Abitur gemacht, Michelle! Unglaublich!«

Die Französin trägt ein indigofarbenes Seidenkleid, das an einer Seite nur bis zur Mitte der Oberschenkel reicht und an der anderen bodenlang ist. In ihrem Ausschnitt blitzt es hellrot, echte Mars-Steine.

Michelle ist Direktorin der Pariser Hochschule für Nachhaltige Ästhetik. Ihre Arbeiten im Bereich konvivialer Technik – attraktive lebensfreundliche Alltagsgegenstände – haben sie berühmt gemacht.

»Darf ich dir Lionel vorstellen?«, fragt sie.

Für einen Augenblick glaubt Gundlach, dass Michelle tatsächlich einen Mann gefunden haben könnte, der ihrer Perfektion standhalten könnte. Er verkneift sich aber einen spöttischen Satz.

Michelle lächelt. »Lionel ist vorgestern eingezogen!«, sagt sie, legt ihre Hand an das Becken. Der Oktopus tastet mit einem Arm von innen an ihr entlang. Michelle hakt sich bei Gundlach ein, wendet sich an die anderen im Raum. »Nun wird es aber ernst, ihr Lieben«, ruft sie. »In fünf Minuten beginnt die Führung!«

Erst jetzt nimmt Gundlach die anderen wahr. Er geht hinüber zu Robert Glass und Ann Georgii, die mit Tassen in den Händen an der Tafel stehen. Er begrüßt die beiden und gibt sich Mühe, nicht zu väterlich zu wirken. Immerhin ist er doppelt so alt, ungefähr. Gundlach gratuliert Robert zu seiner Auszeichnung. Er muss sich immer wieder klarmachen, dass auch Menschen um die fünfzig bereits Top-Leistungen abliefern. Robert, der Deutsch-Amerikaner, hat gerade den »Next Green Leadership«-Award für sein Engagement in der Förderung nachhaltiger High-Speed-Start-ups gewonnen. Robert berät junge Absolventen aus Wirtschaft und Technik, er bewegt Menschen tatsächlich zu erstaunlichen Leistungen. Immer geht es um die Verbindung von Sozialem und Technik. Seine Berufsbezeichnung: Wirtschaftsphilosoph.

Die Schwedin Ann ist ebenso erfolgreich. Sie hatte den weltweit größten Veränderungsprozess eines Gesundheitssystems begleitet, eine virtuelle Hochschule für Change Management im Gesundheitswesen gegründet und nebenbei eine Arbeit über vollständig abbaubare Impfstoffe fertiggestellt. Obwohl sie noch keine vierzig ist, wirkt Ann mit ihrem schlichten hellgrauen Kostüm fast älter als ihre Kollegen. Sie ist klein, schmal, still, aufmerksam.

An der anderen Seite der Tafel stehen Anjana Tiwari und Ilyana Lubalka und sehen so aus, als hätten sie die Phase des freundlichen Smalltalks bereits verlassen und wären beim Streit angekommen. Es wäre nicht das erste Mal, und stets geht es um das gleiche Thema: Wie sehr darf das Gehirn eines Menschen digitalisiert und verbessert werden – und wie viel Macht darf so ein Gehirn haben? Diese Diskussion war eigentlich für etwas später vorgesehen.

Ilyana, hager, strenger Blick, bis zur Humorlosigkeit sachlich, eine russische Neurologin und Kognitionsforscherin. Sie hat ein Verfahren entwickelt, das die technische Erweiterung neuronaler Netzwerke im Gehirn durch Computerchips vereinfacht. Zudem arbeitet sie an der Optimierung des »Mind Uploading«, bei dem ein Back-up des Bewusstseins auf einem externen Medium gespeichert wird. Für sie ist klar: Bei den meisten Prozessen ist künstliche Intelligenz den Menschen längst hoffnungslos überlegen. Aber wenn man das Gehirn unkompliziert *upgraden* kann, dann würden die Menschen wenigstens den Anschluss halten.

Ilyana ist vor drei Jahren in den medizinischen Fachausschuss der Weltregierung berufen worden, und bei der ersten Ausschusssitzung hatte sie den anderen Mitgliedern und Gästen, darunter immerhin zwei Ministerinnen, eine Spritze gezeigt, die mit einer bläulichen Flüssigkeit gefüllt war. »Meine Damen und Herren«, hatte sie gerufen, »diese Spritze ist etwa so groß wie ein durchschnittlicher Hippocampus, das ist der wichtigste Teil in Ihrem Gehirn. Und dieser Tropfen« – dabei drückte sie ein wenig Flüssigkeit aus der Spritze – »ist nur die Kühlung für einen Chip, den Sie nicht erkennen können. Aber der ist klüger als wir alle hier zusammen.« Sie blickte zu den Ministerinnen: »Es stellt sich also die Frage, warum Sie beide hier Entscheidungen fällen, und nicht dieser Tropfen.«

Anjana hatte den Auftritt damals verfolgt, sie ist aber

prinzipiell anderer Meinung. Als Juristin stellt sie andere Fragen, grundsätzlichere: Wer darf Recht schaffen, und zu welchem Zweck?

Anjana stammt aus Indien, sie gehört seit einigen Jahren dem »Internationalen Komitee für Migration und Minderheitenrechte« an. Die Geschichte ihrer Familie ist die Geschichte von Ungleichheit, vom Kampf um Gerechtigkeit.

»Was sagt ihr zu Michelles neuem Mitbewohner?« fragt Gundlach. »Ist er nicht ein erstaunliches Geschöpf?«

Die beiden Frauen halten inne, Anjana lächelt. Ihre Haut ist glatt und ohne jede Falte, ihre Haare noch immer natürlich pechschwarz. Anjana schaut hinüber zum Oktopus und nickt.

»Ja, absolut. Und zum Glück ist er auch eigensinnig genug«, sagt sie. »Mit dem wird sich Michelle sicher nicht so schnell langweilen.« Ilyanas Miene bleibt ernst. »Die Frage ist wohl vielmehr, ob er sich nicht bald mit ihr langweilt.« Die Russin wendet den Blick nach unten. Auf ihrer Handinnenfläche wird eine projizierte Tastatur sichtbar, die von ihrer Kontaktlinse gesteuert ist. Sie beginnt zu tippen.

»Es deutet manches darauf hin, dass Tintenfische uns intellektuell in einigen Bereichen überlegen sind«, sagt Ilyana beiläufig. »Insbesondere im konstruktiven Umgang mit zunehmend komplexen Realitäten ...«

Jetzt unterbricht Michelle. »Na, seid ihr schon hungrig? Dann folgt mir unauffällig!« Michelle schreitet durch einen hellen Gang, Robert und Ann, Anjana und Ilyana schließen sich an.

Dann folgt Gundlach. Aus einem anderen Raum tritt plötzlich Seitz neben ihn. Der Soziophysiker verzichtet wie immer auf die Begrüßung. Dass er neben Gundlach geht, gilt für seine Verhältnisse bereits als Herzlichkeit. Gundlach kann sich gerade noch zurückhalten, dem jungen Kollegen auf die Schulter zu klopfen. Für Seitz ist Körperkontakt unnötig, Smalltalk überflüssig.

Seitz untersucht digitale Methoden zur Erreichung gesellschaftlicher Ziele, soziale Kompetenzen künstlicher Intelligenz und die Vorhersagbarkeit von Gruppenprozessen. Der Vierunddreißigjährige lehrt in Oxford, Chicago und am »Massachusetts Institute of Technology« – in virtuellen Vorlesungen von seiner Wohnung aus, die sich im fünfzehnten Stock eines Züricher Hochhauses befindet. Es hat den Vorteil, dass er echte Kontakte vermeiden kann.

Sie betreten die Küche, die geradezu steril wirkt, ganz anders als der Salon. Es riecht nicht einmal nach Küche. Nur ein paar Lebensmittel liegen auf dem Tisch, daneben steht eine Maschine, die wie ein überdimensionaler Mixer aussieht. »Die Küche ist übrigens zu hundert Prozent aus Bestandteilen der Sonnenblume gefertigt«, erklärt Michelle und streicht mit der Hand über die hellgrau marmorierte Arbeitsplatte. »Die Möbel bestehen aus gepressten Rindenfasern des Stiels, die mit einem Lack aus Sonnenblumenkernen imprägniert werden«, erläutert sie. Dann geht sie auf Ilyana zu und hält eine Art rechteckigen Stab in die Luft, in dessen Mitte sich Lichtstreifen in verschiedenen Farben befinden. »Würdest du meine Freiwillige sein, Ilyana?«, fragt sie die Russin.

»Solange es der Wissenschaft dient«, entgegnet diese.

Die Gruppe lacht.

Ilyanas Haar leuchtet im weißen Licht der zahlreichen Deckenlampen.

Michelle übergibt ihr eine winzige Tablette und ein Glas Wasser.

»Bitte schlucken!«

Ohne Zögern folgt die Neurologin der Anweisung.

Nach einigen Momenten der Stille scannt Michelle mit dem Stab ganz langsam den Bauch der Kollegin. Es piept, und Michelle verkündet das Ergebnis: »Verehrte Frau Lubalka, Sie benötigen jetzt eine Mahlzeit mit 48,6 Prozent vollwertigen Kohlenhydraten, 27,3 Prozent Eiweiß und 24,1 Prozent Fett aus möglichst dreifach ungesättigten Fettsäuren. Darin sollten 2 700 Milligramm Kalium, 865 Milligramm Calcium, 11 Milligramm Eisen und 98 Milligramm Vitamin C enthalten sein. Weitere Inhaltsstoffe lesen Sie bitte hier im Detail.« Michelle gibt Ilyana den Stab.

Michelle steigt auf eine kleine Treppe neben der Maschine. Sie zieht eine Schublade auf und holt kleine eckige Glasbehälter hervor. »Das sind Konzentrate, die meine Maschine aus Lebensmitteln gewinnt«, erläutert sie. Sie hält ein Glas mit tiefroter Substanz in die Höhe: »Rote Beete«; dann eines mit dunkelgrünem Inhalt: »Alge«; und schließlich eines mit einer weißlichen Füllung: »Mehlwurm«.

Gundlach dreht sich weg. Mehlwurm und Heuschrecken gehören zu den modernen Grundnahrungsmitteln, die ihm auch nach Jahren noch fremd sind.

Michelle steigt wieder herunter, tippt unten an der Küchenmaschine etwas ein. Es summt, Wasserdampf steigt auf, Zutaten gleiten auf eine Platte. Keine zwei Minuten später holt Michelle einen dampfenden Teller aus dem Kochfach: Auf hellgrünem Schaum gebettet liegen zwei Hälften einer melonenhaften Frucht, darüber ein hauchdünnes Netz aus gelben Fäden. Michelle reicht Ilyana den Teller und einen kleinen Löffel.

»Nicht schlecht«, sagt die Russin, »geschmacklich intensiv, neuartige Konsistenzen, reife Ästhetik.«

»Und das Beste ist«, fährt Michelle fort, »hier handelt es sich um eine Zero-Waste-Produktion, vollkommen abfallfrei.«

Michelles Wohnung ist ein Musterhaus. Abfälle werden verstromt oder zu Dünger für Gemüse, Obst und Fasern verarbeitet. Gas aus der Vergärung treibt wiederum die Küchenmaschine an; was dann doch übrig bleibt, wird zu Farbpigmenten zermahlen und von Michelle beim Malen benutzt. Denn zu allem Überfluss malt sie auch noch.

»Das System ist eine Kooperation unserer Hochschule mit den Kollegen von der technischen Fakultät der Uni Beijing und dem makrobiotischen Institut in Melbourne. Ihr habt die Ehre, die Anlage mit mir einzuweihen. Der Nächste bitte!«

Später, beim ersten Wein im Salon, wird es offiziell. »Ich kann gar nicht sagen, wie sehr ich mich freue, dass ihr mich dieses Jahr hier in Paris beehrt«, sagt Michelle. »Es ist unser siebtes Treffen, und es war längst an der Zeit, dass ich euch hier empfange. Und keine Sorge, wir werden nicht jeden Abend in meiner Versuchsküche essen.«

Glück gehabt, denkt Gundlach.

»Unten im Haus liegt das wunderbare Restaurant ›La Tour d'Argent‹. Es existiert seit dem Jahr 1582. Dort habe ich den Tisch reserviert, an dem schon Bismarck, Zar Alexander II. und der preußische König, Wilhelm I., der spätere deutsche Kaiser, gemeinsam dinierten.«

Sie hebt das Glas: »Auf eine gute Zeit! *Santé!* Ich übergebe an unseren Moderator. *C'est à toi*, Robert.«

Robert erhebt sich und prostet der Runde ebenfalls zu.

»Die Freude ist ganz auf unserer Seite, Michelle. *Merci beaucoup!*« Alle erheben die Gläser und prosten erst Robert und Michelle zu und dann in Richtung des Aquariums.

Robert fährt fort: »Wie angekündigt, werden wir uns bei unserem Treffen der wahrscheinlich wichtigsten Frage unserer Zeit widmen und dabei selbstverständlich auch einen Blick in die Geschichte werfen. Insbesondere auf die Zeit, die die Menschheit revolutionierte, wie kaum eine andere.« Der Wirtschaftsphilosoph ist jetzt in den Vorlesungsmodus gewechselt. »Eine Zeit, in der diese Welt, wie wir sie heute erleben und schätzen, um ein Haar zerstört worden wäre. Wir kümmern uns vor allem um zwei Fragen: Wie entscheidend war es, dass einige wenige Regierungen die Führerschaft übernahmen und die Welt unter sich vereinigten? Und welche Entscheidungen hätte eine künstliche Intelligenz früher oder besser getroffen?«

Robert wendet sich an Gundlach: »Du warst damals dabei, als Einziger von uns. Wie war das? Man wusste doch, wie es um die Welt stand, oder?«

Gundlach zögert. »Ja natürlich. Die Fakten waren ja klar. Waldbrände in Russland, Australien, Smog in China – das war der Klimawandel, der auch nach Europa kommen würde. Jeder wusste das. Und trotzdem verbrauchten wir fossile Energien und heizten die Erde auf. So kehrten auch Krankheiten zurück, die lange Zeit als ausgestorben galten …«

Gundlach stellt jetzt sein Glas auf den Tisch, er braucht beide Hände zum Gestikulieren. »Wir hatten von den Tropenwäldern gelesen. Wir wussten, dass kein vernünftiges Wesen sich die Lunge herausreißen würde und dass Amazonien die Lunge unseres Planeten war. Aber was sollten wir tun, wenn jedes Land und jede Regierung immer nur an sich dachte?«

Pause.

»Zu Beginn des Jahres 2020 lebten 7,81 Milliarden Menschen auf der Erde«, sagt jetzt Seitz. »Diese waren mit den vorhandenen Ressourcen nicht mehr zu ernähren. Während sich die Bevölkerung einzig in Europa reduzierte, wuchs sie in Asien in den siebzig Jahren von 1950 bis 2020 von 1,4 auf 4,4 Milliarden Menschen an. In Afrika hat sie sich im selben Zeitraum auf 1,2 Milliarden Menschen verfünffacht.«

Gundlach nickt. »Das kommt noch hinzu, ja. Mich hat das alles damals unfassbar wütend gemacht«, erklärt er. »Vor allem der Unwille der Regierenden, die Probleme endlich anzupacken.«

Sonntag, 28. April 2019

Kongresshalle, Peking, VR China

Tags darauf und unzählige Ansprachen später war die Senatorin Kamala Harris keineswegs mehr aufgeregt, eher erschöpft und einen Hauch gelangweilt. Ihre Ohren fühlten sich warm an von den Kopfhörern, aber auch von den immer gleichen Sätzen. Jeder Redner bekannte, beteuerte irgendwas – den Welthandel, faire Partnerschaft, Transparenz. Ihre Gedanken schweiften ab, ihre Füße taten weh. *Ich würde gerne eines bekennen, nämlich, dass meine verdammten Pumps zu eng sind.*

Sie beschloss, draußen bei einem der zahlreichen Buffets einen Jasmintee zu trinken. Dort ging es auch zu den Raucherterrassen, die mit bequemen Sesseln ausgestattet waren. Die Aschenbecher waren aus durchscheinendem Porzellan und groß wie Wagenräder. Trotzdem wurden sie alle drei Minuten gereinigt: mit einem Sauger, dann mit einem Pinsel, dann mit einem feuchten Tuch. Die Senatorin ließ sich eine Tasse Tee geben und schlenderte damit auf eine der Terrassen.

Sie war noch nicht lange draußen, als plötzlich zwei Männer neben ihr standen, sie hatte sie nicht kommen sehen: Der eine war Chang, ihr Assistent, der plötzlich selbstbewusster wirkte, der andere Arne Lindaunis, ein schwedischer Alt-Diplomat, den sie von anderen Konferenzen kannte. Lindaunis war normalerweise etwas hüftsteif, aber sympathisch. Es hieß, er könne mehr als ein Dutzend Sprachen.

Nach dem Austausch von Höflichkeiten wechselte Lindaunis die Tonlage.

»Dürften wir Sie für einige Minuten in den dritten Stock entführen, Frau Senatorin? Es gibt dort einige Gesprächspartner, die, nun ja, in aller Diskretion mit Ihnen sprechen wollen.«

Die Senatorin zögerte. Konferenzen waren natürlich für solche Kontaktaufnahmen, Nebengespräche da, aber das war immer etwas heikel. »Vielleicht sollte ich zuvor mit meiner Botschaft …«, setzte sie an.

Lindaunis unterbrach sie. »Bitte nicht. Es ist nur ein zwangloses, informelles Treffen. Glauben Sie mir, diese Männer haben die besten Absichten, und sie haben deutlich mehr zu verlieren als Sie, wenn darüber etwas bekannt wird. Niemand wird zugegen sein außer uns. Ich werde dolmetschen. Unser Freund, Herr Chang, wird uns den Weg weisen.« Er machte eine Pause. Seine Stimme bekam etwas Dringliches. »Vertrauen Sie mir, Frau Senatorin. Bitte.«

Chang führte sie über zwei kleinere Treppen in den dritten Stock, wo es eigentlich ruhig war, ein langer Flur, aber alle Türen waren geschlossen. Bei einer der mittleren Türen blieb Chang in einigem Abstand stehen, nickte Lindaunis zu und verschwand.

Lindaunis straffte sich und öffnete die Tür. »Nach Ihnen, Frau Senatorin.«

Sie schaute in den Raum, der klein und im Vergleich zu dem Pomp der Haupthalle recht schmucklos ausgestattet war. Sie sah vier Sessel, zwei davon waren besetzt. Zwei Männer saßen dort. Sie drehte sich nach Lindaunis um.

Damit hatte sie nicht gerechnet.

Vor ihr saßen die, abgesehen vom US-Präsidenten, zwei mächtigsten Männer der Welt: Wladimir Putin und Xi Jinping. Die ihr aufmunternd zunickten, die offenbar hier auf sie gewartet hatten.

Auf *sie*.

Was um alles in der Welt war hier los?

Sie trat ein.

Lindaunis zog die Tür zu.

Montag, 3. Mai 2100

15 Quai de la Tournelle, 5. Arrondissement, Paris, Frankreich

»Was heißt das, Maximilian: zurückgekehrte Krankheiten?«, fragt Ann.

»Die Permafrostböden hatten über Jahrhunderte Keime konserviert«, erklärt Gundlach. »Und als die Böden auftauten, kamen die Erreger wieder an die Luft. Plötzlich gab es in Russland wieder Milzbrand, Pest und Cholera.«

»Von den Nenzen wurde auch ein aufgetautes Mammutkalb gefunden, das 42 000 Jahre lang eingefroren gewesen sein muss«, ergänzt Seitz.

»Du warst doch damals in Russland ... Was hast du davon mitbekommen?«, fragt Anjana.

»Ich habe die Gefahr erst nicht verstanden«, antwortet Gundlach. Und ich war mit anderen Dingen befasst. Ich hatte damals angefangen, mich mit digitaler Landwirtschaft zu beschäftigen«, sagt er.

Den anderen reicht das als Erklärung. Was Gundlach recht ist. Denn Maximilian Gundlach hat durchaus Geheimnisse.

»*Alors*«, ruft Michelle. »Im Restaurant wartet unser Tisch. Und vergesst nicht, wir haben noch viel Zeit zum

Reden.« Nach und nach erhebt sich die Gruppe. Schweigend gehen sie zum Aufzug. Milzbrand war vielleicht nicht das beste Thema, so kurz vor dem Essen.

»Wartet, bis ihr die Steaks zu Gesicht bekommt, sie haben das derzeit beste Kunstfleisch der Welt im ›La Tour‹«, sagt Michelle.

Sonntag, 28. April 2019

Hotel »Pangu 7 Stars«, Stadtteil Chaoyang, 4th Ring Road, Peking, VR China

Am Abend in ihrer De-luxe-Suite im Hotel »Pangu 7 Stars«, als sie endlich die verdammten Pumps von den Füßen geschleudert hatte, ließ die Senatorin Kamala Harris immer wieder diese kaum zehn Minuten Revue passieren, die sie mit den Staatschefs verbracht hatte. *Putin und Xi, völlig irre*, dachte die Senatorin. Sie könnte vielleicht eines Tages ihren Enkeln davon erzählen. Eines fernen Tages. Erstmal dürfte sie niemandem ein Sterbenswort erzählen. Dies war die Bitte der beiden Staatschefs gewesen, der sie entsprochen hatte, natürlich.

Putin und Xi waren äußerst höflich gewesen, aber auch klar, ohne Umschweife. Putin überließ Xi das Reden, der Russe folgte aber dem Gespräch.

Ob die hochverehrte Frau Senatorin ihm, Xi, eine Freundlichkeit erweisen könnte? Ob sie wohl einen Freund, einen Wissenschaftler, übrigens Vorsitzender des chinesischen Wissenschaftler- und Ingenieursverbandes, gelegentlich in ihrem Büro in Kalifornien oder in ihrer Wahlkampfzentrale in New York empfangen könnte? Zu einem Gespräch unter vier Augen? Bei dem Herrn handle es sich um Professor Bao Wenliang – die Senatorin hatte tatsächlich von ihm gehört. Sie wollte einwenden, dass ihre Spezialgebiete Handel und Justiz seien, nicht Forschung, aber Xi hatte sie unterbrochen.

»Das respektieren wir«, hatte er gesagt. »Aber hier geht es um etwas anderes. Sie werden es erfahren. Professor Bao spricht in unser beider Namen. Wir müssen diesen Weg beschreiten. Professor Bao hat dazu jede Vollmacht. Bitte – erweisen Sie meinem russischen Kollegen und mir diese Freundlichkeit.«

Natürlich hatte sie zugesagt.

Die Senatorin stand am Fenster ihrer Suite und dachte nach. *Was hätte ich auch sonst antworten sollen?* Sie ging zum Touchscreen der Klimaanlage, um sie etwas wärmer einzustellen; sie merkte plötzlich, dass sie fror und erschöpft war.

Montag, 3. Mai 2100, am Abend

15 Quai de la Tournelle, 5. Arrondissement, Paris, Frankreich

Als sich die Türen des Aufzugs im Restaurant »La Tour d'Argent« öffnen, wird die Gruppe von vier Bediensteten erwartet. Zwei Männer, zwei Frauen, sie alle tragen die gleichen weißen Leinenkleider, die wie ein Kaftan bis zu den Knien reichen, darunter weite weiße Hosen. Michelle betritt als Erste den hellen Holzboden des Restaurants. Einer der Männer, er trägt einen langen geflochtenen Zopf, verbeugt sich, formt mit seinen Händen eine Schale und küsst seine beiden Handballen. Dann schiebt er die Hände in Michelles Richtung, als würde er eine Schale überreichen. Michelle verbeugt sich ebenfalls und legt dabei ihre Hände auf ihr Herz. Anschließend werden alle an den Tisch geleitet.

»Was sollte das?«, fragt Gundlach. Er setzt sich neben Ilyana, die Neurologin, die so gerne menschliche Gehirne upgraden würde.

»Ein neues Ritual«, antwortet Ilyana. »Es soll Wertschätzung füreinander und Respekt für den Planeten Erde ausdrücken.« Falls Spott mitschwingt, dann nur sehr fein.

Seitz, der sich gerade an die andere Seite neben Gundlach setzt, fügt hinzu: »Seit der Erde der Status als Lebe-

50

wesen zugesprochen wurde, haben sich verschiedene Bewegungen herausgebildet, die den Planeten als eine Art Heilige betrachten und teilweise als Gottheit verehren.«

Für so was bin ich zu alt, denkt Gundlach.

Aber er macht sich einen Spaß daraus, Seitz Fragen zu stellen, ausgerechnet Seitz, dem Zahlenfresser, Rationalisten, fast gefühlsarmen Wissenschaftler. »Und du, junger Mann, sag mir: Ist die Erde für dich auch eine Göttin?«

»Ein Planet ist lediglich ein Planet«, sagt Seitz. »Und meine Gottheit, wenn überhaupt, wäre die Effizienz.«

In diesem Moment treten die vier Bediensteten an den Tisch der Wissenschaftler und platzieren vor jedem der Gäste einen länglichen schwarzen Teller. In dessen Mitte liegt ein kleines, quadratisches Stück dunkelbraun gebratenes Fleisch auf einem Bett aus blassroten Blüten. Dort, wo die Speise aufliegt, leuchtet der Teller hellgelb. Es duftet nach Röstaromen.

Ilyana beugt sich über das Fleisch und schnuppert. »Unfassbar. Das Fleisch selbst riecht so gut wie gar nicht, die Teller müssen multisensorisch sein.« Sie schneidet ein winziges Stück aus dem Kunstfleisch und wirft Ann, die ihr gegenübersitzt, einen Blick zu. »Weißt du, Ann, dass die Menschen jahrtausendelang echtes Fleisch von Tieren gegessen haben?«

Ann kann sich denken, was Ilyana damit sagen will: Erst überlegene Intelligenzen können Entscheidungen treffen, die sinnvoll sind, aber den Instinkten widersprechen. Kein Echt-Fleisch mehr zu essen war so eine Entscheidung.

Dann reden sie durcheinander, springen von einem Thema zum anderen.

Erst geht es um ein amerikanisches Start-up, das für Arztpraxen sensitive Behandlungsstühle herstellt, die auf die Stimmung der Patienten reagieren, ihre Temperatur anpassen und personalisiert sedierende Duftstoffe abgeben. Dann reden sie davon, dass die Menschen früher tatsächlich Einrichtungen, egal ob für Arztpraxen, Wohnungen oder Büros, *gekauft* hatten. Dabei waren die nicht einmal recycelbar und verloren direkt nach dem Kauf an Wert.

Anjana schaut ungläubig.

»Aber das ist unverständlich: Es gab ja nicht nur zu viel Ware, zu wenig Rohstoffe und nur begrenzte Energie – gleichzeitig wuchs die Bevölkerung auch kontinuierlich.«

»Ja, sicher«, sagt Gundlach. »Vor allem in Afrika wuchs die Bevölkerung, und es wuchsen die Müllberge, die Armut.«

In diesem Moment erscheinen die Kellner, tragen eine weiße Pyramide in den Raum, sie steuern auf die Tafel der sieben zu. Sie platzieren die Pyramide direkt vor Gundlach, gut einen Meter Kantenlänge hat die Bodenplatte, und nun heben eine Kellnerin und ein Kellner die Pyramide wie eine Haube von der Platte ab. Darunter sieht Gundlach eine Metallfigur, die auf drei Beinen steht und im oberen Teil ein Gewirr von Röhren und Metallplatten darstellt. Bevor Gundlach etwas fragen kann – und ihm fallen jetzt viele Fragen ein –, beginnt die Figur zu leuchten, zu flackern und kleine Lichtblitze zu produzieren. Gleichzeitig stellt eine Bedienung eine Torte auf den Tisch. Michelle steht auf und beginnt zu klatschen.

»Alles Gute zum Geburtstag, lieber Maximilian!«, ruft sie. »Ich weiß, du wolltest es verheimlichen, aber das geht mit uns nun mal nicht!«, sagt die Französin.

»Danke, meine Liebe«, entgegnet Gundlach, immer noch irritiert über die vor ihm stehende Installation.

»Was du hier siehst, ist eine Bio-Lampe, eine lebende Lichtquelle, eine neue Entwicklung meines Kreativteams«, erklärt Michelle. »Sie wird mit elektrochemisch reagierenden Bakterien betrieben. Du ernährst sie mit einem Spritzer Essigwasser.«

Gundlach ist gerührt, er hatte den Geburtstag tatsächlich verschweigen wollen. Die Leuchte scheint ihm ein wenig bombastisch. Aber vielleicht könnte ja Tracy, sein Haushaltsroboter, damit spielen.

Donnerstag, 24. September 2020

Wahlkampfzentrale der Demokratischen Partei, New York City, USA

Das Jenkins-&-Jenkins-Bürohaus lag in Brooklyn, mit Blick auf die Upper Bay und gerade noch so dicht am Brooklyn-Battery-Tunnel, dass der Stau rund um die Einfahrt bis zur Tiefgarage reichte. Die Senatorin war erst seit ein paar Wochen in der Stadt, aber sie hasste den New Yorker Verkehr bereits inständig.

Sie hasste die Extra-Viertelstunde, die ihr Fahrer allmorgendlich einplante, zusätzlich zum üblichen Puffer – »Sicher ist sicher, Frau Senatorin.« Und sie hasste das schlechte Mobilfunknetz im Tunnel, ein Balken maximal, wie in einem Entwicklungsland. Sie fragte sich, wie andere Länder das eigentlich hinkriegten.

Die Partei hatte für ihre Wahlkampfzentrale bei Jenkins & Jenkins den achtzehnten und neunzehnten Stock gemietet, rund sechshundert Menschen arbeiteten dort. Ende November, nach der Wahl, würde sich die komplette Zentrale wieder auflösen – und sie, Senatorin Kamala Harris, Kandidatin für das Amt der Vizepräsidentin, würde ins Weiße Haus nach Washington gehen. Oder eben zurück nach Kalifornien, falls die Wahl doch noch verloren gehen sollte. *So oder so*, dachte sie, als sie die Lobby im Jenkins-&-Jenkins-Haus betrat, *in New York werde ich keinen Tag länger bleiben.*

Der Boden der Lobby sollte so aussehen, als bestünde er aus italienischem Marmor, er stammte aber in Wahrheit aus einem Steinbruch in Utica, keine vierhundert Kilometer nördlich von New York.

So ist es auch im Wahlkampf – die schöne Kunst des Scheins, dachte sie.

Von der Tür der Tiefgarage bis zu den Fahrstühlen auf der anderen Seite der Lobby waren es nur rund fünfzig Schritte; hier warteten stets die Reporter, die ihr Fragen zuriefen, hier warteten junge Mitarbeiter und Mitarbeiterinnen aus ihrem Team, die ein schnelles Selfie mit der Kandidatin wollten. Fünf Selfies plus Smalltalk, das bedeutete fast fünf Minuten weitere Verspätung. Aber auch fünf weitere Menschen, die sich noch ein wenig mehr für sie ins Zeug legen würden.

Sie setzte ihr Wahlkampflächeln auf.

An diesem Tag fing Chris Murphy sie ab, ihr Assistent. Er war Ende zwanzig, einen Kopf kleiner als die Senatorin und stammte aus einer irisch-italienischen Familie in Utica. Seiner Mutter gehörte dort der Steinbruch, er kannte sich aus. »Guten Morgen, Senatorin«, sagte Murphy und reichte ihr ein Tablet: »Ihr Tagesplan, bitte. Wir sind schon etwas spät dran.«

»Guten Morgen, Chris. Was haben wir als Erstes?«

»Ihr Chinese ist da«, sagte Chris. »Sie frühstücken mit ihm auf der Dachterrasse. Wir fahren direkt durch zum dreißigsten Stock.«

Das klang nach einem guten Plan. Erstens würde die

Senatorin nun endlich den geheimnisvollen Menschen kennenlernen, der ihr vom russischen und vom chinesischen Staatschef empfohlen worden war – damals in Peking auf der Konferenz, und ohne ihr zu sagen, worum es genau ging. Zweitens würde sie ihn nicht im Büro in der Zentrale treffen, sondern auf der abgeschirmten Dachterrasse. So würde auch niemand mitbekommen, dass sie mit einem Chinesen redete. Zwischen den USA und China herrschten Misstrauen und Feindseligkeit – wer Sympathien beim Wähler wollte, durfte sich jetzt nicht händeschüttelnd mit Vertretern Chinas zeigen. Die Republikaner würden sofort neue Wahlkampfspots drehen: Senatorin verrät Amerika.

Und drittens war die Dachterrasse eine gute Idee, weil die Senatorin nun endlich ihren Kaffee bekam. Chris, der Assistent, hatte ihr schon am ersten Tag den gewohnten Coffee to go verboten. »Ein Foto von Ihnen mit Pappbecher in der Hand, schon haben wir die Umweltschützer am Hals.«

Die beiden standen nun im Aufzug, Chris nahm einen Schlüssel aus der Tasche und stellte den Fahrstuhl auf »Vorzugsfahrt«. *Das ist das Beste am Leben als wichtige Person: keine unnötigen Stopps im Aufzug, keine Mitfahrer.*

»Was wissen wir über den Chinesen?«, fragte die Senatorin.

»Steht alles hier.« Chris deutete auf das Tablet. »Er heißt Bao Wenliang. Bao ist der Nachname. Achtundsechzig Jahre alt, bis vor zwei Jahren Wissenschaftsminister Chinas, spricht fließend Englisch. Er hat in Europa Antriebstechnik und Maschinenbau studiert.«

»Wo? Europa ist groß«, sagte die Senatorin.

»Deutschland. In, äh, Clostelsellafell – ich kann das nicht aussprechen.« Chris klang verlegen.

Sie blickte auf das Tablet, scrollte nach unten. »Clausthal-Zellerfeld« stand da.

»Verstehe. Was ist noch wichtig?«, wollte die Senatorin wissen.

»Hat sich mit alternativen Brennstoffen befasst. Leitet die chinesische Ingenieursvereinigung. Ist im Land offenbar sehr angesehen.«

»Können wir ihm trauen?«

»Darüber habe ich keine Information«, sagte Chris. »Ich schlage vor, dass Sie niemandem trauen, nirgendwo.«

»Ich bin mir sicher, mit dieser Einstellung werden Sie in der Partei Karriere machen«, antwortete die Senatorin mit ihrem ersten echten Lächeln des Tages.

Mittlerweile war der Fahrstuhl im dreißigsten Stock angekommen. Chris fuhr wieder nach unten, wieder per Vorzugsfahrt. Über einen langen, mattgrün gestrichenen Flur ging die Senatorin langsam Richtung Dachterrasse, dabei schlug sie auf dem Tablet »Clausthal-Zellerfeld« nach. Es gehörte zu ihren großen Fähigkeiten als Politikerin, mit einem Minimum an Vorbereitung und einem Maximum an Freundlichkeit jeden Gast für sich einnehmen zu können: Die wütenden kalifornischen Sägewerksbesitzer hatte sie mit einem Kurzvortrag über Bootsmasten aus Norfolktannen um den Finger gewickelt – obwohl sie weder von Masten noch Tannen etwas verstand. Auch nun fühlte die Senatorin sich gut vorbereitet.

Sie konnte nicht ahnen, dass ein Kurzvortrag im Aufzug für Bao Wenliang nicht reichen würde.

Die Terrasse auf dem Dach des Jenkins-&-Jenkins-Hauses war enttäuschend klein. Den größten Teil des Daches nahmen hässlich-graue Lüftungsanlagen, Hausantennen und die Fahrstuhltechnik ein. Aber immerhin: Wenn man mit dem Rücken zur Technik saß, gab es einen sensationellen Blick auf die Südspitze Manhattans, auf Hudson und East River. Nur die Freiheitsstatue blieb hinter einem Büroklotz verborgen. Vier Tische standen auf der Terrasse, zwei davon zusammengeschoben für das Frühstücksbuffet, der dritte blieb leer. Der vierte Tisch war eingedeckt und mit Tischdecke versehen, auf einem der beiden Stühle saß ein älterer Herr.

Bao Wenliang trug einen dunkelblauen Anzug, ein hellblaues Hemd und – ungewöhnlich für einen Chinesen in offizieller Mission – keine Krawatte. Auf dem Tisch lag ein brauner Umschlag, offenbar mit Unterlagen. Bao hatte die Senatorin kommen gehört, blickte aber immer noch auf das Wasser. »Wie schade, dass man Lady Liberty nicht sehen kann von hier aus«, sagte er und erhob sich. »Guten Morgen, Frau Vizepräsidentin, ich freue mich, dass Sie Zeit für mich haben.«

»Die Freiheit ist in Amerika auch dann gegenwärtig, wenn man ihr Sinnbild nicht sieht«, antwortete die Senatorin. In ihrer Stimme lag ein wenig Schärfe, umspielt von professioneller Freundlichkeit. Nach zwei Dutzend Jahren als Staatsanwältin beherrschte sie das perfekt. »Ich freue mich auch, Sie zu treffen, Mr Bao – aber nennen

Sie mich bitte nicht Vizepräsidentin. Da muss ich erst eine Wahl gewinnen.«

»Das werden Sie ganz bestimmt.« Bao klang sicher. »Darf ich Ihnen einen Kaffee einschenken?«

Die Senatorin war irritiert. Wie meinte er das? Planten die Chinesen irgendeine Hackergeschichte, so wie damals die Russen? Belauerte er sie gerade? Oder war das einfach nur Höflichkeit? Sie legte Handtasche und Tablet auf den Tisch, gab Bao die Hand und strahlte ihn an: »Kaffee wäre toll.«

Bao setzte sich. »Ich habe vor einiger Zeit diese junge schwedische Aktivistin getroffen. Was halten Sie von ihr?«

Komische Frage, was will er damit erreichen? »Kluges Mädchen«, antwortete sie vorsichtig. »Sehr idealistisch. Vielleicht zu naiv. Was haben Sie denn für einen Eindruck?«

Bao überging die Frage. »Frau Senatorin, wie viel Zeit haben wir?«

»Eingeplant ist eine Stunde.« Und, nach einer Pause, in der sie Baos Mimik zu entziffern suchte: »Plus vierzig Minuten Puffer.«

Bao sah jetzt etwas entspannter aus. »Ich bin nur ein Bote, Sie wissen ja, von wem. Und mein Auftrag ist, eine Botschaft für den künftigen Präsidenten der Vereinigten Staaten zu übergeben. Sie müssen ihm bitte diese Nachricht übermitteln.«

Die Senatorin lehnte sich zurück. »Um was geht's denn?«, fragte sie. Ein Hauch Langeweile im Ton.

Bao nahm sich ein Wasser. »Wie Sie wissen, bin ich

59

Vorsitzender der Ingenieure, Naturwissenschaftler, Techniker Chinas. Haben Sie eine Vorstellung, wie viele das sind?« Die Senatorin blickte ihn fragend an. »Stellen Sie sich vor, jeder vierte erwachsene Amerikaner wäre Ingenieur, ausgebildet an den besten Schulen. Das ist ungefähr die Größe der Vereinigung, der ich in aller Bescheidenheit vorstehe. Zweiundneunzig Millionen, davon einundsechzig Millionen aktive Mitglieder.«

Bao hatte halb an der Senatorin vorbeigesehen, aber nun nahm er sie fest in den Blick: »Mit allem Wissen dieser Menschen kann ich Ihnen sagen: Die junge Schwedin, die Aktivistin, ist nicht naiv. Ihr fehlt nur jegliche Entscheidungsmacht.«

Die Senatorin zuckte kurz mit den Achseln. »Und was folgt daraus?«

Bao begann zu erzählen. Von den Veränderungen in der Welt, von der Verantwortung der Mächtigen. Von Annäherungen, von Plänen.

Die Senatorin hörte zu, erst irritiert, dann interessiert. Als Bao von einer grundsätzlichen Übereinkunft sprach, die in Zukunft notwendig sein würde, wagte sie einen Einwand: »Sie wissen schon, dass die USA eine stolze Demokratie sind? Dass es diese Lady Liberty da drüben« – sie deutete auf einen Punkt drüben im Wasser –, »dass es diese Lady Liberty nur gibt, weil Menschen genug davon hatten, sich von Kaisern und Diktatoren ihr Leben vorschreiben zu lassen?«

Bao blieb ruhig. »Dass Sie den Rückhalt Ihres Volkes brauchen, ändert nichts an der Notwendigkeit, etwas zu tun.«

Dann sprach er weiter.

Mittlerweile war mehr als eine Stunde vergangen. Der Kalender auf dem Tablet ploppte auf, die Senatorin wischte die Meldung weg. Sie deutete auf den Umschlag: »Für mich?«

Bao schob das Papier rüber. »Ein Non-Paper, Sie verstehen? Es steht alles drin, aber jeder wird leugnen, es zu kennen.«

Die Senatorin nahm das Papier, steckte es in die Handtasche und erhob sich. »Sie meinen das wirklich ernst.«

»Viel Glück, Frau Vizepräsidentin«, sagte er lächelnd.

Nacheinander gingen die beiden zum Fahrstuhl. Erst fuhr Bao ins Erdgeschoss, die Senatorin nahm den nächsten Lift zum Hauptquartier in der 19.

Noch unterwegs rief sie Chris Murphy an, ihren Assistenten: »Mach mir einen Termin beim Chef.«

Dienstag, 22. Juni 2021

Ita Egbe, Nigeria, an der Grenze zu Benin

Es war gegen sechs Uhr morgens, ein Rest von Nachtkühle hing noch in der Luft, als Lisha Aluko aus dem kleinen Steinhaus trat. Die Sonne ging gerade auf, tiefrot. Lisha zog die blecherne, verbeulte Haustür hinter sich zu, leise, um ihren kranken Vater und ihre jüngeren Geschwister nicht zu wecken, da durchfuhr sie ein Schreck.

Ihr Moped – sie hatte es am Abend zuvor noch an der Hauswand abgestellt, abgeschlossen, mit einer Plane abgedeckt, und jetzt war es weg, ihr geliebtes rotes Moped, war nicht mehr da, verschwunden. Die Plane lag noch da, im Staub. Lisha zerrte ihren Schlüsselbund hervor, an dem vor allem Schlüssel für die Station hingen, suchte die Mopedschlüssel; jemand hatte einen der beiden abgemacht. Und das konnte nur geschehen sein, als sie kochte oder bereits schlief, und daher konnte es nur ihr Bruder gewesen sein.

Mistkerl!

Sie hatte für das Moped ein Jahr lang gespart, jeden Naira umgedreht. Vor allem war das Moped alles, was sie hatte, ihre Existenzgrundlage, damit verdiente sie Geld, davon kaufte sie Lebensmittel für die Familie. Sie bezwang ihre Wut.

Lisha war vierundzwanzig Jahre alt, ihr ältester Bruder achtzehn. Seit dem Tod ihrer Mutter hatte Lisha gleichsam die Mutterrolle für die Familie übernommen; doch ihr Bruder, als junger Mann, unterlief, ignorierte, belachte alle Anweisungen, Bitten, Vorhaltungen – außer er wollte Geld von Lisha.

In letzter Zeit brachten ihr Bruder und seine Freunde die Nächte mit *Ogogoro*-Trinken und Playstation-Spielen, meistens *Fortnite*, zu. Wahrscheinlich hatte ihr Bruder ihr Moped genommen, um zum nächsten Schnapsverkäufer zu fahren und eine Flasche *Ogogoro*, den nigerianischen Billig-Wodka, zu kaufen – obwohl der Schnaps, wenn unsachgemäß gebrannt, durchaus gefährlich war, wie Lisha wusste. Es waren schon viele tagelang krank gewesen, etliche gestorben.

Lisha ahnte, wo das Moped stehen würde, am Dorfrand von Ita Egbe.

Sie seufzte und machte sich auf den Weg.

Lisha Aluko trug Flipflops, Jeans, T-Shirt, sie war kräftig und selbstbewusst, klug und ehrgeizig. Im Unterschied zu vielen anderen jungen Frauen aus ihrem Dorf hatte sie seit Neuestem einen richtigen Job und Verantwortung: Sie machte eine Ausbildung zur Hilfskrankenschwester und arbeitete bereits als »Flying Nurse« für die Caritas, die in der nächsten Kleinstadt ihre Zentrale hatte, in Ugo, in der Ambode Road. Als »Flying Nurse« fuhr Lisha für die Caritas Medikamente aus, Voltaren, Diclofenac, die »Danach«-Pille, Mittel gegen Durchfall und Erbrechen, und sie nahm, wenn jemand offenbar sehr krank war, gewissenhaft die Symptome auf und berichtete in der Caritas-Station darüber. Und die schickten dann, wenn möglich, einen Arzt.

Es war ein ungewohntes Gefühl, morgens aufzustehen und zu wissen, dass man sie brauchte, dass man sie erwartete.

Lisha war noch in der Probezeit. Das ganze Modell war ein Test, hatte man ihr gesagt. Nach einem Jahr würde sie hoffentlich eine Festanstellung bekommen. Wenn alles gut lief. Und so viel Geld verdienen, dass sie ihre Geschwister versorgen konnte!

Auf ihren Touren hielt Lisha kleine Vorträge, mit denen sie die Frauen davon zu überzeugen versuchte, Verhütungsmittel zu verwenden. Am Ende eines Vortrages verteilte sie immer Prospekte, Kugelschreiber, Präservative.

Die Kugelschreiber und Präservative steckten die Frauen zwar ein, wurden aber trotzdem wieder schwanger. Lisha dachte oft nach über ihre Arbeit für die Kampagne zur Reduzierung der Geburtenrate, sie glaubte, dass sie richtig war. Kinder wurden von guten Geistern gebracht, oder sie kamen von Gott, der über allem wachte. Aber wollte Gott, dass die Kinder so arm aufwuchsen?

Wenn es weniger Kinder gab, konnten die Eltern sich besser kümmern, so simpel war das. Lisha war von der Verhütungskampagne überzeugt. Aber wie setzte man sie durch? Da doch Kinder für die Eltern die Altersversicherung waren, die einzige, die sie sich leisten konnten?

Drei von Lishas Geschwistern waren früh gestorben, vier lebten noch. Die Kleinen waren oft krank oder schwächlich.

Lisha Aluko war in Ita Egbe geboren, hier war sie aufgewachsen, das Dorf bestand, solange sie denken konnte, aus einer staubigen Straße, etwa hundert Häusern, etwa tausend Einwohnern. Aber es gab immerhin Strom und einigermaßen gefiltertes Wasser, und in guten Zeiten klapperte ein Schulbus über die Dörfer und sammelte die Kinder auf. Doch zuletzt war der Schulbus ausgeblieben – die Fahrer weigerten sich, es war einfach zu gefährlich. Die Gegend um Ita Egbe, wegen der Grenznähe zu Benin, war Schmugglerland. Drogen, Waffen, auch Kinder und junge Frauen, drogenabhängig gemacht, waren Handelsware.

Es gab alle Arten von Drogen. Die gebräuchlichste war *Gabji*, eine Art Crack.

Die Schmuggler und Warlords der Gegend führten sich in letzter Zeit immer dreister auf, gebärdeten sich, als gehörte dieses Land ihnen – und war es nicht so? Manchmal übernahmen sie einfach ein Dorf für ein paar Tage oder Wochen, schlugen, tyrannisierten und vertrieben die Einwohner, es kam nicht selten zu Vergewaltigungen, auch Morden.

Lisha sah das Moped vor dem Haus des Freundes ihres Bruders, es war unbeschädigt, sie fühlte sich einen Moment lang schwach vor Erleichterung. Lisha schwang sich auf die kleine »Haojue Lucky 125«, gekauft für 50 000 Naira, rund hundert Euro. Der Tank war noch halb voll. Der Motor sprang an.

In einer Dreiviertelstunde musste sie in Ugo sein, dort ihre Medikamenten-Tasche in Empfang nehmen, dann wieder auf Tour gehen. Sie freute sich darauf. In letzter Zeit hatte es kaum noch geregnet, trotz Regenzeit. Dafür blies der *Harmattan*, ein Wind aus der Sahara, der heiß war und die Felder verbrannte. Das war neu.

Die Leute in der Zentrale in Ugo hatten ein Wort dafür: Klimawandel. Lisha hatte es sich erklären lassen, aber es war kompliziert.

Lisha gab Gas.

G3 – die neue Weltregierung

**Wenn sich nächste Woche die Staatschefs von
Russland, China und den USA treffen, könnte
ein neues Machtzentrum entstehen. Noch weiß
niemand genau, was die Supermächte der Welt
diktieren werden – aber es gibt erste Hinweise.**

Es gibt viele Gründe, der Millionenstadt Chengdu
im Südwesten Chinas einen Besuch abzustatten: die
kulinarischen Köstlichkeiten etwa, für die Chengdu
von der UNESCO zur »City of Gastronomy« gekürt
wurde. Zum Beispiel die »Sieben Köstlichkeiten des
Himmels«, eine scharfe Leckerei aus zweifach gebra-
tenem Schweinefleisch auf einem Beet aus sautierten
Morcheln, Schwalbeneiern, Nüssen.

Man kann auch nach Chengdu reisen, weil die
Provinzhauptstadt eine der chinesischen Boom-
Städte ist, Forschungs- und Industriemetropole, Zentrum für Maschinenbau, Pharma- und Chemieindus-
trie, Flugzeugbau. Von Peking aus fliegt »Air China«

den ganzen Tag über, die Flüge sind dennoch stets überbucht – trotz des stolzen Preises von 1 400 Renminbi, was etwa dem Monatsgehalt eines Arbeiters entspricht. In der Business Class bekommt man natürlich leichter einen Sitz – für das Vier- bis Zehnfache.

Und dann gibt es offenbar noch einen dritten Grund, derzeit nach Chengdu zu fliegen: Dort liegt, weitab vom Pekinger Trubel, ein Konsulat der Vereinigten Staaten von Amerika. Vor Kurzem wurde es wiedereröffnet.

Und im Konsulat in Chengdu ereignen sich, nach Recherchen des »Spiegel«, zurzeit merkwürdige Dinge.

Es sieht so aus, als ob das amerikanische Konsulat, gelegen in der Lingshiguan Road im schicken Botschaftsviertel Wuhou, zu einem Dreh- und Angelpunkt einer neuen Geheimdiplomatie avanciert ist.

Das Konsulat war bekanntlich im Juli 2020 geschlossen worden, als die Beziehungen zwischen China und den USA abermals einen Tiefpunkt erreicht hatten. Jetzt also die Wiedereröffnung – aber merkwürdigerweise ohne Feier, ohne Ansprache, ohne Presse. Zutritt wird nur Diplomaten gewährt, für normale Besucher bleiben die Büros geschlossen. Was passiert dort?

Vor einigen Wochen, in der letzten »Air China«-Spätmaschine aus Peking, war die gesamte Business Class ausnahmslos belegt von einer Gruppe halb offizieller, chinesisch-amerikanischer Unterhändler und Berater.

Zur normalen Belegschaft des Konsulats gehörten die Amerikaner nicht, allerdings wurden sie gleich nach der Ankunft von einem Konvoi aus gepanzerten Konsulats-Limousinen abgeholt und in die Lingshiguan Road eskortiert, unter Polizeischutz. Derlei Aufwand wird in China nicht für harmlose Geschäftsleute und kleine Diplomaten getrieben.

Wer also waren diese Männer und Frauen?

Offenbar arbeiteten sie – schon im Flieger – eng, vertrauensvoll und mit Hochdruck an einem Konferenz-Fahrplan und an einer Art von Verlautbarung. In einem der Papiere war von »Zukunft der Menschheit« die Rede. Ein Kenner der chinesischen Staats- und Parteiführung: »Wenn eine solche mysteriöse Delegation unterwegs ist und solche hochtrabenden Begriffe verwendet werden, dann nicht ohne Segen von ganz oben.«

Offenkundig haben im fernen Chengdu Chinesen und Amerikaner den russisch-amerikanisch-chinesischen Gipfel nächste Woche in Miami vorbereitet. Und genauso offenkundig feilten sie bereits am Abschlussdokument.

Es darf also spekuliert werden: Geht es beim Dreier-Gipfel in der kommenden Woche wirklich nur um Absprachen nach der Corona-Krise? Sitzen die Delegationen tatsächlich mehrere Tage zusammen, um ein paar Zollschranken abzubauen und die Weltwirtschaft anzukurbeln? Werden die Führer der drei mächtigsten Staaten allen Ernstes persönlich über Reiseerleichterungen oder Währungsschwankungen debattieren? Oder könnte man all das nicht auch Staatssekretären überlassen?

Alle drei Staaten waren in den vergangenen Tagen auffällig bemüht, die Bedeutung des Treffens herunterzuspielen. »Routine-Talks« nannte es der Sprecher des Weißen Hauses, von »kurzfristigem Entschluss, nahezu spontan« sprach der Kreml – obwohl gerade im Kreml praktisch nie etwas spontan passiert. Und die Chinesen behaupteten eilfertig, ihr Premier freue sich vor allem auf die »entspannten Gespräche im Palmengarten des Hotels«.

Die Botschaft an die Weltöffentlichkeit: alles Routine.

Das dürfte – so legen Recherchen des »Spiegel« nahe – ein Täuschungsmanöver sein. Es geht offenbar um viel Größeres.

Die Anzeichen mehren sich, dass der Gipfel von Miami einen Wendepunkt in der Geschichte der Großmächte darstellen könnte. So einmütig wie jetzt traten die Supermächte noch nie auf. Und wenn sie diese Einmütigkeit nun auf einem Gipfel zelebrieren, dann ändert sich das Machtgefüge.

Was Russland, China und die USA gemeinsam beschließen, wird allen anderen gleichsam vorgeschrieben. Wer braucht noch einen G8-Gipfel oder gar ein Treffen der G20, wenn die großen drei sich einig sind? Welche Rolle soll die UNO künftig spielen, was hat die Welthandelsorganisation WTO noch zu sagen? G3 – das ist das neue Zentrum der Macht.

Die Frage ist: Was wollen die G3 mit ihrer Macht anfangen?

Der »Spiegel« hat in den vergangenen Wochen mit Diplomaten gesprochen, Forschungsberichte ausgewertet, Geschäftsakten eingesehen und Puzzlestücke zusammengetragen. Jedes einzelne Stück mag unscheinbar wirken, so klein, dass es kaum auffällt. Doch wenn man die Puzzleteile findet und zusammenfügt, dann entsteht ein Bild.

Es ist das Bild einer neuen Weltordnung.

Das erste Puzzlestück liefert Marcel Dunant, 33, ein Reiseblogger. Dunant ist Frankokanadier aus Quebec, seine Videos zeigen teure Hotels, einsame Strandabschnitte oder Fischrestaurants, die als Geheimtipp gelten – jedenfalls bis Dunant erscheint und seinen 1,2 Millionen Fans verrät, wo es den besten Fisch gibt.

In diesem Frühjahr saß Dunant an der Poolbar eines Top-Hotels in Miami, Florida, schaltete seine Videokamera an und machte sich live über eine Gruppe Touristen im Hotelpool lustig. »Schaut euch die US-Boys an«, sagte er mit seinem französischen Akzent und filmte eine Gruppe kräftiger junger Männer, die durchs Wasser pflügten. »Wir sind am entspanntesten Ort der Welt«, sagte Dunant in die Kamera, »und diese Typen schwimmen, als wären sie im Kampftraining.«

Nach nur 32 Sekunden endete die Übertragung schon wieder. Im Netz ist das Video nicht mehr zu finden. Dunant checkte noch am selben Tag aus, sein Reiseblog erwähnte das Hotel nie wieder.

Aus Hotelunterlagen ergibt sich: Tatsächlich hatte Dunant keine Sportmannschaft gefilmt – sondern Beamte des Secret Service, die das Hotel bereits im Frühjahr unter die Lupe nahmen.

Dieses erste Puzzleteil zeigt mithin: Schon im Frühjahr war klar, dass später im Jahr in Miami ein Ereignis stattfinden würde, das die höchste Sicherheitsstufe benötigt. Das Treffen der Großmächte ist also schon lange geplant – und keinesfalls so spontan wie behauptet.

Doch worüber werden die drei Herren in der kommenden Woche reden? Einen Hinweis darauf gibt das zweite Puzzleteil. Danach könnte eines der Themen die Rüstungskontrolle sein.

Jan Lundgreen, Vizedirektor des »Stockholm International Peace Research Institute« (SIPRI), ein stiller, freundlicher Herr von Ende 50, versteht gerade die Welt nicht mehr. »Irgendwer hat im Verborgenen einen Schalter umgelegt«, sagt er.

Lundgreen, studierter Jurist und Statistiker, hat sein gesamtes Arbeitsleben einem einzigen Thema gewidmet – der Begrenzung des weltweiten Waffenhandels. Jahr um Jahr hatten Lundgreen und seine 59 Mitarbeiter ihre mit Statistiken und Belegen vollgestopften, blau gebundenen Berichte veröffentlicht, in denen sie festhielten, wie der weltweite Waffenhandel immer weiter expandierte.

»Der weltweite Waffenhandel wuchs in einem

Zeitraum von etwa vier Jahren um durchschnittlich 5,5 Prozent«, sagt Lundgreen. Der Waffenhandel hätte zuletzt ein Volumen von 83,5 Milliarden US-Dollar gehabt. Tendenz steigend.

Seit Kurzem aber beobachtet Lundgreen Erstaunliches: Etliche Exporteure in den USA, Russland und China stornierten bestehende Aufträge, schrieben keine Angebote aus, und zwar unisono, als hätten sie sich abgesprochen. Würde dieser Trend fortgeschrieben, so Lundgreen, könnte das Jahr 2022 erstmals einen leichten Rückgang verzeichnen.

Unter den einführenden Ländern sei die Empörung groß; Saudi-Arabien, Katar, Pakistan, die Vereinigten Arabischen Emirate hätten sofort die teuersten Kanzleien der Welt engagiert, Lay & Worring etwa aus New York; Cooper, Barringhaus und Stein aus London – Kanzleien, die auf Vertragsbruch spezialisiert sind. So etwas, sagt Lundgreen, habe er noch nie gesehen: »Es ist wie bei einem Embargo. Nur wissen wir nicht, wer es verhängt hat.«

Und es funktioniert.

Selbst die großen privaten Waffenhändler, die den grauen Markt bedienen, mögen derzeit nicht liefern. Gegen zwei der weltweit größten privaten Waffenhändler, eine Londoner Firma und eine in Tel Aviv, seien Ermittlungen wegen Steuervergehen eingeleitet. »Damit«, sagt Lundgreen, »sind die erstmal handlungsunfähig.« Eines der beiden Verfahren wird übrigens in Moskau betrieben, das andere von den Zollbehörden in Atlanta, USA.

Zufall?

Das dritte Puzzlestück findet sich in den Wüsten Nordafrikas. Dort hatte Anfang des Jahrtausends ein deutsches Konsortium die Zukunft der Energieerzeugung geplant: In riesigen Solaranlagen sollte billiger Sonnenstrom erzeugt und nach Europa geleitet werden. Weil die Wüste genügend Platz und genügend Sonne bietet, wäre der Strom trotz der langen Transportwege immer noch günstiger als jedes deutsche Kohlekraftwerk. Und umweltfreundlicher sowieso. Federführend war der Siemens-Konzern.

Doch aus den großen Plänen wurde nichts. Die Finanzierung blieb ungeklärt, die arabischen Staaten schienen zunehmend unsicher, das Konsortium zerfiel. Übrig blieben kleine Versuchsbetriebe und ein größeres Feld mit Sonnensegeln, die schon bald im Staub der Wüste verschwanden. An einer größeren Testanlage für Dubai ist ein chinesisches Staatsunternehmen beteiligt.

Nun aber berichten ehemalige Siemens-Mitarbeiter, dass die alten Pläne wieder ausgepackt werden – allerdings diesmal ohne die deutschen Firmen. Stattdessen baut die »Power Grid of China« in Tunesien, Marokko, Algerien und den Emiraten Transportkapazitäten auf, errichtet Umspannwerke und wirbt einheimische Ingenieure an. Gleichzeitig reaktiviert die russische Firma »Rusol« die alten Sonnensegel – und plant offenbar quadratkilometerweise neue Flächen. »Das ist«, sagt ein Ex-Siemens-Mann, »eine neue Macht am Energiemarkt.«

Auch in den USA findet man ein weiteres Beispiel neuer Umweltpolitik – mit womöglich weitreichenden Folgen.

Dieses vierte Puzzleteil liegt in Odessa, Texas, im Büro von Mike Bannister, 52 Jahre alt, groß, jovial und bullig, Cowboystiefel und kariertes Hemd. Bannister sitzt an seinem Schreibtisch in seinem schicken Büro, er schiebt seinen hellen Stetson zurück und deutet zum Fenster, nach draußen: »Da sehen Sie den Grund, warum ich kurz davor war, mir einen Revolver zu nehmen und nach Washington zu fahren …«

Bannister ist Chef und Inhaber der »Fracko-Petro-Company«, einer der Pioniere der Fracking-Technologie.

Doch jetzt, der Blick aus dem Fenster zeigt es, stehen seine Anlagen still: Die Pumpanlagen stehen ungenutzt, die Abwasserbecken sind leer, kein Mensch auf den Straßen, niemand bei den Gas-Speichern. Seine Branche ist eingefroren worden.

Wie Bannister geht es vielen, die hier in Westtexas, auf einer Fläche dreimal so groß wie Bayern, mit Fracking das große Geld verdienen wollten: Das heiße Geschäft im »heißesten Rohstoffgebiet«, wie Bloomberg schrieb, ist auf Eis gelegt.

Die US-Genehmigungsbehörden haben den Fracking-Unternehmen gleichsam über Nacht einen Riegel vorgeschoben, Fördergenehmigungen nicht verlängert, Verfahren ausgesetzt. Die Direktive und das juristische Beiwerk dazu kamen offenbar aus Washington, waren lange und sorgfältig vorbereitet.

Es könnte das Ende von Fracking sein.

Diese Form der Energiegewinnung war ohnehin stets sehr umstritten. Umweltschützer verwiesen auf die ökologischen Schäden. Und darauf, dass jedes bisschen Energie, das per Fracking aus dem Boden gepresst wird, den längst fälligen Umstieg auf Wind- und Sonnenkraft hinauszögert.

Warum fahren die US-Behörden auf einmal einen neuen, deutlich strengeren und ökologisch fundierten Kurs?

Aus China kommt ein weiteres Puzzlestück. Bisher verlangt die chinesische Regierung, dass etwa 20 Prozent der von Autos verbrauchten Energie umweltfreundlich sein müssen. Aber nun, so geht aus einem neuen Entwurf für »New Energy Vehicles« hervor, soll die Quote auf 50 Prozent steigen – und zwar schon vom nächsten Jahr an. »Der Markt für spritfressende SUV wäre damit tot«, sagt Hauke Hofenduder, Automobilexperte der Universität Duisburg-Essen. »Die Millionenstädte Chinas«, sagt Hofenduder, »müssten mit Fahrverboten reagieren.«

Warum plant China so etwas? Ist das ein massives Umdenken in Umweltfragen?

Vielleicht geht es China wirklich um die Umwelt, und vielleicht bahnt sich da eine internationale Zusammenarbeit an?

Auch die russische Regierung scheint Testgebiete für einen Ökowandel zu definieren: Die verheerenden Feuer Sibiriens – sie werden seit Neuestem gelöscht.

Um das zu sehen, muss man nach Irkutsk fahren, dort auf den Kirchturm der Erzengel-Michael-Kirche steigen und einmal rundum schauen.

Zwar hängt noch eine schwere Rauchfahne über den versengten Wäldern und der geschwärzten Taigalandschaft Sibiriens; aber die Brandwalzen, die in den vergangenen Tagen wüteten, sind unter Kontrolle gebracht. Die Einsatzkräfte dämmen die Restfeuer ein, Löschflugzeuge impfen die Wolken mit Geschossen aus Silberjodid, um die Regenbildung zu unterstützen.

Noch vor zwei Jahren hätten die russischen Behörden es einfach brennen lassen. Für die Natur war das katastrophal: Die Brände trugen zum Klimawandel bei – und wurden vom Klimawandel gleichzeitig ausgelöst, verschärft. Je wärmer und trockener das Klima, desto wahrscheinlicher ein Großbrand. Je mehr Wald verbrennt, desto mehr CO_2 wird freigesetzt, desto weniger kann außerdem durch Bäume gebunden werden.

Dieser Teufelskreis wurde nun aufgebrochen mit einem Großaufgebot: 32 000 Feuerwehrleute und Helfer kämpften gegen die Flammen – und zwar offenbar auf Befehl des Präsidenten. Wladimir Putin entschied, dass dies ein Notstand sei, dass die Brände gestoppt, die Wälder gerettet werden sollten. *Nemedlenno* – sofort!

Putin, so heißt es im Kreml, hätte das Thema kurzerhand seinen Gouverneuren entrissen und sodann, nach erschreckender Bestandsaufnahme, seine Einkäufer auf Tour geschickt: Überwachung und Ausrüstung wurden verdreifacht. Ein Netz von Drohnen soll künftig Brände schneller entdecken helfen.

Wie ernst es Russland, den USA und China mit dem Umweltschutz tatsächlich ist, lässt sich nicht sagen. Ob sie tatsächlich in der Zukunft intensiv zusammenarbeiten, wird sich erst nächste Woche in Miami zeigen.

Klar ist aber: Eine enge Zusammenarbeit der großen drei hätte Folgen. Einen Vorgeschmack darauf haben einige afrikanische Staaten bereits bekommen. Muhammadu Buhari, der nigerianische Staatschef und Parteichef der »All Progressives Congress Party«, zum Beispiel hatte offenbar mit einem Schuldenerlass in dreistelliger Millionenhöhe gerechnet. Aber diese Hoffnung wurde enttäuscht.

Nigerias Wirtschaft hätte das Geld gut gebrauchen können: Rund 70 Prozent der Nigerianer leben unterhalb der Armutsgrenze, müssen mit weniger als einem Dollar am Tag auskommen. Und die nigerianische Bevölkerung wächst, explodiert geradezu. Nigeria ist das bevölkerungsreichste Land Afrikas. Vor allem abseits der Städte, wo immer noch 60 Prozent der Nigerianer leben, ist die Geburtenrate so hoch, dass sie alle Wachstumseffekte wieder aufzehrt. Alle – wenn auch recht halbherzigen – Versuche der Regierung, das Bevölkerungswachstum durch Aufklärung und Anreize zu bremsen, liefen ins Leere.

Das wollen die G3-Staatschefs nicht mehr hinnehmen.

Obwohl China, Russland und die USA offiziell bislang noch gar keine Zusammenarbeit verkündet haben, fürchten sich viele Diplomaten und Regierungen bereits vor den Folgen.

Was aber passiert, wenn die drei Supermächte ein Oligopol der Macht bilden? Über was soll die UNO befinden, wer braucht noch den Sicherheitsrat, wenn die stärksten Armeen der Welt zusammenstehen? Welche Handelsregeln soll die WTO noch debattieren, wenn drei Präsidenten im Palmengarten eines Hotels einfach neue Regeln beschließen?

Bei der UNO, so berichten Diplomaten hinter vorgehaltener Hand, ist die Sorge schon groß. 40 000 Mitarbeiter hat die Organisation, sie kosten mehr als drei Milliarden Dollar – da darf man sich keinen Machtverlust leisten.

Das Büro des UNO-Generalsekretärs beantwortete eine Anfrage mit ebenso schönen wie nichtssagenden Worten: »Der Generalsekretär begrüßt jede positive, friedensstiftende Initiative, ganz gleich von welcher Regierung. Wir sind sicher, dass jeder Staat die Mechanismen der UNO kennt und unsere institutionelle Erfahrung in der Dialogfindung und in Verhandlungen nutzen wird.«

Mit anderen Worten: Wir wissen nichts, hoffen aber, dass man uns nicht vergisst.

Donnerstag, 17. November 2022

Collins Avenue, Miami, USA

Weiße Hochhäuser säumten die Straße, davor Palmen und Oldtimer in Pastell- und Bonbonfarben: Cadillacs, Chevrolets, Mustangs. Gerade passierte Putins Kolonne einen schwarzen Turm, einen runden Wolkenkratzer. Putin blickte aus dem Fenster der gepanzerten Limousine. »Der Porsche-Tower«, erklärte der Botschafter. Der russische Präsident erinnerte sich. Wer eines der sechzig Apartments in diesem Luxus-Skyscraper in Sunny Isles Beach besaß, konnte seinen Wagen mit in die Wohnung nehmen. Dem Präsidenten gefiel die Idee. Der Bewohner fuhr mit dem Auto-Aufzug in sein Zuhause mit Sky-Garage. Vom Pool oder der Outdoor-Küche aus konnte er dann, wann immer ihm danach war, seinen Wagen betrachten.

Solche extrem luxuriösen Immobilien waren selbst hier eine Ausnahme. Dennoch wurde in Florida immer noch viel und extravagant gebaut.

»Der Bauboom scheint auch direkt an der Küste anzuhalten«, bemerkte Putin, »trotz extremer Stürme und Fluten.«

Der russische Botschafter nickte. »Dieses Thema ist

in der Immobilienbranche hier nicht sehr beliebt, Herr Präsident«, antwortete er. »Die Stürme sind dabei auch nicht einmal das größte Problem. Der Anstieg des Meeresspiegels wird schlimmer.«

Die Wagenkolonne des Präsidenten fuhr weiter in Richtung Strand. Jetzt war der Blick aufs Wasser gänzlich frei. Der Atlantische Ozean funkelte. Der Wellengang war heute ruhig, nur vereinzelte Surfer waren im Wasser zu sehen. Die Weite gefiel Putin.

Die Konferenz würde in einem neuen Gebäude stattfinden, das erst vor Kurzem fertiggestellt worden war und angeblich besser als jedes andere hier für die Zukunft gewappnet sein würde. Die Straße wurde schmaler, die Kolonne langsamer. Im Schritttempo fuhren sie erst auf einen Schotterweg, dann zwischen Dünengras entlang und schließlich über eine Brücke, an deren Ende eine dicht bewachsene winzige Insel auftauchte, die rechts und links jeweils mit einer weiteren verbunden zu sein schien.

»Die neue Idee sind schwimmende Bauprojekte«, erklärte der Botschafter, »Hausboote und Gebäude auf künstlichen Inseln wie dieser. Die Verbindung mit zwei weiteren Inseln macht sie sogar erdbebensicher. Auf der anderen Seite ist übrigens eine künstliche Sandbank errichtet worden. Sie bewegt sich bei Sturm und Wellengang wie ein Muskel mit und funktioniert auf diese Weise wie ein Staudamm.«

»Interessant«, erwiderte Putin. Aber sonderlich interessiert klang er nicht.

Als der Wagen die Brücke überquert hatte, öffnete

sich eine Allee von Palmen. Zwischen den Bäumen standen Tierskulpturen aus schwarzem Stein. Langbeinige Katzen, Adler mit ausgebreiteten Schwingen und ein Wolfshund. Dazwischen silberne Laternen. »Wir sind da, Herr Präsident«, sagte der Botschafter.

Einer der Leibwächter öffnete die Wagentür, Putin stieg aus, ohne seinen Botschafter auch nur einmal anzusehen, und nahm die Stufen nach oben. Dort stand der Außenminister der Vereinigten Staaten, es gab eine Begrüßung für die Kameras, ein wenig Smalltalk und das freundliche Angebot, etwas Kühles zu trinken, vielleicht etwas mit Kokos-Limette oder den Orangen aus Nordflorida.

Putin nippte höflich an dem dargebotenen Glas, dann entschuldigte er sich. Man würde sich ja ohnehin zum Empfang am Abend treffen, er wolle sich noch kurz etwas ausruhen und ein, zwei Telefonate führen.

Oben, in der Suite, ließ Putin eine Konferenzschaltung aufbauen, wenig später hatte er den chinesischen Staatschef und den amerikanischen Präsidenten in der Leitung.

»Meine Herren«, sagte Putin ohne viel Vorrede, »ich denke, wir sollten noch einmal über unsere Abschlusserklärung nachdenken.«

Wie bei solchen Treffen üblich, waren die wichtigsten Stellen der Abschlusserklärung schon vorher verhandelt und formuliert.

»Was wollen Sie ändern?«, fragte der Chinese.

»Wir könnten deutlicher werden. Viel deutlicher.«

»Einverstanden«, sagte der Amerikaner.

82

Montag, 21. November 2022

Washington, D.C., Moskau, Peking

Kommuniqué

der Präsidenten
der Volksrepublik China,
der Russischen Föderation,
der Vereinigten Staaten von Amerika.
In Verantwortung um die Zukunft der Menschheit,
in dem Wissen um die Notwendigkeit entschlossenen
Handelns,
zur Vermeidung eines Kampfes um die Vorherrschaft,
im Erkennen des Scheiterns freiwilliger Weltklimaabkommen und Millenniumsziele internationaler Organisationen
und
mit Bekräftigung historischer Friedensabkommen, insbesondere der Garantie der Grenzen von 2022 und der Nichteinmischung in innere Angelegenheiten der zwei jeweils anderen Partner, sind wir uns in den folgenden Punkten einig geworden:

I.

Die gesamte Menschheit ist in ihrem Überleben erstmals akut gefährdet. Wir befinden uns an einem Wendepunkt. Die Unterzeichnerstaaten setzen gemeinsam ihre politischen, finanziellen, wissenschaftlichen und militärischen Kräfte ein, um den Umsturz des Weltklimas, den exponentiellen Anstieg der Weltbevölkerung und die Zerstörung der natürlichen Lebensgrundlagen wirksam abzuwenden. Dazu wird beschlossen und gemeinsam durchgesetzt:

Der energetische Verbrauch fossiler Brennstoffe wird drastisch eingeschränkt.

Das Wachstum der Weltbevölkerung wird begrenzt.

Die tropischen Regenwälder werden geschützt.

Die ökonomischen Folgen für besonders betroffene Staaten (etwa Erdöl oder Tropenholz exportierende Nationen) werden durch geeignete Maßnahmen teilweise kompensiert.

II.

Diese Maßnahmen werden die Finanzhaushalte der Staaten erheblich belasten. Angesichts der Größe und Wichtigkeit der Aufgabe sind vor allem die Rüstungs- und Militärausgaben dafür heranzuziehen.

Die Konflikte um Israel/Palästina, Syrien/Irak/Iran, Libyen/Mali, Ukraine und Nordkorea werden nunmehr gemeinschaftlich, in gegenseitigem Vertrauen und im Wissen um die Wichtigkeit der anstehenden größeren Aufgaben kurzfristig beendet. Als vertrauensbildende Maßnahme werden die unterzeichneten Staaten die Zahl ihrer Nuklearwaffen innerhalb von fünf Jahren überprüfbar halbieren und die entsprechende Kapazität an Sprengköpfen vernichten. Die Streitkräfte zu Wasser, zu Lande und in der Luft werden signifikant verringert.

III.

Wir werden gemeinsam handeln und räumen uns gegenseitig umfassende Kontrollrechte ein. Wir werden die einmütigen Empfehlungen aus Forschung und Wissenschaft weltweit durchsetzen. Wir werden die Zukunft sichern – drei Systeme, ein Konzept.

Miami, 21. November 2022
Präsident der Volksrepublik China (Siegel)
Präsident der Russischen Föderation (Siegel)
Präsident der Vereinigten Staaten von Amerika (Siegel)

Montag, 21. November 2022

620 Eight Avenue, New York City, USA
»New York Times« – Büro des Chefredakteurs

Könnte sein, dachte er, *dass dies einer meiner letzten Tage hier ist.* Er stand im Vorzimmer seines Büros, froh über die Ruhe. Mrs Trabitzky, seine Sekretärin, sah ihn besorgt an. Er nickte ihr zu, ging in sein Büro und schloss die Tür. *Knapp war das, knapp vor einem Aufstand, einer Palastrevolte*, dachte er. *Während ich hier stehe, sägen dreißig, vierzig der besten Journalisten dieses Landes an meinem Stuhl. Und nicht wenige davon waren meine Freunde.*

Dean M. Bradley, Chefredakteur der »New York Times«, zog sein 1 800-Dollar-Tweedsakko aus und warf es über einen der Stühle, die um den kleinen, ovalen Konferenztisch aus polierter Birke standen.

Bradley rieb sich über die Augen und atmete tief aus. Hinter ihm lag die wohl unangenehmste, heftigste Konferenz seines Berufslebens – und er hatte viele Auseinandersetzungen erlebt.

Doch diesmal hatte er fast die gesamte Redaktion gegen sich gehabt, zumindest das liberale und sehr wortmächtige Lager. Sie hatten ihn bedrängt, anfangs nachsichtig, aber rasch erbost und scharfzüngig, dass die »New York Times« eindeutig Position beziehen müsse.

Und zwar Position *gegen* die Allianz der G3, wie sie inzwischen genannt wurden.

Freiheit und Demokratie, Weltfriede und das unverbrüchliche Recht jeder Regierung auf Nichteinmischung – all das sei bedroht. Friedman, der einflussreiche Kolumnist, und Darningville, Bradleys Stellvertreter, hatten ihn, Bradley, beschworen, sofort einen scharfen Kommentar gegen diese Allianz und ihren weitreichenden Plan zu verfassen. Bradley hatte indes Stellung *für* die G3 bezogen. Und er hatte alles aufgeboten, Amt, Autorität, Reputation, um sich durchzusetzen.

Er ließ sich in seinen Schreibtischstuhl fallen und tippte sein Passwort ein. Er würde einen Kommentar schreiben, vielleicht den letzten als Chef dieses Blattes.

Die Überschrift hatte er bereits, er schrieb: »Damit wir bleiben, müssen die Dinge sich ändern – jetzt«.

Mrs Trabitzky, lautlos, aber ahnungsvoll, war in sein Büro gekommen und setzte eine große weiße Tasse auf seinen Schreibtisch, heiße Schokolade. Die bereitete sie nur in Ausnahmefällen zu, normalerweise gab es den dünnen Redaktionskaffee aus der Thermoskanne.

»Mmh, Sie retten mich«, sagte Bradley, während er schon schrieb.

»Und Sie retten die Welt«, sagte Mrs Trabitzky, »wir wären demnach quitt.«

Aber sie sagte es sehr leise, Bradley bekam es nicht mit.

Montag, 21. November 2022

1 Central Wharf, Boston, MA, USA

Als Putin fünf Tage nach Beginn der Konferenz wieder in seinen Wagen stieg, musste er an eine Stelle in einem Buch denken, das ihm Schröder vor einiger Zeit gegeben hatte.

»So schätze ich mich doch glücklich, diesen ewigen, un endlich weiten Ozean intelligenter Energie mit einem Tin tenfisch gemein zu haben.«

Normalerweise wäre die russische Regierungsma schine von Miami aus nonstop zurück nach Moskau geflogen. Doch Putin hatte – zur Überraschung seines engsten Zirkels – entschieden, einen privaten Zwischen stopp in Boston einzulegen.

»Und vereinbaren Sie einen Termin mit dieser Schrift stellerin, mit Sy Montgomery«, hatte er seinen Adjutan ten beauftragt. Und darum gebeten, die amerikanischen Gastgeber mögen seine Reiseroute mit Diskretion be handeln.

Nach dreieinhalb Stunden Flugzeit landete die »Ilju schin« des russischen Präsidenten auf dem Logan Inter national Airport, und als Putin noch am späten Nach mittag das New England Aquarium am Bostoner Hafen betrat, wartete die Autorin und Naturforscherin bereits auf ihn. Die Bitte um das Treffen, bei dem sie dem Präsidenten einen Einblick in die Welt der Oktopoden vermitteln sollte, hatte Sy Montgomery mehr als verblüfft. Sie hatte versucht, jemanden bei der russischen Botschaft zu erreichen, aber die maßgeblichen Leute dort waren natürlich gerade mit Putin unterwegs.

Sy Montgomery hatte das Ganze anfangs für einen Scherz gehalten. Erst als amerikanische Sicherheitsleute sie in einem Chevrolet-SUV zum Museum fuhren, wurde ihr mulmig.

In weniger als zwei Stunden würde sie den Präsidenten Russlands treffen. Was wusste sie eigentlich über diesen Politiker? Nichts Gutes, wenn sie an die Medienberichte über sein Demokratieverständnis dachte. Im Grunde verabscheute sie das, wofür er stand. Immerhin, es gab eine Gemeinsamkeit zwischen ihnen, Putin liebte Tiger, sie auch.

Was würde sie ihm sagen? Ihr ganzes Leben, beruflich wie privat, hatte sie nur ein Ziel verfolgt: den Menschen einen respektvollen Umgang mit der Natur und ihren Geschöpfen näher zu bringen. Sie war immer eine gute Beobachterin gewesen, hatte in ihren Büchern, Artikeln das beschrieben, was sie sah, erlebte und fühlte. Warum wollte ausgerechnet Wladimir Putin mit ihr sprechen? Doch eigentlich war diese Frage falsch. Denn nicht sie, sondern Ruddy, der Pazifische Riesenkrake, ein weibliches Exemplar, würde auf seine ganz eigene Weise mit Putin interagieren.

Das New England Aquarium war an diesem Tag

für die Öffentlichkeit geschlossen. Anstelle der Besucher liefen überall Sicherheitskräfte herum, schraubten Papierkörbe ab, überprüften die Kammern mit Reinigungsmaterial, stocherten mit Sprengstoffsonden in Lüftungsschlitzen. Sogar im hinteren Teil des Pinguingeheges, wo es nach Guano stank, musste ein junger Geheimdienstmann Stellung beziehen. Er schickte, obwohl das streng verboten war, ein Foto an seine Freundin: »Traumberuf Personenschutz: bis zum Knöchel in Vogelscheiße stehen.«

Als die Wagenkolonne Putins vorfuhr, hatten Sy Montgomery, der Direktor des Aquariums und der PR-Manager neben der weißen Pinguinskulptur in der großen Lobby Position bezogen. Mittlerweile war es später Nachmittag und draußen bereits dunkel. Sy Montgomery liebte die stille, die magische Zeit im Aquarium.

Plötzlich waren die Russen da.

Der echte Putin sah aus wie der Putin im Fernsehen.

Nach einer kurzen Begrüßung machte sich die Gruppe auf den Weg zum Wassertank von Ruddy im ersten Stock. Der Präsident erschien ihr freundlich, war aber schweigsam. Sie hatte gehört, dass er gerade von einer mehrtägigen Konferenz in Miami kam.

Durch zwei große Glastüren gelangten sie in die Ausstellungsräume, wo sie zunächst auf die Pinguine trafen. Auf der Besucherseite des Geheges stank es nicht so sehr, hier wurde der Boden ständig gereinigt.

Dann betraten sie die Rampe, die sich in Spiralen um den Ozean-Tank in der Mitte emporwand. Der riesige, zylindrische Tank reichte über vier Stockwerke, und lief man die Rampe hinauf, bewegte man sich zwischen dem großen Ozean-Tank und den Außenwänden des Aquariums, in dem Zackenbarsche und Zitteraale schwammen.

Als sie das Becken mit den Piranhas erreichten, hielt der Präsident inne. Sie sei schon mehrfach mit diesen Fischen geschwommen, erzählte Montgomery.

»Mögen Sie Piranhas, Mr President?«, fragte sie Putin.

»Ich habe beruflich mit ihnen zu tun«, sagte er, »im Kreml.«

Jetzt waren sie am Tank des Kraken angekommen. Sie würden Ruddy zuerst durch die Glasscheibe, von der für die Öffentlichkeit zugänglichen Seite aus, ansehen. Meistens war es schwer, den Oktopus auszumachen. Auch heute hatte sich Ruddy gut getarnt.

»Dort ist sie«, sagte Montgomery und zeigte auf einen der Steine. »Das sind ihre Augen«. Neben dem Becken öffnete sich eine Tür, und Bill Jacobs, einer der Tierpfleger, erschien. Er sollte helfen, die schwere Glasscheibe von Ruddys Becken aufzuschieben, und er würde aus Sicherheitsgründen anwesend sein, erklärte Montgomery, da Oktopoden starke und giftige Tiere seien, die man nicht unterschätzen dürfe. Sie selbst sei zwar noch nie gebissen worden, aber sie wolle ihre Premiere nicht erleben, wenn ausgerechnet das russische Staatsoberhaupt zu Gast sei.

Sie bat alle anderen, Putin, Bill und sie allein zu lassen.

Und dann betraten sie das Innerste des Aquariums. Sie stiegen eine Treppe empor und befanden sich oberhalb der Wassertanks.

Es war ein ungemütlicher Ort. Es war warm, es roch nach Meer und fauligen Algen wie in einem alten Hafenbecken, die Pumpen stampften, das Wasser sprudelte und blubberte laut, die Filter summten.

»Achten Sie darauf, wohin Sie treten«, rief Montgomery über den Lärm hinweg.

Überall schlängelten sich Schläuche über den Boden, gab es kleine und größere Wasserpfützen. Links und rechts Reihen von Becken.

An einem Wasserhahn hielten sie kurz an, um sich die Hände zu waschen, in Vorbereitung auf die Begegnung mit dem Oktopus. Das Museum hatte für den Besuch schnell noch das benutzte Handtuch gegen ein frisches ausgetauscht.

Endlich standen sie an Ruddys Becken, einem 12 000 Liter Wasser fassenden Bassin. Bill hatte den schweren Metalldeckel bereits entriegelt und eine Aluminiumschale mit Fischen an den Rand des Beckens gestellt.

Montgomery nahm eine Makrele, wedelte damit im Wasser und schlug mit der Hand auf die Wasseroberfläche. »Ich bin da«, hieß das für Ruddy. Wenige Sekunden später zeigte sich der Oktopus. Ruddys Mantel den die meisten für ihren Kopf hielten, hatte die Größe einer Honigmelone und befand sich jetzt knapp unter der Wasseroberfläche. Jeder ihrer acht Arme war mindestens einen Meter lang. Es war jedoch schwer, die genaue Länge zu bestimmen, da die Arme ständig in Bewegung waren und sich ihre Länge andauernd veränderte, wie ein elastisches Band, welches sich in sanften Bewegungen ausdehnte und wieder zusammenzog.

»Ruddy ist übrigens ein Mädchen«, rief Montgomery. Jetzt entfaltete sich das Tier, vor Aufregung anfangs noch hellrot, glitt zu Montgomerys Hand, schnappte sich den Fisch, griff mit einem Arm nach dem rechten Arm der Naturforscherin, die weißen Saugnäpfe saugten sich an der Haut fest. Drei weitere Arme griffen bereits über den Beckenrand heraus. Während Montgomerys rechte Hand festgehalten wurde, berührte die Frau mit ihrer linken zärtlich den Kopf des Oktopus. Die Haut des Tieres färbte sich weißlich unter ihrer Berührung.

Putin beobachtete diese Begrüßung mit einem Lächeln.

Oktopoden gehören zu den Mollusken, den Weichtieren, dort bilden sie die Gruppe der Cephalopoden, der Kopffüßer. In der Stammesgeschichte der Evolution hatten sich frühe Weichtiere und sehr frühe Säugetiere schon vor mehr als 500 Millionen Jahren getrennt. Menschen und Oktopoden sind zwar verwandt – aber sehr, sehr entfernt. Nach 500 Millionen Jahren gibt es so gut wie keine Gemeinsamkeiten mehr.

Eines haben sie mit den Menschen gemein: ihre Neugier.

Oktopoden sind – nach menschlichen Maßstäben – intelligent, verspielt und neugierig. Sie scheinen planvoll vorzugehen, wenn sie sich in Gefangenschaft durch winzige Lücken an der Filteranlage quetschen, das Nachbarbecken ausräubern und gleich noch zum nächsten Becken hinüberklettern.

Einfach, weil sie es können.

Die Frage war, ob man menschliche Maßstäbe anlegen durfte, ob es so etwas wie Kommunikation über die Artengrenze hinweg überhaupt gab.

»Möchten Sie sie berühren?«, fragte Sy Montgomery. Putin hatte sein Sakko ausgezogen und die Ärmel seines Hemdes nach oben gekrempelt.

»Und Sie sollten Uhr und Ringe ablegen, denn Oktopoden sind fähig, sie Ihnen abzuziehen, ohne dass sie es merken.« Auf Geheiß von Montgomery näherte Putin sich mit seiner rechten Hand zuerst den kleineren Saugnäpfen. Einer von Ruddys Armen, der sich bisher noch scheinbar schwerelos im Wasser bewegt hatte, steuerte neugierig auf die Finger des Russen zu. Die Saugnäpfe berührten seine Haut, bis Putins Arm gänzlich von Ruddys Arm umschlungen war. Aufmerksam und geduldig ließ der Präsident zu, dass der Oktopus ihn ertastete und erfühlte. Mit einem Auge blickte Ruddy zu ihren beiden Besuchern auf, während sie weiter die gereichten Fische entgegennahm und diese über ihre Saugnäpfe weitergab, von Sauger zu Sauger zu Sauger bis hin zu ihrem Mund, der sich dort befand, wo alle Arme zusammenkamen.

»Oktopoden schmecken mit ihrer gesamten Haut«, sagte Montgomery. »Die Saugnäpfe können enormes Gewicht heben, nur ein einzelner der großen Saugnäpfe bis zu fünfzehn Kilogramm, jeder der acht Arme hat zweihundert Saugnäpfe.« Erst wenn alle zusammenwirkten, entfalte der Oktopus seine außerordentlichen Kräfte.

Und doch sei er zugleich ein sanftes Tier.

»Während Ruddy Sie berührt und abtastet, erforscht sie Sie«, fügte Montgomery an.

Dann schwieg die Naturforscherin. Sie hatte genug gesagt.

»Mag sie mich?«, fragte Putin nach einer Weile.

»Normalerweise geht Ruddy davon aus, dass die Hände und Arme meiner Freunde ein Teil von mir sind, auf irgendeine Art und Weise. Das vermute ich jedenfalls. Oktopoden sind Individuen, manche spielen gerne mit Menschen, manche nicht, und andere, die gerne mit Menschen in Kontakt treten, mögen hin und wieder bestimmte Menschen nicht. Wenn Sie Raucher sind, merken sie das, das mögen sie nicht. Und wenn Sie Angst haben, mögen sie das auch nicht. Sie werden Sie dann nicht verletzen oder angreifen, aber sie werden Sie auch nicht lange festhalten. Sie spüren Angst. Aber zurück zu Ihrer Frage. Ruddy wird Sie wissen lassen, ob sie Sie mag.«

Sie fühle sich weich an, sagte der Russe, der Schleim auf ihrer Haut sei seidig, glatt. Plötzlich schickte Ruddy einen Wasserstrahl aus dem Becken und traf den hochgekrempelten Ärmel des Präsidenten. Die Naturforscherin lachte.

»Keine Sorge, das war keine Gemeinheit, sie spielt mit Ihnen.« Putin nickte.

»Ihre Begrüßung ist für mich immer wie eine Liebkosung, eine Art Kuss«, sagte Montgomery, während Ruddy ihren Besucher immer stärker umschlang. Sanft lösten Montgomery und Bill die Arme des Oktopus von Putin.

»Passen Sie auf, dass Ruddy Sie nicht zu sich ins Becken zieht«, warnte der Tierpfleger, bevor er wieder in den Hintergrund trat.

»Haben Sie gesehen, wie sie ihre Farbe ändern kann?« fragte Montgomery. »Zuerst war sie vor Aufregung hell rot. Sie kann bräunlich werden und ein venenartige Muster erzeugen, die Saugnäpfe aber bleiben imme silberweiß. Oder sie kann überall auf ihrem Körper di Umrisse von Augen erscheinen lassen, sodass ein Angrei fer nicht erkennen kann, wo der Kopf, die verletzlichst Stelle, sitzt.«

Mittlerweile waren eineinhalb Stunden vergange Putin hatte kaum etwas gesagt.

»Warum Oktopoden?«, fragte er jetzt. »Warum fo schen Sie an Oktopoden und nicht an Quallen oder De finen? Oder Berggorillas?«

Montgomery überlegte kurz. »Von all diesen Tiere ist der Oktopus uns am fremdesten. Und gleichzeitig i sein Schicksal mit unserem verknüpft.«

Putin blickte sie an.

»Jedes Mal, wenn ich diesem Tier begegne, werde ic demütig. Der Oktopus ist ein Symbol des Ozeans«, sag Sy Montgomery. »Und der Ozean beeinflusst unser We ter, unseren Sauerstoff, er ist der Ursprung des Leben Und wer veranschaulicht das Geheimnis, die Kraft, di Notwendigkeit, unseren Ozean zu erhalten, besser als ei Oktopus? Die Ozeane sind am stärksten vom Klimawan del betroffen. Sie erwärmen sich schneller als das Lan Der Oktopus ist einzigartig empfindsam und einzigarti intelligent. Er besitzt so viele verschiedene Fähigkeite Der Oktopus überlebt, weil seine Arme zusammenarbe ten, auch ohne zentrale Steuerung. Ich finde, in dies Hinsicht ist er ein Vorbild …«

Putin sagte nichts, er betrachtete Ruddy, die jetzt von ihnen abließ und sich zurückzog.

Montgomery sprach jetzt leise. »Wenn wir unsere Fähigkeiten gemeinsam zum Guten einsetzen, können auch wir überleben. Dann schaffen wir ein Wunder. Einen neunten Arm des Oktopus.«

Putin und Montgomery standen jetzt wieder im Besucherbereich. Der Direktor und die Delegation warteten schon. Putin und Montgomery reichten sich zum Abschied die Hände, die kalt und steif waren vom acht Grad kalten Wasser im Bassin.

Dienstag, 22. November 2022

New York City, USA
»New York Times«

Damit wir bleiben,
müssen wir uns ändern

Von Dean M. Bradley, Chefredakteur

Was alle vermuteten, ist Gewissheit: Autoritäre Regime wie China und Russland arbeiten mit den Vereinigten Staaten von Amerika zusammen. Lange beklagten wir, dass die Konflikte der Welt nur noch eingefroren wurden – statt dass die Mächtigen ernsthaft miteinander verhandelten oder aufeinander zugingen. Das schien man sich leisten zu können. Bis die wissenschaftliche Elite der Welt uns klargemacht hat: Wir müssen jetzt entschlossen handeln oder die Vernichtung der natürlichen Lebensgrundlagen für die Spezies Mensch hinnehmen.

Wir sind es gewohnt, fortwährend Risiko und Chance abzuwägen. Wer Neues vorschlägt, gilt häufig als naiv; wer Althergebrachtes verteidigt, häufig als weise.

Diesmal ist nun alles anders. Diesmal ist die Zeit für solches Abwägen schlicht abgelaufen. *Rien ne va plus.*

Natürlich könnten wir den Kampf der Systeme fortsetzen, Kapital und Energie in Rüstung investieren. Aber der Sieg wäre ein Pyrrhussieg, denn es gibt unter den bisherigen Bedingungen der Politik keine Zukunft mehr.

Die Welt lebt auch ohne Menschen fort. Von uns bliebe eine Schicht von zwei Zentimetern. Zu wichtig nehmen sollten wir uns also nicht. Die Bevölkerung auf Erden besteht bisher nur einen Wimpernschlag in der Historie unseres Planeten. Die Schöpfung zu bewahren ist aber nicht nur Ziel der drei monotheistischen abrahamitischen Weltreligionen, es ist auch Thema im Konfuzianismus, im Buddhismus, im Shintoismus.

Jetzt besteht die einmalige Chance, die Menschheit zu retten.

Der Mensch ist eingebunden in die Natur, und er kann ohne sie nicht leben. Langfristig ist dies eben die einzige Chance, die Welt zu retten. Jetzt! Sofort! Bevor es nicht mehr möglich wäre.

Freitag, 9. Dezember 2022
– weltweit –

Manche Ereignisse sind so groß, dass die Menschen erst mit Verzögerung begreifen, was ihnen gerade passiert ist. Als zum Beispiel am 9. November 1989 die DDR-Bürger plötzlich am Grenzübergang Bornholmer Straße nach Westberlin laufen konnten, ohne Visum, Verhöre, Schikane, ohne um ihr Leben fürchten zu müssen, da spürten die meisten zwar, dass sie gerade einen historischen Moment erlebten. Aber kaum einer ahnte an diesem Tag schon, welche Folgen das haben würde. Doch eine neue Zeit begann.

So war es auch jetzt. Was das Treffen von Miami bedeutete, verstanden die Menschen nur allmählich. Dean Bradley, der Chefredakteur der »New York Times«, hatte geschrieben, dass die Welt bisher das Gleichgewicht dreier Weltmächte kannte – und sich nun an die Herrschaft eines Triumvirats gewöhnen muss. Das schien sensationell genug. Doch welche Folgen würde es haben?

Für eine Menge Menschen auf der Erde bedeutete es vor allem: nichts Gutes. Staatschefs, Armeen, ganze Berufsstände und Nationen würden Macht, Einfluss und Geld verlieren.

Überall auf der Welt fiel Menschen auf, dass der große, neu verkündete Friede ihnen wenig nutzen würde: zum Beispiel einem amerikanischen Spion, der Jahre gebraucht hatte, um im russischen Militär jemanden kennenzulernen mit Zugang zu »Awangard«, der modernsten Hyperschallrakete der Welt, bis zu siebenundzwanzigmal schneller als der Schall, praktisch unbesiegbar, weil sie noch im Flug die Richtung wechseln kann, ausgestattet mit atomaren Sprengköpfen. Dieser Spion erfuhr nun aus den öffentlichen News, dass niemand ihn mehr brauchte, weil Russen und Amerikaner sich demnächst beim Zerlegen ihrer Waffen gegenseitig helfen würden.

Geheimdienstler, die Cyberkriege vorbereiteten, die an Abhöranlagen saßen, die Desinformation streuten, Firmendaten stahlen, Marionettenregierungen stützten oder stürzten – allesamt auf einmal ohne Feind und womöglich bald arbeitslos.

Es war naiv zu glauben, dass irgendein Geheimdienst auf der Welt das mit sich machen ließe.

Geheimdienstler, Polit-Apparatschiks, Nationalisten aller Länder, Großbankiers, Drogenbarone aus Mittelamerika, Diktatoren in Afrika, Waffenhändler – sie merkten, dass sie in der neuen Weltordnung die Verlierer sein würden.

Dieser Frieden war nicht ihr Frieden.

Dienstag, 4. Mai 2100, am Vormittag

15 Quai de la Tournelle, 5. Arrondissement, Paris, Frankreich

Im Spiegel des Aufzugs sieht Anjana, wie dunkel die Schatten unter ihren Augen an diesem Morgen sind. Sie überlegt, ob sie nachschminken soll, aber das muss jetzt bis nach dem Frühstück warten. Der Salon in Michelles Wohnung kommt ihr größer vor als gestern, es scheint auch noch niemand da zu sein. Im Aquarium zieht der Oktopus langsam hin und her. Auf der Tafel davor liegen Croissants. Es duftet nach Kaffee und Orangen.

»Anjana!« Gundlach gibt sich Mühe, freundlich zu klingen. »Hast du gut geschlafen?«, fragt er.

Sie dreht sich um, gereizt.

»Zu viel getrunken gestern?«, fragt Gundlach. »Oder zu viel geredet?« Es soll mitfühlend klingen.

»Zu wenig geredet«, antwortet sie schroff. »Und über das Falsche. Und dann schlecht geschlafen.« Sie ist offenkundig übel gelaunt.

»Was hat dich beschäftigt?«

»Dass der größte Teil der Menschheit jahrhundertelang ausgebadet hat, was die Eliten im Westen verbrochen hatten.« Anjanas Ton ist scharf. »Ich begreife nicht, warum es so lange gedauert hat, bis ihr etwas unternom-

102

men habt! Und dass ihr keine bessere Idee hattet als das, was uns dann 2025 blühte!« Die Inderin ist schnell im Angriffsmodus. Sie provoziert, um ihr Gegenüber zu einer ungefilterten Reaktion zu bringen.

Aber Gundlach kennt diese Taktik. Und er kennt diese Art von Gesprächen. Er hat Hunderte von ihnen geführt.

»Du weißt, dass ich mich mein halbes Leben damit auseinandergesetzt habe«, sagt er. »Ich kann dir nur sagen, was du vermutlich schon weißt: Es herrschte ein anderes Denken. Man hielt die Wende, wie sie dann kam, lange einfach nicht für möglich. Man tat sich schwer mit Veränderungen, man hielt überhaupt wenig für möglich!«

Anjana holt Luft. »2023 gab es den bis dahin schwersten Monsun Indiens. In einem einzigen Monat starben Hunderttausende Menschen, noch viel mehr verloren alles«, sagt sie dann.

Gundlach zwingt sich zur Ruhe.

Mittlerweile haben sich auch die anderen eingefunden, Michelle, Ann und Robert, Ilyana und Seitz.

»Ich weiß, dass diese Zeit schrecklich war«, sagt Gundlach. »Ich war dabei.«

Dienstag, 13. Juni 2023

Dharavi Main Road, Mumbai, Indien

Akilha Tiwari ging, bevor sie das Haus verließ, zu dem kleinen Altar in der Ecke des Zimmers, schob die gelbe Blütenkette beiseite, nahm den winzigen Elefantengott und das Bild ihrer Mutter vom Holztischchen, wo sie ihren angestammten Platz hatten. Sie steckte beides in ihre Tasche. Warum sie das tat, wusste sie nicht. Aber irgendetwas war anders.

Es würde ein langer Tag werden. Die Kinder hatten Schulferien. Aber auch während der Ferien gab es Sing- und Malunterricht, außerdem hatte Mrs Regina, die Leiterin der nichtstaatlichen GANGA-Schule für Jungen und Mädchen, alle Lehrkräfte aufgefordert, schon vor Schulbeginn zu erscheinen, dreimal in der Woche, um die Wasserschäden zu beseitigen, die alljährlich am Gebäude entstanden. Nie blieb das Dach dicht, ständig rissen Sturm und Regen neue Löcher.

Die GANGA-Schule lag in Dharavi, dem größten Slum der Stadt. Die Hälfte der Einwohner Mumbais lebte in solchen Gegenden. Akilha kannte die Straße, in der Nayika zuhause war, ihre liebste Schülerin. Niemand konnte so eifrig und hingebungsvoll zeichnen wie Nayika. Und oft zeichnete das Kind ein Haus, so wie Akilha, die Lehrerin, eines bewohnte – auf immer unerreichbar für Nayikas Familie. Akilha und ihr Mann Rahul teilten sich eine Toilette mit nur etwa dreißig anderen Menschen, und es gab sauberes Wasser. Von dort, wo die Familie von Nayika lebte, musste man fast einen Kilometer laufen, um zu den nächsten Sanitäranlagen zu gelangen, die mehr als zweihundert andere jeden Tag benutzten. Das Wasser war nicht gereinigt. Sie mussten es bis zu ihrem Haus tragen und anschließend abkochen.

Bei der Familie von Nayika gab es auch nicht – wie bei Akilha und ihrem Mann – Mauern um jedes Zimmer. Stattdessen lebten sie in einer Hütte aus Holz und Blech, die sich zwischen einer Färberei und einem Hof befand. Nachbarn betrieben dort eine kleine Firma, sie zerlegten alte Elektrogeräte und verkauften deren Einzelteile.

Alles, was als Abfall übrig blieb, sammelte sich auf der Straße. Quecksilber und Blei verseuchten den Boden, die Luft roch nach verbranntem Plastik und verschmorten Kabeln. Am Mittag kam der Kohlenstoff aus dem Rauch der Holzöfen dazu. Am Abend der Ruß der Öllampen.

Von der Müllkippe floss stetig ein rotes Rinnsal in die Straße und Chrom, Blei, Kadmium, Kupfer und Zink ins Grundwasser. Und damit in jene Feldfrüchte, welche die Bauern aus der nahen Umgebung ernteten und an den Ständen hier um die Ecke verkauften – obwohl es verboten war. Auch Akilha, die Lehrerin, kaufte dort hin und wieder. Und wenn ihr Mann deswegen schimpfte, dann entgegnete Akilha: »Mir passiert nichts, ich stamme aus einer zähen Familie.«

Akilhas Mutter Jayanna war auch zäh gewesen. Bis zu ihrem letzten Tag. Sie litt an einer schweren Lebererkrankung, ihre Haut und vor allem die Fingernägel waren schon seit Jahren verfärbt gewesen, sie musste Schmerzen gehabt haben. Aber sie lächelte und sang jeden Tag. Erst in den letzten Wochen ihres Lebens erkannte man an ihrem schiefen Gang, dass es schlimmer wurde. Bis sie eines Tages mit dem Wassereimer über die Türschwelle fiel und liegen blieb. Das Wasser ergoss sich über den Boden und über die noch nicht einmal vierzigjährige Frau, die an diesem Morgen starb. Jayanna, der Name bedeutete die Siegbringende.

Tatsächlich hatte Akilhas Mutter für die ganze Gegend einen Sieg errungen, als es darum ging, wo die Helfer aus dem Westen die GANGA-Schule errichten sollten. Jayanna hatte dem Chef der Planer, einem verschwitzten dicken Mann mit Brille, eine Ganesha-Figur in die Hand gedrückt, ihn zu dem alten Obstmarkt geführt und ihm bedeutet, hier solle die Gottheit wohnen und dies wäre das Direktorenzimmer.

Als die Schule eröffnet wurde, durfte Jayanna zusehen – und Mrs Regina, die damals noch junge Leiterin, schenkte der Frau eine neue, kleinere Version des Elefantengotts.

Und diese Figur, die Akilha mit ihrer Mutter und mit ihrer Arbeit verband – also beinahe mit ihrem ganzen Leben –, diese Figur hatte sie jetzt in die Tasche gesteckt.

An diesem Morgen, im Juni des Jahres 2023, lief sie

zur Busstation, um zur Schule zu fahren. Sie freute sich auf die Kinder, auf Preety, das lustige Mädchen mit den Zöpfen, und auf Nayika, die so gern zeichnete.

Der Monsun hatte begonnen, und wie jedes Jahr in den ersten Tagen des Regens brachte das Wasser vor allem Erleichterung. Es machte die steigende Hitze erträglich und ließ die Menschen glauben, die Ernte sei jetzt gesichert. Und es gab ihnen ein Gefühl der Reinigung. Der Monsun gehörte zu Indien wie die Götter.

Aber in Mumbai lebten zwanzig Millionen Menschen.

Der Monsun bedeutete auch Chaos. Manche konnten tagelang nicht zur Arbeit gehen. Die Fluten spülten Autos davon, untergruben Häuser, rissen Menschen in den Tod. Das war schon seit vielen Jahrzehnten so. Aber es wurde jedes Jahr ein wenig schlimmer. Sogar in den Gegenden der Wohlhabenden.

An der Busstation warteten viel zu viele Menschen, der Bus würde heillos überfüllt sein. Hoffentlich würde sie überhaupt hineinkommen, hoffte Akilha, um es rechtzeitig in die Schule zu schaffen. Auf der Straße spielten Kinder im Regen, hüpften aufgeregt umher und schrien durcheinander. Die Wartenden unterhielten sich, lachten miteinander.

Endlich kam der Bus. Als eine der Letzten konnte sie sich gerade noch hineinquetschten.

Und dann stürzte Wasser vom Himmel.

Innerhalb von Minuten donnerten Massen herab, dass es vor den Fenstern aussah, als wären da plötzlich Wellen, wo vorher noch die Straße gewesen war, ein

107

Ozean, oben und unten zugleich. Der Bus fuhr schmat zend an, kam aber schon bald wieder zum Stehen, de Motor war erstorben. Hunderte Menschen drängten sich auf den Straßen, rannten kreuz und quer über die Plätze suchten Unterschlupf. Dort, wo eben noch der Asphal gewesen war, kämpften sich Menschen durch einen hüft hohen Fluss.

Die Menschen im Bus wurden panisch. Wasser dran ein. Die einen wollten sofort aussteigen, die meisten abe fingen gleichzeitig an zu telefonieren, schrien in ihr Smartphones.

Der Monsun – und das Chaos, das immer ausbrach - hatten Akilha nie wirklich beunruhigt. Sie hatte etwa von der Zuversicht und Unbeirrbarkeit ihrer Mutter ge erbt, so erklärte sie es manchmal Rahul, ihrem Mann.

»Wir sind eine zähe Familie.«

Draußen stieg das Wasser. Akilha legte schützend ein Hand an ihren Bauch. Dem Baby ging es offenbar gut Und es würde darin noch eine Weile seine Ruhe haben um fertig zu wachsen, egal was hier draußen geschah.

»Komplett eingestürzt?«, fragte ein Mann direkt ne ben Akilha in sein Telefon.

»Wie viele Häuser? Sind Menschen verletzt?«, hört sie einen anderen schreien. Jetzt griff auch Akilha z ihrem Telefon. Sie wählte die Nummer ihres Mannes Doch Rahul antwortete nicht. Akilha spürte, sie musst raus aus diesem Bus. Sie musste zurück nach Hause. Si musste gegen den Strom laufen, zumindest ein Stück Aber sie würde Mut brauchen, vielleicht mehr, als si hatte.

Akilha verließ den Bus schließlich mit einigen anderen. Sie stemmte sich gegen das Wasser. Jetzt spürte sie, wie das Baby sich bewegte und trat. Sie kämpfte sich durch die Fluten, zog ihren Rock nach oben, damit sie besser vorankam und stützte mit einer Hand den Bauch. Zwischendurch versuchte sie zu telefonieren. Ihr Mann nahm nicht ab. Oder das Netz war überlastet. »Zäh«, sagte sie sich, machte einen Schritt. »Zäh«, der nächste Schritt. »Zäh, zäh, zäh«, so kam sie voran.

Nach mehr als einer Stunde war sie an jener Stelle, wo es rechts zur Müllkippe hochging und geradeaus in ihr Viertel. Das Rinnsal vom Müllberg hatte sich in einen Sturzbach verwandelt. Plastikteile, Tüten, große Boxen, Holzstücke, Türen und ein vollständiger Strommast wurden heruntergespült, die Straße war längst zum Flussbett geworden, es gab keine Chance, sie zu überqueren. Ihr war klar, weshalb ihr Mann nicht abnahm. Er hatte als Techniker in der Nähe der Kippe gearbeitet.

Akilha stand, etwas erhöht, an der Kreuzung, vor ihr der unpassierbare Strom. Ihr Haus, falls es das noch gab, würde sie nicht erreichen können. Sie legte die Hand auf ihren Bauch. War das wahr, was sie gerade erlebte? Sie empfand wenig.

In dem Wasser trieben Stofffetzen, sie wurden aus dem Slum herangespült, immer wieder. Jedenfalls dachte Akilha einen Moment lang, dass es Stofffetzen wären.

Dann erkannte sie Nayika. Das Kind trieb im Wasser, Gesicht nach oben, und es war tot, die Augen blicklos, die Haut schon leicht verfärbt.

In diesem Moment griff Akilha in ihre Tasche. Ihre

Finger bekamen den kleinen goldenen Elefanten zu fassen und dann die aufgeweichte Fotografie. Akilha musste sie nicht aus der Tasche nehmen. Es reichte, beides zu ertasten. Sie schwor sich, dass sie zurückkommen würde. Sie würde etwas tun, um dieses Elend zu beenden.

Eine Sekunde später spürte Akilha, dass sie der Strömung nicht mehr standhalten konnte. Das Wasser nahm sie mit, trieb sie bergab, panisch griff sie um sich, überall nur Wasser. Und dann stießen ihre Knöchel auf etwas Hartes, ein Stück Mauer, an das sie sich klammern und hochziehen konnte. Über die Steine kletterte sie so weit wie möglich nach oben. Akilha war klar, sie hatte jetzt nur eine Chance, sie musste hier weg. Sie musste den Bahnhof erreichen.

»Wir sind eine zähe Familie«, sagte sie zu dem Kind in ihrem Bauch.

Dienstag, 4. Mai 2100

15 Quai de la Tournelle, 5. Arrondissement, Paris, Frankreich

»Die indische Infrastruktur«, sagt Anjana, »war desaströs. Das Kanalsystem in Städten wie Mumbai stammte zum Teil noch aus der Kolonialzeit. Die Abflüsse wurden nicht ausreichend gereinigt. Der Bruder meiner Großmutter war Kanalarbeiter und arbeitete ohne technisches Equipment, sein einziges Werkzeug war ein Eisenhaken. Die Abfälle auf den Straßen verstopften die Abflüsse dann während des Regens noch zusätzlich. Deshalb kam es so schnell zu den extremen Überschwemmungen.«

Die Augen der Inderin wirken jetzt noch dunkler, das Weiß darin noch heller.

»Aber warum haben die Leute weiterhin so riskant gebaut«, fragt Ann. »Und ihren Müll nicht richtig entsorgt?«

»Wie sollten sie ihren Müll entsorgen, wenn es dafür kein System gab? Diese Menschen hatten keine Hightech-Koch-und-Kompost-Roboter!« Sie deutet in Richtung Michelles Küche. »Sie wussten nicht einmal, wohin sie scheißen sollten!«

Ann zuckt zusammen.

»Aber was tat die Regierung?«, wirft Michelle ein. »Das ist doch die eigentliche Frage!«

Anjana unterdrückt ihren Impuls, sofort zu antworten.

Gundlach kommt ihr zu Hilfe.

»Die war überfordert«, sagt er. »Der Müll ist ja seit Jahrzehnten schon ein Problem gewesen, leider lebten aber viele Inder davon, den Müll zu sammeln oder zu recyceln.«

»Größtenteils übrigens Müll aus dem Westen!«, unterbricht Anjana. »Die Menschen, die damals am meisten Müll produzierten, lebten in Nordamerika und Europa, die meisten Mülldeponien befanden sich auf den armen Kontinenten.«

Seitz räuspert sich. »Siebzehn Prozent der Weltbevölkerung lebten 2020 in den sogenannten Industrienationen. Sie erzeugten fünfundvierzig Prozent des weltweiten Abfalls. Die Abfallproduktion wuchs sechsmal schneller als die Weltbevölkerung. Dabei wurde der größte Teil des Mülls aus Europa in andere Länder entsorgt. Allein Deutschland exportierte jährlich etwa 150 000 Tonnen Elektroschrott und mehr als 340 000 Tonnen Kunststoffabfälle. Bis 2017 gingen die Mülltransporte der Westnationen hauptsächlich nach China, ab 2018 mussten sie auf andere asiatische, afrikanische und südamerikanische Länder ausweichen. China hatte neue Umweltschutzgesetze eingeführt.«

Anjana fühlt sich bestätigt. »Die neuen Müllimporteure waren unter anderem Malaysia, Indonesien und Indien. Und für viele Menschen in diesen Ländern hätten neue Umweltschutzgesetze das Ende bedeutet«, sagt Anjana. »Stell dir vor, dein Vater hat diese kleine Gerberei. Das Geschäft läuft gut, jedes Jahr besser, es ernährt dich und deine fünf Geschwister und gibt dir Arbeit und eine Zukunft. Du hast keine Schulbildung und erst recht keinen Beruf gelernt. Wenn ihr den Laden plötzlich schließt, weil in eurem Abwasser Gift ist, dann war's das mit eurer verdammten Existenz. Man bot diesen Menschen einfach keine Alternative!«

»Und der Regen nahm weiter zu, oder?«, fragt Michelle leise.

»Ja«, sagt Anjana. »An diesem einen Tag im Juni 2023 fiel in Mumbai mehr als dreimal so viel Regen wie üblich, 1 200 Millimeter etwa in Dharavi.«

»Der Klimawandel hatte aus dem Monsun, mit dem die Menschen zu leben gewohnt waren«, erklärt Gundlach, »ein verheerendes Phänomen gemacht. Die wärmere Luft konnte über dem Ozean ungleich größere Mengen an Wasser aufnehmen, die dann über dem Land heftiger abregneten.«

»Aber dass Treibhausgase die Temperaturen steigen lassen und damit für mehr Regen sorgten – zumindest in Teilen der Welt –, das war doch bekannt«, sagt Robert.

»Richtig«, merkt Seitz an. »Forscher der Chinesischen Akademie der Wissenschaften in Peking hatten dies bereits 2019 nachgewiesen. In Indien und Pakistan hatten die Monsunregen um acht Prozent pro Grad zugenommen, in Südamerika sogar teilweise bis fünfundzwanzig Prozent pro Grad.«

Robert schaut zu seinen beiden männlichen Kollegen. »Wieso wurde dann nichts unternommen?«

»Genau das fragte sich meine Großmutter auch«, sagt Anjana, »als sie sich durch diese Fluten kämpfte.«

Dienstag, 13. Juni 2023

São Paulo, Brasilien

Nur etwa zwei Stunden nach ihrer Geburt können Fohlen sich bereits auf ihren Beinen halten und die ersten Schritte machen; wenig später traben sie, geführt von ihrem Muttertier, bereits über die Weide.

Im Alter von elf Jahren, sein Klavier- und Violinspiel war bereits perfekt, komponierte Wolfgang Amadeus Mozart den ersten Teil des Oratoriums »Die Schuldigkeit des ersten Gebots«, im Umfang von 208 Notenblättern, darin enthalten waren eine Sinfonie, sieben Arien, ein Terzett.

Ob Fohlen oder musikalisches Genie – manche unter uns haben Fähigkeiten, oder besser: Sie *sind* diese Fähigkeiten ganz einfach, weil es ihr Schicksal ist, ihre *Bestimmung*.

Bei Ricardo da Silva war es ähnlich, allerdings war seine Weide die Küche, und sein Allegro und sein Andante und seine Arien bestanden aus den Aromen und Konsistenzen der Kräuter, des Gemüses, der Nüsse, Pilze, Pasten, Körner, Nudeln. Kochen war seine *Bestimmung*.

Doch musste Ricardo ein Hindernis überwinden: das Hindernis seiner Herkunft.

Ricardo entstammte einer gehobenen Gesellschafts-
schicht, seine Familie gehörte zu den ältesten und wohl-
habendsten von São Paulo. In diesen Kreisen ging man
in die Politik, wurde Unternehmer, notfalls auch erfolg-
reicher Künstler – aber man kochte nicht. Man ließ kochen. Selber zu kochen, das wäre unsinnig gewesen und
auch ein klein wenig peinlich.

Ricardos Vater war Diplomat gewesen, er hatte rasch
Karriere gemacht im Außenministerium von Brasilia, und die letzten siebenundzwanzig Jahre seiner Be-
rufslaufbahn war er Botschafter, vor allem in Asien, in
Thailand, Japan, China. Ricardos Vater war gutausse-
hend, verwöhnt, anspruchsvoll, diplomatisch-geschickt,
sprachbegabt. Von allen guten Eigenschaften und Fähigkeiten hatte er seinem jüngsten Sohn Ricardo nur die
Sprachbegabung vererbt.

Ricardo sprach neben Portugiesisch auch Englisch,
das er für seine Arbeit brauchte, daneben etwas Thai und
vor allem Chinesisch. Sein Mandarin war exzellent, fast
auf Muttersprachler-Niveau. Kaum jemand wusste davon, Ricardo prahlte damit nicht; es war ihm schlechter-
dings gleichgültig. Die Sprache war für ihn nur der *Zugang* – der Zugang zu den Geheimnissen der Küche, er
hatte Chinesisch gelernt, nicht weil er die Sprache sprechen, sondern weil er in ihr gleichsam kochen wollte.

Die da Silvas mussten als Botschafter ständig Emp-
fänge, Feiern, Diners geben, oft genug daheim. Einer der
Köche, die zu den da Silvas in ihre private Botschafter-
Villa kamen, sobald Festlichkeiten anstanden, war ein alter Herr, ein chinesischer *Da Chu*, ein Meisterkoch, den

Ricardo vom ersten Tag an liebte. Damals war er noch nicht mal zehn Jahre alt, jüngster von drei Jungs, aber in den Belangen, wo die Brüder sich hervortaten, beim Tennis oder in Schulleistungen, da wandte Ricardo sich ab, tödlich gelangweilt, zutiefst untalentiert.

Der einzige Ort, den seine Brüder kaum je betraten, allenfalls, um sich eine Cola aus dem Kühlschrank zu holen, der Ort, den seine Mutter geflissentlich nur betrat, um Anweisungen zu geben – dieser Ort, die Küche, erfüllte Ricardo mit Leidenschaft.

Er schaute dem Alten zu, wenn der die Gerichte für teilweise fünfzig, sechzig Gäste zubereitete, mit nur ein, zwei Hilfsköchen. Ricardo war überglücklich, wenn man ihm irgendwas zu tun gab, er nahm alles in sich auf und vergaß nichts.

Er fragte und fragte und fragte. Sein Spitzname, den der Alte ihm gab: *Wei shenme*. Der kleine Herr Warum.

Nach der Schule ging Ricardo auf Tour. Er verpflichtete sich in Restaurants in Bangkok, Chengdu, Osaka, er war bei Oriol Marcello in Barcelona, bei Bao Yu-Lam in Hongkong. Er vernachlässigte auch die brasilianische Küche nicht, die ihm jedoch vergleichsweise schlicht vorkam. Immer wieder Picanha, Schwanzstück mit Fettschicht, Herz vom Huhn, Lende, Churrasco, immer wieder auf dieselbe Art.

Die asiatische Küche, vor allem die chinesische, war tiefer, geheimnisvoller.

Ricardo besuchte die Lanxian-Kochakademie in der Provinz Shandong, eine der härtesten, aber auch besten Schulen des Landes. Er lernte die acht wichtigsten regio-

117

nalen Stile: Kanton, Sichuan, Anhui, Shandong, Fujian, Jiangsu, Hunan und Zhejiang. Er schloss als Jahrgangsbester ab.

Und dann beschloss er, nach Brasilien zu gehen, Brasilien war immerhin sein Heimatland. Seine Eltern waren gestorben, zu seinen Brüdern hatte er keinen Kontakt mehr. Er war jetzt sechsunddreißig Jahre jung, und er war begierig darauf, zu arbeiten, zu erfinden, Gerichte zu kreieren – allerdings wollte er kein Restaurant eröffnen. Die Verantwortung eines Restaurantbetriebs, die festen Kosten, das Theater mit dummen Kellnern, diebischen Barkeepern, stumpfsinnigen Gästen, das alles schreckte ihn ab. Ihm schwebte etwas anderes vor.

Die Stadt, für die er sich entschied, war die Stadt des heiligen Paulus, gegründet 1554, zum Fest der Bekehrung des Apostels – São Paulo.

Mittwoch, 14. Juni 2023

Rjasan, 200 Kilometer südöstlich von Moskau, Russland,
Planungszentrum für die Verteidigung des glorreichen
Vaterlandes

Boris Michailowitsch Bykow, hochdekorierter Marschall
der russischen Föderation, Träger des Ordens des heiligen Georg mit weißem Tatzenkreuz, Träger des russischen Verdienstordens für das Vaterland der 1. Klasse,
zweifacher Ehrendoktor der Universitäten von Minsk
und Bukarest – Bykow also bog von der Zufahrtsstraße
ab und lenkte seinen Wagen, fast ohne abzubremsen, in
die Zufahrt zur Tiefgarage unter dem Planungszentrum.

Es war kurz nach fünf Uhr morgens. Offizieller
Dienstbeginn war erst in einer Stunde. Aber Bykow war
in Eile, und vor allem wollte er nicht gesehen werden –
einige übereifrige Majore oder Vizeadmiräle würden natürlich jetzt schon eintrudeln, aber eben nur wenige.

Bykow lenkte seinen Wagen auf den für ihn reservier-
ten und mit seinem Namen markierten Parkplatz, der
gleich neben dem Fahrstuhl lag. Je näher sich ein Tiefga-
ragenplatz am Fahrstuhl befand, desto höher der Rang.
Das war das Problem bei Beförderungen. Eine Beförderung machte eine neue Parkplatzvergabe und damit Zu-
rückstufungen für die anderen hohen Offiziere nötig. Jedes Mal musste die komplizierte Tiefgaragen-Landkarte

neu gezogen, die Parkplatz-Namen übermalt und alles neu beschriftet werden. Bykows Parkplatz gehörte ihm seit einer Ewigkeit. In diesem Leben würde ihn auch niemand mehr zurückstufen.

Außer man fand heraus, was er vorhatte.

Dann allerdings würde er mehr verlieren als nur seinen Parkplatz.

Bykow stieg aus und schloss sein Auto ab. Er ließ sich Zeit. Er kannte die Erfassungswinkel der Kameras. Er ging um seinen Wagen herum, warf einen Routineblick auf die Reifen, dann machte er einen raschen Ausfallschritt und war verschwunden aus dem Erfassungswinkel.

Bykows Wagen war ein GAZ-24 »Wolga«, ein Oldtimer, alle Teile von Hand hergestellt in der »38. Versuchsanlage des Heeres für das Vaterland«; von dem Gefährt waren seinerzeit überhaupt nur vier Exemplare gebaut worden. Mit diesem Wagen hier war einst der große Generalsekretär Leonid Breschnew auf einer Besichtigungstour gefahren worden, das war noch vor Andropow und dem unsäglichen Gorbatschow, der sein Land verraten hatte, wie Bykow fand. Im Generalstab sprach man darüber nur in Andeutungen.

Dass Bykow, der als Marschall jedes Fahrzeug der Welt als Dienstwagen hätte fahren können, sich für dieses Auto entschieden hatte, war vielsagend. Dieses Auto bedeutete: Geschichte, Tradition. Und es bedeutete: Macht.

Das Planungszentrum mit seiner Tiefgarage befand sich am Rand der Stadt Rjasan, etwa zweihundert Kilometer südöstlich von Moskau, in der Oblast Rjasan. Es war ein Ableger des Verteidigungsministeriums, das natürlich im Kreml beheimatet war; doch das war nur der Schein. In Wahrheit war dieses Planungszentrum die Herzkammer des russischen Militärapparats, hier wurden die wirklich wichtigen Strategien, Pläne, Ankäufe, Einsätze vorbereitet.

So wie jetzt, da Putin vorhatte, mit China und den Amerikanern eine Zusammenarbeit zu beginnen. Eine Zusammenarbeit, die höchstwahrscheinlich auch militärische Auswirkungen haben würde.

Bykow kannte Putin gut, er galt sogar als sehr enger Vertrauter des Staatschefs.

Kennengelernt hatten sie sich im Februar 1994, in Hamburg. Damals war Putin ein Irgendwer gewesen, zwar ein KGB-Mann, aber weit entfernt, ein großes Tier zu sein. Als Vertreter der Stadt St. Petersburg – so die offizielle Version – war Putin, der deutsch sprach, zu einem Freundschaftsbesuch nach Hamburg gereist. Zufällig war auch Bykow, damals noch Generalleutnant, auf dem Empfang im Rathaus. Anschließend gab es ein Gala-Diner – Bykow erinnerte sich, es gab Fisch und miserablen Kaviar und dann eine Speise, die vom Hamburger Bürgermeister als »Labskaus« gepriesen wurde und die Bykow ungenießbar fand, eine Fleischmasse, garniert mit Hering, Spiegelei, Roter Beete, bis heute schüttelte es Bykow bei dem Gedanken.

Putin hatte in Hamburg einen Skandal provoziert. Der Präsident von Estland hielt eine Rede, in der er vor Russlands Machtstreben warnte. Putin stand mittendrin zornig auf, warf die Serviette auf den Boden und verließ, laut schimpfend, den Saal.

Ein hübscher Auftritt, Bykow dachte immer gern daran zurück. Wie viel davon inszeniert und wie viel echt war, darüber hatte sich Putin später nie ausgelassen. Aber er, Bykow, war damals Putin nachgegangen, hatte versucht, ihn zu beruhigen, und am Ende waren die zwei Russen in eine Kneipe am Rödingsmarkt gezogen, und das war der Anfang einer Art von Freundschaft.

Die jetzt allerdings beendet war. So sah es Bykow.

Er war in einer dunklen Ecke der Tiefgarage angekommen. Hinter etwas Gerümpel versteckt, war in die Wand eine rostige Stahltür eingelassen, tatsächlich war sie sechs Zentimeter dick. Bykow nestelte einen Schlüssel unter seinem Hemd hervor, schloss auf. Eine enge, schlecht beleuchtete Treppe führte nach unten.

Drei Stockwerke unter der Tiefgarage betrat Bykow einen schummerigen Raum, mit einer Decke, die so niedrig war, dass Bykow, der einen Meter neunzig groß und hager war, versucht war, den Kopf einzuziehen. Zigarrenrauch hing, trotz der frühen Uhrzeit, schwer und bläulich in der Luft.

Vier Männer saßen in schäbigen Sesseln, ein fünfter Sessel war noch frei.

Eine nackte Glühbirne hing von der Decke, direkt darunter, auf einem wackeligen Tisch, stand ein großer Samowar der Marke »Beem«, Typ »Ural III«.

Danach hatte die Gruppe ihren Namen: Ural III.

Ural III war eine konspirative Gruppe hochrangiger

Militärs im Planungszentrum. Sie trafen sich seit einigen Jahren, ihr Ziel: ihre Interessen koordinieren, durchsetzen. Sie wussten, wie, und ihnen standen fast unbegrenzte Mittel zur Verfügung. Doch diesmal hatten sie sich viel vorgenommen.

Diesmal ging es darum, Putin zu stürzen.

Die fünf Männer waren eingeschworene Gegner der neuen Politik ihres Staatschefs.

Besonders Bykow. Der Marschall glaubte nicht an die Klimakatastrophe, nicht an ökologische Prognosen. Er glaubte an das sowjetische Militär. Wann immer Russland in Gefahr gewesen war, ob wegen Napoleon oder Hitler, das Militär hatte das Vaterland gerettet.

Für Boris Michailowitsch Bykow war Russland ein Militärapparat, umgeben von einem Land. Dass Putin eine Allianz mit den Feinden anstrebte, verstieß gegen alles, woran Bykow und seine vier Mitstreiter glaubten.

»*Moschet natschnem?* Wollen wir anfangen?«, fragte Sascha, ein bulliger Admiral, auf dessen Schulterklappen drei goldene Sterne blinkten, darin ein schwarzer Anker auf rotem Grund.

»*Da*«, erwiderte Bykow.

»*Charaschó*«, sagte Sascha. Keiner der Männer würde den Raum verlassen, solange sie nicht einen Plan gefasst hatten. So waren die Regeln.

*

Als Bykow nach vier Stunden als Erster den Raum verließ – die anderen würden einzeln im Abstand von dreißig Minuten folgen –, war er vergleichsweise zuversichtlich.

Sie hatten einen Plan, zumindest in Umrissen. Und sie brauchten Verbündete. Sie wussten, dass es im Machtzentrum um Xi Jinping genauso Widerstand gegen die Allianz gab wie in Moskau oder Rjasan.

Zunächst mussten sie Informationen einholen, Verbündete in der chinesischen Staatsführung finden. Zumindest einen Verbündeten. Sascha, der bullige Admiral, hatte viele Jahre in Peking gearbeitet, er kannte jemanden aus dem Kabinett. Der Mann war stellvertretender Minister, zu dem Sascha den Kontakt in chiffrierter Form anbahnen würde. Der Chinese würde entweder die Botschaft verstehen und interessiert sein – oder nicht.

Es bot sich an, dass Bykow noch am Abend nach Saudi-Arabien fliegen wollte; in der Hafenstadt Dschidda, gelegen am Roten Meer, fand eine Waffenmesse statt, organisiert von den Saudis. Dschidda war unter den Waffenmessen, was eine SIG P210 unter den Pistolen war: top. Der Aufwand, den die Saudis trieben, war freilich ein bisschen theatralisch: Waffenschauen und Vorführungen fanden in der Wüste statt, die Orte wurden erst kurz vor Beginn bekanntgegeben. Aber die Teilnehmer badeten in Luxus, finanziert aus dem noch unerschöpflichen Strom von Petrodollar. Abends gab es eine Party in einem *Safe House*, mit Alkohol und Luxusnutten.

Dass ein Chinese ihr Verbündeter werden sollte, ließ sich nicht vermeiden. Xi war der Verbündete Putins. Die Feinde ihrer Feinde waren ihre neuen Freunde.

In Dschidda würde Bykow hoffentlich den chinesischen Kontaktmann treffen. Und dann würde man weitersehen, irgendwie.

Bykow stieg die drei Treppen hinauf, nahm zwei Stufen auf einmal. Er war kein bisschen außer Atem, als er oben ankam. Er war sechzig Jahre alt und durchtrainierter, als er aussah. Früher war er Bataillonsmeister im Judo gewesen, Schwarzgurt, vierter Dan. Einmal hatte er auf der Judomatte sogar gegen Putin gekämpft und ihn besiegt, er würde es wieder tun.

Mittwoch, 14. Juni 2023

»Park Hyatt Marina«, Dschidda, Saudi-Arabien

Dschidda, die saudi-arabische Stadt am Roten Meer, ist nicht unbedingt ein Touristenmagnet – doch der Ausblick vom »Park Hyatt Marina«-Hotel, gelegen an der Al Kurnaish Road, ist sensationell.

Das Panorama, das sich den Hotelgästen etwa vor der *Royal Suite* in der obersten Etage bietet, ist vor allem an den Abenden atemberaubend. Weithin blickt man nach Westen, in den Sonnenuntergang und über die gleißende Fläche des Roten Meeres, am Horizont kreuzen die kleinen *Dhaus*, die traditionellen arabischen Fischer- und Piratenboote mit ihren typischen Dreiecks-Segeln. Natürlich sind es keine echten Fischer oder blutrünstigen Piraten mehr, die dort vor der Küste kreuzen – die, übrigens diskret motorisierten, Boote fahren lediglich auf und ab, um den Hotelgästen einen malerischen Anblick zu bieten, ein charmanter Einfall des saudischen Tourismus-Direktors, Prinz Khalid, einer der 10 000 Prinzen aus dem Haus Al-Saud.

Empfehlenswert ist die *Royal Suite*, mit zweihundert Quadratmetern und eigenem Fahrstuhl, eigenem Wellness-Bereich. Drei Diener – Inder mit prächtigen Turbanen, denn Saudis arbeiten grundsätzlich nicht im Service-Bereich – stehen zur Verfügung. Anspruchsvollere Wünsche sind bitte mit vierundzwanzig Stunden Vorlauf zu stellen.

*

Bob Olufunmilayo hatte zum Beispiel um Walderdbeeren gebeten. Er liebte Walderdbeeren. Nicht jenes geschmacklos-wässerige Obst, das man in einem europäischen oder amerikanischen Supermarkt in einem plumpen Körbchen kauft – sondern *Walderdbeeren*, jede Frucht nicht größer als eine Erbse, aber von geradezu explosivem Aroma.

Und so saß Olufunmilayo am Panoramafenster, blickte aufs Meer, ins Nachmittagslicht, trank eine halbe Flasche »Moët & Chandon Impérial Brut«, nur unter der Hand zu bekommen, und aß Walderdbeeren, eingeflogen aus Madeira. Die Aromen von Champagner und Erdbeeren verstärkten sich gegenseitig, hatte Olufunmilayo gelernt. Es leuchtete ihm ein.

Die *Royal Suite*, inklusive Boot und Service-Aufschlägen, kostete am Tag 8 900 US-Dollar, was für Bob Olufunmilayo kein abschreckender Preis war, sondern eine Investition, die sich lohnen sollte.

Olufunmilayo war Nigerianer. Er war achtunddreißig Jahre alt, einen Meter achtundneunzig groß, die Haut war so dunkel, dass sie fast blauschwarz wirkte, er wog rund hundertzwanzig Kilo und bestand fast nur aus Muskeln. An seinem Körper und in seinem Gesicht hatte er insgesamt einundzwanzig Narben. Er besaß fast noch alle Zähne und außerdem ein geschätztes Vermögen von siebenhundert Millionen US-Dollar in Dollar, Wertpapieren, physischem Gold, Edelsteinen, Immobilien.

Olufunmilayo war in einer Branche, in der man entweder sehr erfolgreich ist oder untergeht.

Und bislang war Olufunmilayo nicht untergegangen. Er war einer der weltweit größten Waffenhändler.

Tatsächlich hieß Bob Olufunmilayo gar nicht »Bob«, sondern Boubhcar, er hatte seinen Vornamen, als er ins internationale Waffengeschäft einstieg, vereinfacht. Und Olufunmilayo, was »Gott schenkt mir Freude« bedeutet, war gleichfalls nicht sein richtiger Nachname, er hatte ihn sich ausgesucht – einen richtigen Nachnamen kannte er gar nicht. Er war im Whanniniya-Waisenhaus aufgewachsen, mitten in Makoko, dem ältesten Slum von Lagos. Es gab in dem Waisenhaus kein sauberes Wasser, kein eigenes Bett, viel zu wenig zu essen – und Liebe und Zuneigung waren so häufig wie persönliche Auftritte von Bruce Springsteen und der E Street Band. Mit acht Jahren machte Boubhcar sich auf und davon. Alles war besser als das.

Er nahm sein Schicksal in die eigenen Hände.

Die nächsten Jahre lebte er auf der Straße. Es ging ihm gar nicht so schlecht. Oft, sehr oft, musste er kämpfen, natürlich; aber das konnte er, er war schneller, vor allem härter als die meisten seiner Gegner. Viele der Streetkids, die gleichzeitig mit Olufunmilayo angetreten waren, starben irgendwann, er nicht.

Die Neunzigerjahre, als sich Olufunmilayo vom

Slumkind zum Waffenhändler emporarbeitete, waren Jahre des Ölbooms und des ungebändigten Chaos. 1983 hatte Lagos gut drei Millionen Einwohner, zehn Jahre später waren es schon mehr als doppelt so viele. Die Stadt explodierte. Schätzungen zufolge versickerte mehr als ein Drittel der Öleinnahmen in Korruption. Ölfirmen bestachen Manager und Politiker und plünderten den Reichtum des Landes.

Boubhcar, wie er da noch hieß, schloss sich der *Agberos*-Gang an, sie waren breit aufgestellt. Sie erpressten, dealten, entführten, vergewaltigten, überfielen. Boubhcar lernte viel und schnell.

Seine Mitstreiter tranken »Refno«-Hustensaft oder schnüffelten Reifen-Reparaturklebstoff. Sie soffen literweise »Monkey Tail«, Ogogoro, Palmschnaps, mit Marihuana versetzt. Manche der Jungs hatten so viel »Snuff« genommen, die Straßen-Variante von Kokain, dass ihnen schon mit vierzehn die Nasenscheidewände fehlten.

Boubhcar nicht. Er tat so, als ob er Drogen nähme, war aber tatsächlich sehr vorsichtig. Irgendwann merkte er, dass es viel klüger war, den anderen Gang-Mitgliedern Waffen zu verkaufen, damit sie damit töten konnten, anstatt selbst zu töten.

Und er war noch keine zwanzig, als er sich bereits als Waffendealer einen Namen gemacht hatte. Er hatte ein halbes Dutzend Bodyguards, Streetkids wie er, nur nicht so schlau. Er hatte überall in Lagos, vor allem natürlich in Makoko, Depots. Der Drogenmarkt war hart umkämpft. Der Waffenmarkt war eine Chance.

Irgendwann kam ihm eine glorreiche Idee: Er musste expandieren.

Es war Bobs, wie er sich nun nannte, Glück, dass der afrikanische Kontinent in Gewalt ertrank. Rebellen an der Elfenbeinküste. Der Krieg in Ruanda, in den sechs afrikanische Staaten hineingezogen wurden. Die Kämpfe zwischen rivalisierenden Milizen in Somalia. Der Aufstand gegen Präsident Charles Taylor in Liberia. Die Rebellen und die arabischen Milizen im Sudan. Die Liste war unendlich, die Möglichkeiten, Geld zu verdienen, für Mr Bob Olufunmilayo schier unerschöpflich. Er war ein Hüne, selbst für nigerianische Verhältnisse. Morgens machte er dreihundert Liegestütze, zwischendurch ließ er sich, um nicht aus der Übung zu kommen, einen oder zwei größere Straßenköter bringen, um sie mit einer Glasscherbe oder mit den Händen zu töten. Wer Olufunmilayo zu bestehlen versuchte, wurde so lange und phantasievoll gefoltert, dass es nicht viele Probanden gab, was er andererseits bedauerte.

Und so war er ins internationale Geschäft eingestiegen, und aus dem verschwitzten, narbenbedeckten ehemaligen Waisenjungen-Slumkind-Waffendealer war Mr Robert B. Olufunmilayo geworden, der in der Welt herumreiste, in teuren Hotels ein und aus ging, Kunden zum Essen in Restaurants ausführte, von denen er als Kind nicht mal geträumt hätte. Er konnte über Weine und Kunst reden und notfalls etwas Golf spielen, wenn ein Interessent darauf bestand.

Auf seiner goldgeprägten Visitenkarte stand Robert

B. Olufunmilayo; wenn er Geschäfte machte oder sich leutselig gab, sagte er: Nennen Sie mich Bob.

Er war ein anderer Mensch geworden. Und je mehr er ausgab, desto mehr kam herein. Das war wohl auch das Geheimnis: Man musste den Göttern Geld opfern, dann brachten sie es einem zehnfach zurück. Er hatte immer noch Bodyguards, doch jetzt beschäftigte er Weiße, das machte einen besseren Eindruck. Die jungen Frauen, die er sich kommen ließ, wann immer ihm danach war, oder wenn es angesagt war, eine Frau zum Essen mitzubringen, es waren Thailänderinnen, Europäerinnen, Inderinnen. Gerne wunderschön, schmal, *petit*. Groß war er selbst.

Olufunmilayo – »Gott hat mir Freude geschenkt«, Bob fand, dass der Name gar nicht schlecht gewählt war.

Momentan hatte er allerdings nicht so viel Freude, wie es wünschenswert war.

Eigentlich stand er sogar unter Druck.

Olufunmilayo hatte sehr viel Geld in diverse Ankäufe einer russischen Rakete investiert, der »Hypersonic Awangard«, einer Rakete, die fast nicht abzufangen war, weil sie eine atmosphärische Geschwindigkeit von etwa 6,28 Kilometern pro Sekunde hielt. Die Flugbahn war unvorhersehbar, Abfangversuche nach der Boost-Phase praktisch unmöglich. Der Gefechtskopf YU-73, plasmagebettet, war derzeit der beste auf dem Markt.

Außerdem hatte er in den Kauf nach Originalplänen nachgebauter Überschallraketen »Dongfeng« DF-17 investiert. Sie waren etwa elf Meter lang und erreichten ein Tempo von 1,72 Kilometern pro Sekunde. Auch konnte man sie alternativ mit Atomsprengköpfen ausrüsten.

Waffen aus dem Hinterhof der Hölle, so nannte sie Olufunmilayo.

Tatsächlich war er diesmal, darüber ärgerte er sich, unvorsichtig gewesen, zu risikobereit; er hatte einen Großteil seiner liquiden Mittel in den Ankauf gesteckt, dazu hohe Schulden gemacht, mehr als eine Milliarde US-Dollar standen für ihn auf dem Spiel. Dann war der politische Paradigmenwechsel gekommen, die ernsthaften Abrüstungsinitiativen Chinas, Russlands, Amerikas, und der Markt für Waffen war über Nacht kein Verkäufermarkt mehr. Die Preise waren gefallen, auch an den Aktienmärkten. Die Aktie für einen deutschen Waffenproduzenten etwa, die 2020 noch Kursgewinne über dreißig Prozent verzeichnet hatte, war ins Bodenlose gestürzt …

Und Bob Olufunmilayo hatte sich verzockt.

Er stand auf, ging zum Panoramafenster, die Sonne war beinahe untergegangen. Drei Tage würde er schätzungsweise hier in Dschidda sein. Er würde sich zwei Frauen kommen lassen. Natürlich war Prostitution verboten im strikt muslimischen Saudi-Arabien, und natürlich gab es hierfür ein perfektes System, Geld vorausgesetzt. Für Muslime, die ihre Seele vor Allah nicht mit verbotenem Sex beschmutzen wollten, wurden Heiraten auf Zeit mit den Huren arrangiert, durch einen richtigen Imam. Man war dann für eine oder fünf Nächte offiziell verheiratet, die Religionspolizei war zufrieden, der hochdotierte Imam war zufrieden, die Nutten, der Kunde. *Wie einfach die Welt sein kann*, dachte Olufunmilayo.

Er griff zum Telefon, er würde sich eine Inderin und eine Chinesin bestellen, gleich für drei Tage. Er würde ihnen zu Anfang ihre Kleider abnehmen, ihre Kleider wegschließen und sie drei Tage immer verfügbar und immer nackt um sich haben, so hatte er es gern.

Und dann war es Zeit für einige geschäftliche Anrufe. Morgen würde die Waffenmesse beginnen, deshalb war er hier. Kundengespräche. Er nahm sein Handy, in dem eine sehr kostbare Namens- und Nummernliste versteckt war.

Mittwoch, 14. Juni 2023

Peking, VR China
Amtssitz der Regierung der Volksrepublik China, Büro des
stellvertretenden Ministers für Medien, Computer und
Harmonisierung von Gesellschaft und Technologie

Dr. Yuan Zhiming, ein sehr kleiner Herr, saß in seinem sehr großen Büro und verglich Berichte über die neuesten Entwicklungen der Graphentheorie, eines Fachgebiets der diskreten Mathematik und theoretischen Informatik, ein Gebiet, von dem nur sehr, sehr wenige Menschen etwas verstanden. Und seine Kollegen, die Regierung der Volksrepublik, der Staatschef und sein Politbüro, gehörten ganz bestimmt nicht dazu.

Was Dr. Zhiming eine große Befriedigung verschaffte. Er liebte es, Wissen wie einen Schatz zu hüten und niemanden daran teilhaben zu lassen.

Mathematiker, wie Dr. Zhiming einer war, Informatiker und theoretische Physiker verstanden natürlich die Graphentheorie, die unter anderem zurückging auf den Schweizer Mathematiker und Astronomen Leonard Euler. Der hatte das Königsberger Brückenproblem formuliert und gelöst: Konnte man in Königsberg mit seinen sieben Brücken über den Fluss Pregel einen Stadtgang absolvieren und jede der Brücken nur ein einziges Mal überqueren? Man hätte versuchen können, das Problem durch zahllose Spaziergänge zu lösen; Euler hatte die Frage aber mathematisch beantwortet und ein neues Gebiet erschlossen.

In der modernen Graphentheorie ging es um ebensolche Modelle – aber deutlich komplizierter. Es ging um Algorithmen für netzartige Strukturen in Computern, Schaltungen, Versorgungen, Klangstrukturen, Molekülen.

Für Dr. Zhiming, der auch der Abteilung für Überwachung und Social-Media-Kontrolle vorstand, der *Jiankong*, waren Netzwerke wichtig. Virale Informationen im Internet, rebellische Botschaften etwa, pflanzten sich in Wellen fort; wer die rhythmische Struktur begriff, konnte rechtzeitig kappen, unerwünschte Informationen ausschalten, den Staat, die Partei und das Volk schützen – und darauf kam es schließlich an.

Dr. Zhimings Büro war der Geheimdienst, aber nicht ein Geheimdienst wie in Hollywoodfilmen, wo Agenten über Dächer kletterten; sondern dies hier war das *Gehirn des Geheimdienstes.*

Gab es etwas Schöneres? Es war allerdings ein Paradox, das Dr. Zhiming schon oft beklagt hatte: Wenn die meisten Menschen nicht begriffen, was man tat, war kaum jemand in der Lage, den Wert und die Schönheit dieser Arbeit zu bewundern.

Dr. Zhiming vertiefte sich gern in derlei Gedanken, wenn er eigentlich über ein größeres Problem nachdachte, gleichsam parallel, in seinem Hinterkopf. Und das tat er gerade.

Das Problem, über das er nachsann, konnte ihn, wenn er es löste, auf der Karriereleiter entscheidend nach vorne bringen – eine falsche Entscheidung konnte ihn aber auch vernichten.

Es galt, Gefahren zu quantifizieren, Variablen zu isolieren.

Der Schreibtisch, an dem Dr. Zhiming saß, bestand aus schwarzem Schiefer, spiegelglatt. Die Platte hatte die Maße 274 mal 152,5 Zentimeter, und sie war exakt 76 Zentimeter hoch, die Maße einer Turnier-Tischtennisplatte. Dr. Zhiming war als Student der Tsinghua-Eliteuniversität ein begeisterter Tischtennis-Spieler gewesen, nicht talentiert, aber eifrig, klein, flink und dünn.

Klein war er immer noch, ohne Schuhe 152 Zentimeter, aber dünn und flink konnte man ihn nicht mehr nennen. Dafür war er stellvertretender Minister, bekannt dafür, dass er hart arbeitete, hochintelligent war, dass seine Einschätzungen fast immer zutrafen.

Und trotzdem sank sein Stern.

Und dies seit etwa einem Jahr. Seit der Staatchef Xi Jinping ein Bündnis mit den Russen und den Amerikanern eingegangen war. Dr. Zhiming verstand sogar Xis Motivlage, und er hätte mit Freuden mitgearbeitet, doch der Staatchef hätte ihm nie wirklich getraut, ihm den Kurswechsel niemals abgenommen.

Denn das politische Dogma, auf das Dr. Zhiming seinen Aufstieg gegründet hatte, hatte stets gelautet: China zuerst. Keine Bündnisse, es sei denn, wir sind die Stärkeren. Keine Zusammenarbeit, niemals, es sei denn, China legt die Regeln fest und kann die Regeln jederzeit ändern oder brechen.

Zhongguó di yi, China zuerst. Und waren sie damit

nicht gut gefahren? Hatten sie sich nicht von einer halb verhungerten Drittwelt-Kolonie innerhalb von zweieinhalb Generationen zu einer Weltmacht entwickelt? Die als Gläubiger den USA den Zinssatz diktierte, die Afrika beherrschte, mit Europa spielte?

Und damit sollte Schluss sein?

Xi hatte den Widerstand kalkuliert, er war alles andere als ein Anfänger im politischen Ränkespiel. Er wusste, wen er kaltstellen musste, sachte, unmerklich, gründlich. Dr. Zhiming stand auf Xis Abschussliste, galt eindeutig als Mann von gestern. Er wusste, dass er in ein, zwei Jahren eine unbedeutende Abteilung irgendwo in der Provinz leiten würde.

Deshalb hatte er die Nachricht nicht ignoriert.

Die Nachricht war scheinbar unverfänglich gewesen, tatsächlich jedoch geschickt verschlüsselt: Ein chinesischer Kollege, der ihn auf einen Artikel eines russischen Kollegen hinwies, der ihn auf einige Hacker-Abwehr-Programmierer aufmerksam machte, die auf der Waffenmesse in Dschidda, in Saudi-Arabien, anwesend sein würden. Programme, die auf Graphentheorie beruhten, Überschneidungen und Kanten in komplexen Systemen. In kleinen Ungereimtheiten, Andeutungen, in der Wortwahl verbarg sich die eigentliche Botschaft an ihn, Zhiming.

Die Nachricht lautete: Wir verfolgen die Trendwende bei den Großmächten mit großer Sorge. Wenn Sie unsere Befürchtungen teilen und an einem Gespräch interessiert sind, könnte man sich in Dschidda treffen.

Dr. Yuan Zhiming strich die – ohnehin makellosen –

Manschetten seines Hemdes glatt. Er drückte die Spre-chen-Taste an seinem Telefon, sagte seiner Sekretärin, sie solle den Regierungs-Jet reservieren. Er sprach barsch, gereizt, um zu zeigen, dass er ungern flog. Er wusste, die Sekretärin würde alle seine Bewegungen und Regungen an die diversen Dienste berichten, Xi hatte bereits ein Netz um ihn gezogen.

Die Russen also. Zhiming mochte sie nicht, und er wusste, dass sie ihn genauso wenig mochten.

Mittwoch, 14. Juni 2023

Ugo, Nigeria

Es war ziemlich viel passiert im Leben von Lisha Aluko in den vergangenen zwei Jahren. So als hätte jemand einen Film im Zeitraffer laufen lassen.

Manche Dinge waren gut, manche traurig. Ihr Vater, sehr krank, war gestorben. Eines ihrer kleinen Geschwister war gestorben. Das andere war bei einer Nachbarin in Pflege, in ihrem Heimatdorf Ita Egbe. Lisha bezahlte die Nachbarin dafür. Sie selbst hätte es nicht bei sich haben können, dafür war das vergangene Jahr zu hektisch gewesen. Man hatte sie in den Bundesstaat Oyo geschickt, im Südosten des Landes, eine ganz andere Welt, und die Stämme, vor allem Yoruba, die dort lebten, sprachen anders, dachten anders als Lisha, deren Mutter eine geflohene Hausa war.

Trotzdem kamen sie miteinander aus. Irgendwie waren die Stämme, so schien es Lisha, weniger feindselig, weniger misstrauisch als früher.

Lisha war also nach Oyo gegangen, und zwar bezahlt und im Auftrag eines Regierungsprojektes, hinter dem aber, wenn sie es richtig verstand, die Chinesen standen, die ihrem Land helfen wollten.

Sie hatte hart gearbeitet, ihre Probezeit bestanden. Sie war immer noch bei den »Flying Nurses«. Und sie war sogar aufgestiegen.

Seit einigen Wochen war Lisha also zurück in Ugo, das war die Kleinstadt unweit ihres Dorfes. Lishas Bruder arbeitete inzwischen als Mechaniker, er trank und spielte nur noch am Wochenende. Er hatte ihr geliebtes Moped für sie aufgehoben, es war geputzt und hatte neue Bremsen und fast neue Reifen und sprang gleich an.

Ein gutes Gefühl, fand Lisha.

In der Caritas-Zentrale in der Ambode Road war eine ältere Frau namens Josefine die Chefin. Allerdings war Lisha jetzt ihre Stellvertreterin, ja, stellvertretende Leiterin des »Flying Nurse«-Teams.

Überhaupt wehte in Ugo ein anderer Wind. Es gab Ausbildungsplätze und Jobs. Weniger Lethargie, weniger Gewalt, weniger Drogen. Im Grenzland, in den Dörfern, herrschten immer noch die islamistischen Eiferer; vor allem die bärtigen Prediger von der Boko Haram wetterten gegen die Regierung und beschworen den Zorn Allahs. Die Warlords, Drogenkönige, Waffenschmuggler hatten sich zurückgezogen und teilweise in den Dörfern verschanzt; aber die Truppen – viele von ihnen Chinesen, aber es gab auch russische, amerikanische, nigerianische Verbände – rückten gegen sie vor. Immer wieder gab es im Fernsehen Berichte von Festnahmen.

Inzwischen hatte China eine neue Afrika-Politik eingeschlagen. Die Chinesen investierten in Fabriken, Manufakturen. Nigerias Regierung unter dem neuen Präsidenten, er hieß Yemi Osinbay, ein Christ aus dem Süden, unterstützte Maßnahmen, die endlich die Geburtenrate im Land eindämmen sollten.

Es war höchste Zeit, fand Lisha.

Die Regierung hatte Programme aufgelegt: Aufklärung, Verteilung von Verhütungsmitteln, zusätzliches Geld für kleine Familien. Zwangsheiraten waren jetzt verboten.

Lisha umarmte ihren Bruder und dankte ihm dafür, dass er ihr Moped für sie gehütet hatte. Es war kurz nach acht Uhr morgens. Sie schwang sich in den Sattel, gab Gas, winkte ihrem Bruder zu und bog ein in die Ambode Road, zur Caritas-Zentrale, wo Josefine wahrscheinlich schon ungeduldig auf sie wartete.

Das Leben konnte schön sein, dachte Lisha.

Donnerstag, 15. Juni 2023

Oasenstadt Bahrah, Saudi-Arabien

Mekka oder richtigerweise *Makkah al-Mukarramah*, wie sie in der arabischen Welt genannt wird, die Ehrwürdige, die Heilige, die Stadt des Propheten und der Verheißung, liegt etwa neunzig Kilometer von Dschidda entfernt. Man nimmt am besten die M80, den Expressway – und dann immer geradeaus.

Etwa auf der halben Strecke liegt Bahrah, eine alte Oasenstadt und ehemalige Pilgerstation. Früher, auf der beschwerlichen und gefährlichen Reise in die Stadt Mekka, durch deren Besuch man erst ein *Hadji*, ein heiliger Mann und wahrer Muslim, werden konnte, kehrten die Pilger einst in Bahrah ein. Jetzt halten hier nur gelegentlich riesige SUV zum Tanken, Maseratis, Lamborghinis, und Saudis – fast immer Männer – in ihren langen, blütenweißen *Bisht*-Umhängen, mit verspiegelten Sonnenbrillen und hochmütiger Miene, vertreten sich kurz die Beine. Der Liter Superbenzin kostet knapp zwanzig Cent.

Bahrah selbst hatte den Ruf, reizlos zu sein, lockte normalerweise keine Besucher an.

Doch jetzt war alles anders.

Jetzt war nördlich der M80 auf der Höhe von Bahrah eine Abzweigung eingerichtet, eine Umleitung ausgeschildert worden, hinter einer kleinen Anhöhe, und man gelangte, nach etwa zwölf Kilometern auf einer sandigen Piste, an eine Zeltstadt.

Das Gelände war abgeriegelt, Security-Männer kontrollierten die Zufahrt zum Parkplatz. Die hundert Meter vom Parkplatz zur Zeltstadt waren mit Schattendächern überbaut, Kälte-Generatoren waren alle fünf Meter aufgestellt.

Hier war sie, die berühmte Waffenmesse von Dschidda, eine Messe nur für Fachleute, kein Publikum, *by invitation only*. Hier fanden Hersteller und Interessenten zueinander für eines der teuersten, ältesten und gefährlichsten Produkte der Menschheit – seitdem der erste Mensch herausgefunden hatte, dass ein Stein sich bestens eignete, um dem Widersacher eins über den Schädel zu ziehen.

Hier wurde in aller Diskretion vorgeführt, ausgetauscht, verhandelt, suchten private Händler nach Aufträgen oder boten Coups an, und alle waren sie Männer, die Anbieter und die Käufer, Franzosen, Amerikaner, Russen, Thailänder, Deutsche, Armenier, Kataris, Brasilianer, Saudis, Chilenen, Japaner, die meisten in teuren Sommeranzügen, der oberste Hemdknopf offen, einige in Uniform.

Die 115 Zelte standen eng und waren alle gleich groß, sieben mal sieben Meter, etwa drei Meter hoch. Zwischen den Zelten lagen Kelims oder Berberteppiche, niemand musste seine 1 600-Pfund-Saville-Row-Maßschuhe dem Wüstenboden aussetzen.

Es war gegen zehn Uhr morgens. Windstille, etwa achtunddreißig Grad. Die Sonne schien wie der Schneidbrenner Gottes.

An jedem Zelteingang hing eine Nummer und ein kleines Schild des Herstellers mit einer Art Inhaltsangabe in acht Sprachen. Jedes Zelt war gleichsam ein Messestand. Die Kunden gingen von Zelt zu Zelt, und wen interessierte, was drinnen präsentiert, erklärt, verhandelt wurde, der schlug den Eingangsvorhang zurück und trat ein.

Die Zeltstadt war ein »Who's Who« der internationalen Waffen-, Computerwaffen- und Hightech-Welt.

Wunderbar kühl, der beduinischen Aufmachung zum Trotz, war es in den Zelten und höchst komfortabel. Auch hier lagen Teppiche auf dem Boden, persische *Nains* und *Kirmans*, unter denen armdicke Kabelstränge verliefen. Es gab in jedem Zelt einen großen Konferenztisch, meistens bedeckt mit Papieren, Tellern mit Feigen und Datteln, Broschüren, Laptops, Stiften, Teegläsern, Wasserflaschen, einem Beamer. In jedem Zelt stand eine Kaffee- und Saftbar. Verschleierte Frauen, die aber offenbar unter ihren Schleiern sehr jung und sehr schön waren, balancierten silberne Tabletts umher und boten Getränke und fädenziehende Süßigkeiten an. Sie waren barfuß und hatten Ketten mit Glöckchen um die Fußgelenke. Das alles war die Standardausstattung. Das Buffet befand sich in den Zelten 100 bis 102. Es gab Wegweiser in acht Sprachen.

In einem der Zelte, es war Zelt 72, stand an der Kaffeebar ein Chinese, offenbar gedankenversunken. Es war ein kleiner Mann von Mitte fünfzig, er trug einen etwas stramm sitzenden Leinenanzug. Der Chinese, anscheinend kein Verkäufer, sondern ein Besucher, hielt eine Mokkatasse in der Hand, an der er nur gelegentlich nippte.

Ein Mann trat zu ihm, groß, hager. Hellblaues Hemd, der Kragen offen. Graue Hose von altmodischem Schnitt. Billige Schuhe. Doch sein Auftreten war sehr selbstbewusst, fast herrisch. Er hatte eine Aktenmappe, schwarzes Leder. Der Chinese registrierte einen schwachen Geruch nach Zigarrenrauch.

»Schmeckt Ihnen der Kaffee?«, fragte Marschall Boris Michailowitsch Bykow. Er sprach ein schwergängiges Mandarin, sein Akzent war – für die Ohren eines Chinesen – grausam, aber grammatikalisch richtig.

»Danke. Der Kaffee ist köstlich«, antwortete Dr. Yuan Zhiming.

Er machte eine Pause.

»Wir können auch unsere kleine, einmal begonnene Unterhaltung über Kaffee übrigens auf Englisch fortführen«, sagte Zhiming. »Chinesisch ist eine schwierige Sprache, leider. Wir Chinesen sind nicht leicht zu verstehen. Und ich spreche Englisch, aber zu meiner Schande kaum andere Fremdsprachen, Russisch zum Beispiel beherrsche ich leider gar nicht …«

»Tja, vielleicht sollten wir tatsächlich eine kleine Unterhaltung führen …« Bykow war ebenfalls ins Englische gewechselt, er blickte auf den kleineren Mann hinab, das Verschnörkelte in dessen Ausdrucksweise gefiel ihm nicht. Er tat, als würde er sich im Zelt suchend umschauen.

»Ich würde zum Beispiel gerne über einen Freund sprechen, den ich partout nicht finden kann – ich weiß nicht mal, ob er heute hier ist, vielleicht haben Sie ihn gesehen?«

»Vielleicht erzählen Sie mir etwas über Ihren Freund, unterhalten wir uns doch ein wenig.«

Dr. Zhiming deutete zu einer Ecke des Zeltes. Zwei Stühle standen etwas abseits.

»Warum setzen wir uns nicht?«

Sie nahmen Platz.

»Sind Sie schon länger hier in Saudi-Arabien?« Dr. Zhiming wollte das Gespräch verlangsamen, der Russe, offenbar ein Militär, war ihm unsympathisch.

»Nein, ich bin gestern angekommen«, sagte Bykow.

Dr. Zhiming registrierte, dass er »ich«, nicht »wir« gesagt hatte.

»Ich ebenfalls«, sagte Dr. Zhiming, das »ich« betonend, »aber ich freue mich, Sie hier getroffen zu haben – zumal unsere beiden Länder und Systeme sich jetzt in einem Stadium der schönen Annäherung befinden.«

Er wartete, ob Bykow darauf eingehen würde, sah nur, dass dessen Augenausdruck eine Nuance härter wurde.

»Und leider gibt es, wenn ich offen sprechen darf, in meinem Land immer noch Menschen, die über diese Entwicklung nicht froh sind.«

»So ist es auch in Russland – ich kenne nicht wenige Zeitgenossen, die möglicherweise noch nicht bereit sind für diese, nun ja, sich anbahnende Allianz.« Bykow ließ den Satz ausklingen.

»Sehr traurig. Zumal zu befürchten ist, dass diese Figuren sich verbünden. Was gefährlich wäre – denn dann wären sie stärker, eine deutlichere Bedrohung für die jeweiligen Systeme und ihre weisen Staatschefs.«

»Richtig. Oh ja. Das wäre sehr, sehr misslich.« Bykow ließ die Ironie aus den Worten tröpfeln. »Denn dann könnten solche Gegner der Entwicklung, über die wir ja sprechen und die möglicherweise keine Dummköpfe sind, die Pläne ihrer Staatschefs sabotieren – weil es ihrer Meinung nach höhere Ziele gibt, weil sie wahre Patrioten sind, die für ihr wunderbares Vaterland, das schönste Land der Welt, kämpfen.« Bykow hatte immer lauter gesprochen.

Cao ni ma, dachte Dr. Zhiming, *fick deine Mutter*. Er lächelte und nickte. *Schwachköpfiger Russe, wenn dein Vaterland so wunderbar ist, was war dann 1989? Wieso habt ihr euch in Afghanistan von ein paar Analphabeten und Turbanträgern die Haut abziehen lassen?*

Laut sagte er: »Es ist für mich das größte Vergnügen, einen Patrioten zu treffen. Zumal ich gestehen muss, dass ich auch mein Land und seine weise Partei und Staatsführung über alles liebe …«

Es wird Zeit, dachte Zhiming, *dass wir mal weiterkommen*. Er fuhr fort: »Würden die weitreichenden Pläne unserer beiden Staatschefs einen Rückschlag erleiden, ich meine: einen sehr schweren und entscheidenden Rückschlag – nun, dann könnte es in den jeweiligen Machtzirkeln zu einem Umdenken kommen. Zu einer Abkehr

147

vom Paradigmenwechsel, da man ihn für falsch erkannt hat …«

Was tue ich hier, dachte Bykow, *sitze mit diesem grinsenden Zwerg zusammen und höre mir seine Phrasen an …* Er sagte: »Abkehr vom Paradigmenwechsel hieße Abkehr von der alten Staatsführung, hieße die Etablierung einer neuen Staatsführung, das müsste man vorbereiten.«

»Müsste man«, sagte Dr. Zhiming, er lächelte nun nicht mehr, »und zuvor müsste man ein entscheidendes Ereignis herbeiführen, sozusagen an der Sollbruchstelle der Pläne – wie ist das englische Wort?«

»Nennen wir's Clash«, schlug Bykow vor.

Dr. Zhiming nickte.

»Und die Sollbruchstelle könnte Brasilien sein. Der Präsident Brasiliens will sich, verständlich, nicht vorschreiben lassen, was er zu tun und zu lassen hat. Er hat angekündigt, dass er gegen eine militärische Bedrohung Gegenmaßnahmen ergreifen würde … Er hat, nun ja, feurige Reden gehalten.«

»Er glaubt nicht, dass die G3 so weit gehen würden, die militärische Option zu wählen«, sagte Zhiming. »Daher das Selbstbewusstsein des brasilianischen Staatschefs, das vielleicht der militärischen Stärke nicht angemessen ist.«

»Man könnte ihn in diesem irregeleiteten Selbstbewusstsein bestärken«, sagte Bykow.

»Ausgezeichnet«, Dr. Zhiming sprach jetzt sehr leise. »Brasilianer hängen, heißt es, an ihrer Macho-Kultur. Wenn ein Brasilianer denkt, dass die Drohung gegen ihn nicht ernst gemeint ist, werden sein Beharren und seine eigenen Drohgebärden umso entschiedener ausfallen.«

Bykow gefiel dieser kleine, feiste Chinese noch immer nicht, aber offenbar begriff er schnell. »Wir würden den Brasilianer in eine Falle laufen lassen«, sagte er.

»Wir?« Zhiming ruderte zurück.

»Wir – oder diejenigen, die solche Gespräche führen … Man müsste mit Brasilien Kontakt aufnehmen und dort die Information lancieren, dass der mögliche Aufmarsch der G3 reiner Bluff ist. Und in den jeweiligen Staats- und Parteizentralen, auch der chinesischen, müsste eine Umkehr, Übernahme, wie man es auch nennt, vorbereitet werden.«

Eine der verschleierten Frauen schwebte mit ihrem Tablett vorbei, die Glöckchen an ihren Knöcheln bimmelten, es schien Zhiming, als würde sie unter ihrem Schleiertuch lächeln. Plötzlich überkam ihn Traurigkeit. Warum war alles nur so schwierig und umständlich? Er schüttelte die Regung ab.

»Brasilien hat allerdings nur einen sehr bescheidenen Bestand an modernen Waffen«, sagte er.

»Richtig«, sagte Bykow. »Aber wir sind hier auf einer Waffenmesse. Wenn Sie einverstanden sind, würde ich Ihnen einen, äh, Bekannten vorstellen. Ich muss Sie jedoch vorwarnen: Er sieht ein bisschen furchterregend aus, auf den ersten Blick. Aber er ist durch und durch ein Gentleman und ein ehrbarer Geschäftsmann …«

Zhiming nickte. Er dachte: *Was für einen schmutzigen Kerl schleppst du da an?* Andererseits kam man nicht weiter, wenn niemand die Schmutzarbeit übernahm. »Und dieser Gentleman könnte eine Waffenlieferung ohne großes Aufsehen organisieren?«

»Ja«, sagte Bykow, »wir können ihn treffen, er ist hier.«

»In Saudi-Arabien?«

»Hier auf der Messe. Dies ist, lieber Freund, eine Waffenmesse, und der Mann ist Waffenhändler.«

Ich bin nicht dein Freund, dachte Zhiming. *Aber wenn dein verrückter Plan verhindert, dass Xi meine Karriere zertritt, dass ich den Rest meines Lebens auf einem schmachvollen, staubigen Posten dahinvegetiere – dann bin ich dabei.*

Laut sagte er: »Ich wäre unendlich froh, diesen Gentleman zu treffen, wie heißt er?«

»Mr Olufunmilayo, er ist übrigens ein großer Verehrer der chinesischen Kultur und der chinesischen Küche, die er für die beste der Welt hält.«

Bykow erinnerte sich, in dem Dossier über Olufunmilayo gelesen zu haben, dass sich dieser ganz gern kleine chinesische Huren kommen ließ. »Wie gesagt, er liebt die Kultur Chinas.«

Was verstehst du schon von meiner Kultur, dachte Dr. Zhiming. Laut sagte er: »Was für ein interessantes und ideenreiches Gespräch! Was für eine interessante Perspektive! Trotzdem sollte ich mich jetzt verabschieden, ich möchte im Buffetzelt etwas essen, dort werde ich die nächste Stunde sein …«

»Vielleicht sehen wir uns noch, ich hoffe es, könnte auch sein, dass Mr Olufunmilayo und ich eine Kleinigkeit zu uns nehmen wollen. Beim Essen sollte man nicht über Details sprechen. Aber ich glaube, Mr Olufunmilayo hat eine Suite, die einen wundervollen Panoramablick gewährt – das ›Hyatt‹ in Dschidda an der Corniche.«

Dr. Zhiming kannte das Hotel und hatte für Panoramablicke nicht das Geringste übrig. »Ich liebe solche Aussichten«, sagte er.

Donnerstag, 15. Juni 2023, am Abend

Hotelbar des »Park Hyatt Marina«-Hotels, Dschidda, Saudi-Arabien

In manchen Ländern der *Dār al-Islām*, der islamischen Welt, hatten die Hotelmanager einen diskreten Deal mit der Regierung, in Ägypten etwa oder auch in Pakistan. Die Hotelbars waren *haram*, also für Muslime verboten, wobei dies fast nie kontrolliert wurde, für Nicht-Muslime gab es Bier, Whisky, Gin. Die Barkeeper waren zumeist Christen oder Hindus, damit sich ein Muslim nicht die Hände schmutzig machte.

Die saudische Politik – die offizielle – ging derlei Konzessionen nicht ein und gab sich strenggläubig; der schärfste Stoff in der Bar des »Park Hyatt« war eine Kreation namens »Saudi Champagne«, Apfel-Ananas-Schorle.

Aber es existierten in Dschidda drei, vier florierende Netzwerke, betrieben vorwiegend von Indern und Libanesen, die die Versorgung der Bedürftigen und Notleidenden mit Hochprozentigem übernommen hatten – ein sehr lukrativer, aber nicht ungefährlicher Geschäftszweig. Man bekam also, die richtigen Kontakte vorausgesetzt, die richtigen Bürgen vorausgesetzt, jede Form von Alkohol aufs Zimmer geliefert, sofern die Mengen in einen

Koffer, eine Tauchtasche, in den Unterbau eines Kinderwagens passten. Die Preise waren astronomisch.

Für Bob Olufunmilayo war es eine Investition. Er hatte zuvor Champagner, jetzt eine Flasche »Tallisker Single Malt« geordert und in seinem Koffer verschlossen. Der Whisky hatte ihn siebenhundert Dollar gekostet.

Die Männer trafen sich in der Hotelbar, die etwa zur Hälfte besetzt war. Die Gäste saßen herum, tranken Tee, Kaffee, »Saudi-Champagne«, rauchten Shisha.

Kurze Begrüßung. Bykow sah sich missmutig um. »Es ist voll hier«, sagte er.

»Warum fahren wir nicht hoch in meine Suite?«, schlug Olufunmilayo vor. »Im dreiundzwanzigsten Stock. Ein wundervoller Ausblick, wir sind ungestört, und etwas zu trinken gäbe es auch …«

»Fahren wir«, sagte Bykow.

»In der Tat«, sagte Dr. Zhiming.

Als sie die Suite betraten, fiel Olufunmilayo ein, dass die zwei Huren ja noch hier waren.

Er bat Bykow und Zhiming um nur einen Moment Geduld, fand die Frauen schlafend in seinem Bett, im Aschenbecher die Reste einiger Joints. Er rüttelte sie schnell und sehr unsanft wach, holte ihre Kleider, gab ihnen noch ein Trinkgeld, obwohl sie bezahlt waren, und drängte sie grob, während sie noch in ihre Schuhe schlüpften, während sie ihr Kleid noch halb über dem Kopf hatten, Unterwäsche, Handtäschchen, Geld in den Händen, zur Tür der Suite.

Dort standen Bykow und Dr. Zhiming. Bykow starrte die Frauen neugierig an, Zhiming sah höflich auf seine

Schuhspitzen. Die Männer mussten etwas beiseitetreten, um die Frauen vorbeizulassen.

Die eine der beiden Prostituierten, die Chinesin, angeblich Yu-Yu mit Namen, verharrte kurz vor Zhiming, erkannte in ihm den Chinesen, höher gestellt und älter, und murmelte, unter einer kurzen Verbeugung, automatisch eine Höflichkeitsfloskel, *nin hao,* auf Mandarin.

Zhiming sah zu ihr auf, zögerte. *Ni de jiaren zhidao ni zai zheli zuo shenme ma,* dachte er. *Pfui, wissen deine Eltern eigentlich, was du hier tust?* Halblaut murmelte er eine höfliche Antwort.

Die junge Hure schlug die Augen nieder, ihr war klar, was er dachte.

Dann schob Olufunmilayo die Frauen auch schon zur Tür hinaus, wie etwas, das man entsorgt.

»Setzen wir uns«, sagte er.

Die Sonne, riesig, glühend, versank im Roten Meer. Die Männer saßen am Fenster, nippten an ihrem »Tallisker«, mit seinen Aromen nach Rauch, Torf, Aprikosen und Beeren, während die meiste Zeit Bob Olufunmilayo sprach, seine Angebote machte, seine Möglichkeiten beschrieb.

Alles blieb im Konjunktiv, die Männer sondierten, wägten ab, kalkulierten. Vor Bykow und Dr. Zhiming lag noch eine lange Strecke, lag viel Arbeit, die in größter Geheimhaltung zu erfolgen hatte, mit einem Minimum an vertrauenswürdigen Leuten, sicheren Servern, GPG-verschlüsselt.

Kommunikation, Geld, Unterstützung, Treffpunkte, Papiere, Waffen.

Dieser nigerianische Waffenhändler, dachte Bykow, mit seiner tatsächlich sehr guten Produktpalette, war nur ein Baustein in dem Plan. Erstmal mussten sie herausfinden, ob sie sich trauen konnten.

Es war ein gefährliches Spiel, auf das sich die drei Männer einließen, während die Sonne versank, während sie Single Malt tranken, mit seinen Aromen von Rauch, Torf, Aprikosen und Waldbeeren.

Donnerstag, 15. Juni 2023
Sant Rohidas Marg, Mumbai, Indien

Google Maps hatte neue Warnhinweise geschaltet. Straßenzüge, die unter Wasser standen, waren jetzt als blockiert gekennzeichnet. Außerdem schlug die App Alternativrouten vor. Allerding gab es in weiten Teilen Mumbais ohnehin keinen Strom, also auch kein Handynetz und damit keinen Zugriff auf die Routenplanung.

Für Akilha Tiwari gab es erst recht keine alternative Route. Sie musste nur weg aus diesem Viertel, aus der Stadt. An ihren Händen bildeten sich rote Pusteln.

Als sie den Bahnhof erreichte, sah sie sofort: Von hier würde sie nicht wegkommen.

Auf den Gleisen lag Müll, unendlich viel Müll. Anstatt ihn zu beseitigen, hatten Eisenbahngesellschaft und Stadtverwaltung seit Jahren darüber gestritten, wer für die Entsorgung verantwortlich war. Also war der Müll liegen geblieben. Bei gutem Wetter wehten Plastiktüten von den Gleisen, bei Regen entstand glibberiger Matsch am Gleisbett, und jetzt, nach den Monsunfällen der letzten Tage, war der Müll teils davongespült in die Straßen und teils aufgetürmt, zusammengeschoben zu Staudämmen aus Plastik, Eimern, Brettern, fauligem Essen, toten

Ratten und Dingen, denen man nicht mehr ansah, wofür sie einmal gedacht waren. Keine Lokomotive hätte das beiseiteschieben können.

Trotzdem drängten sich Menschen an die Züge, nur für den Fall, dass sich doch einer in Bewegung setzen könnte. Gerüchte liefen umher – »die Strecke für Gleis eins soll geräumt sein«, – und gleich drängten Massen zum Zug, der dort stand, wuchteten Tüten, Bündel über die Köpfe der anderen, riefen nach ihren Kindern, Frauen, Ehemännern.

Zwischen den Gleisen hatten sich Stellen gefunden, zu denen man ging, um sich zu entleeren, es stank nach Müll, Urin, Schweiß und Scheiße, und über alldem lag eine unerträgliche Schwüle.

Akilha Tiwari hatte keinen Koffer, den sie über irgendjemanden hätte heben können, sie hatte nichts außer ihrer Handtasche mit dem Familienfoto und der Götterfigur. Und sie trug dieses Kind in ihrem Bauch. Es würde ohne Vater aufwachsen, davon musste Akilha ausgehen.

Erschöpft suchte sie sich eine trockene Stelle und ließ sich auf den Boden nieder. Sie musste eingeschlafen sein, denn das Klingeln ihres Telefons weckte sie. Ah, es gab wieder ein Netz. Die Frage war, wie lang der Akku noch halten würde.

Kunwar, ihr Bruder, meldete sich. Stundenlang hatte er versucht, seine Schwester zu erreichen. Ihr Bruder lebte! Akilha stiegen Tränen in die Augen. Er würde kommen und sie holen, sagte Kunwar und legte auf.

Als sie ein paar Stunden später wieder wach wurde,

schmerzten ihr alle Knochen, vor allem der Rücken. Um den Bauch zu schützen, hatte sie krumm auf dem Steinboden gelegen, zwischen faulenden Resten von altem Essen.

Das Wasser stand jetzt bis auf Höhe des Einstiegs am Gleis. Der Zug würde auch heute nicht fahren. Wo blieb Kunwar, ihr Bruder? Hatte er sein Fahrrad noch? Es wäre unbequem, aber zusammen könnten sie es schaffen, zumindest aus der Stadt herauszukommen. Als Lehrerin konnte sie vielleicht Arbeit finden.

Das war der Moment, in dem Akilha klar wurde, dass ihr Bruder sie nicht retten würde, gar nicht retten könnte: Für ihn gab es außerhalb Mumbais nichts zu tun. Kunwar verdiente sein Geld als Kanalarbeiter. Er stand jeden Tag in einem Erdloch und beförderte giftigen Schlamm mit einem Eimer nach oben, ohne Schutzkleidung. Vor und auch nach der Monsun-Saison gab es besonders viel zu tun. Er konnte gar nicht weg. Er hatte nur versprochen, sie zu holen, weil große Brüder so reden.

Immer mehr Menschen strömten zum Bahnhof. Sie alle hofften darauf, dass am Morgen wieder ein Zug führe. Aber daran glaubte Akilha nicht mehr.

Niemand würde sie retten. Kein Zug, kein Bruder, keine Regierung. Wenn sie überleben wollte, dann ging das nur aus eigener Kraft. Sie verstand, dass dies das Motto ihres Lebens sein sollte.

Akilha musste sofort eine Entscheidung treffen. Hierbleiben und zerdrückt werden in einer Panik, schlammiges, giftiges Wasser trinken und sterben – oder sich zu Fuß auf den Weg machen. Akilha stand auf.

Akilha würde das Dorf ihrer Großeltern erreichen und dort bei ihrer Tante unterkommen. Und wenn sie die vierhundert Kilometer bis Rajmali zu Fuß liefe.

Während sie den Bahnhof verließ, sang sie ein Lied, das ihre Mutter ihr beigebracht hatte, ein Gebet an Lakshmi, die Göttin des Wohlstands.

Dienstag, 4. Mai 2100

15 Quai de la Tournelle, 5. Arrondissement, Paris, Frankreich

»Wie hat sie überlebt?«, fragt Michelle.

»Sie ist gelaufen«, sagt Anjana. »Nur weil sie so hart im Nehmen war, konnte sie ihr Baby in Sicherheit bringen. Mein Vater ist drei Monate später im Heimatdorf von Akilha geboren.«

Für einen Moment ist es wieder sehr still im Raum. Alle sitzen unbewegt, ihr Blick ruht auf Anjana. Sie faltet ihre Serviette, entfaltet sie. »Die indische Wirtschaft war bereits seit der Virus-Krise völlig eingebrochen«, erläutert sie bemüht sachlich, »bevor dann das Monsun-Jahr 2023 dem Land den Rest gab. Die Aufstände waren keine Überraschung.«

»Ein anschauliches Beispiel für das Versagen menschlicher Regierungen«, sagt Robert.

Ilyana Lubalka, die Fachfrau für Gehirn-Upgrades, schaltet sich ein. »Computermodelle hatten das längst vorhergesagt, aber die Menschen waren zu dumm, daraus Schlüsse zu ziehen …«

Seitz, der kühle Mathematiker, findet das auch: »Wenn damals schon Computer regiert hätten, dann hätte es viel früher Gegenmaßnahmen gegeben.«

Gundlach hebt die Hand. »Junger Freund«, sagt er, »dazu fallen mir zwei Dinge ein: Erstens, was würde denn passieren, wenn deine künstliche Intelligenz zu dem Schluss kommt, dass der Planet ohne Menschen insgesamt besser dran wäre? Würde die Computer-Regierung dann nicht mit Absicht das Klima ruinieren? Ohne Menschheit würde sich dann alles schnell erholen.«

Seitz guckt irritiert, Ilyana Lubalka verärgert. Ausreden eines Menschen, der zu wenig unternommen hat, als er noch jung genug war.

»Und zweitens«, fährt Gundlach fort, »wieso sagst du ›Wenn damals schon Computer regiert hätten‹? Tun sie es denn heute schon? Ist mir da was entgangen?«

Seitz antwortet ruhig, sehr sachlich: »Sie könnten es, aber sie sind nicht zugelassen. Aber wenn wir, die Top-Wissenschaftler der Erde, es empfehlen, dann wird sich das vielleicht ändern.«

»Ihr tut so, als ob Indien damals nichts unternommen hätte. Aber das stimmt so nicht«, nimmt Anjana den Faden wieder auf. »Das Land hat in den Zwanzigern verstärkt auf Solarstrom gesetzt, bis dann die Pandemie kam. Trotz schwieriger Voraussetzungen. Weit schwieriger als für viele andere, reiche Länder. Es waren vor allem westliche Fehlentscheidungen, die zum Klimawandel führten. Und Menschen wie meine Großmutter hatten keine Chance.«

Ilyana gähnt. »Wir drehen uns im Kreis.« Sie steht auf und schlendert zum Becken des Oktopus. »Wie jagen Oktopoden eigentlich?«, fragt sie. »Ich meine: im Meer?«

»Sie hypnotisieren ihre Beute«, antwortet Michelle,

»indem sie farbige Streifen über ihre Körper laufen lassen.«

Ilyana, den Blick weiter auf den Oktopus gerichtet, wendet sich an Ann: »Was hat eigentlich Schweden in dieser Zeit gemacht, diese freundlichste Nation ohne Feinde?«

Ann zuckt irritiert. »Schweden war über Jahre Vorreiter in Sachen Klimaschutz«, antwortet die Ärztin. »Schweden hatte die weltweit höchste CO_2-Steuer.«

»Das nutzte auch nicht viel, da die Pro-Kopf-Emissionen zu hoch waren«, erwidert Ilyana.

»Sie hat recht«, sagt Anjana. »EU-Nationen wie Schweden haben auch nichts Entscheidendes geleistet. Dabei trugen genau diese Staaten mit ihrem Luxusleben die meiste Verantwortung für den Klimawandel.«

Die Stimmung im Salon ist gereizt. *Das sollen also die klügsten Wissenschaftler der Welt sein, denkt Seitz, geeignet, um eine Regierung zu beraten? 400 000 Jahre Evolution, und noch immer ist der größte Feind der Menschheit ihr eigenes Ego.*

Gundlach steht auf. »Ich brauche mal frische Luft«, sagt er und läuft zum Aufzug.

»Aber Maximilian«, ruft Robert geradezu fröhlich, »hast du Angst vor ein bisschen Streit?«

Gundlach dreht sich im Aufzug um: »Nur vor Sauerstoffmangel.«

Als er aus dem Gebäude tritt, ist Gundlach verblüfft. So hatte er Paris nicht in Erinnerung. Die umliegenden Häuser sind begrünt. Wilde Blumen und Büsche klettern an den Fassaden empor, darin sitzen Vögel. Wo keine Pflanzen wachsen, sind Solarpanele angebracht. Der Boden ist weiß und glatt, es muss Reisbeton sein. In diesem Augenblick wird Gundlach bewusst, was für ein Glück er gehabt hatte, weil er das alte Paris noch erleben durfte.

2023 muss es gewesen sein, kurz danach war er nach Russland geflogen zu diesem Wiederaufforstungsprojekt, das ihn berühmt machte, bis heute. Und das dafür sorgte, dass er zu den dreihundert Wissenschaftlern gehörte, die danach eingeladen waren, gleich drei Regierungen zu beraten. Dreihundert Wissenschaftler, auf die man hörte. Und die dafür später sehr, sehr gut bezahlt wurden.

Freitag, 16. Juni 2023

»King Abdulaziz International Airport«, Abflughalle,
Dschidda, Saudi-Arabien

Ein Mann von Anfang sechzig saß allein an einem Tisch
des Flughafen-Restaurants »Caviar House & Prunier« in
der Abflughalle des Airports von Dschidda. Der Mann
hatte ein Glas wohltemperierten Grauburgunders vor
sich stehen, ein Körbchen mit getoasteten, halbierten
Brotscheiben und einem geriffelten Stück Butter, drei
weiße Porzellanschälchen mit Kaviar, jedes nicht größer
als ein Esslöffel.

Marschall Boris Michailowitsch Bykow war ein eher
spartanischer Charakter, aber bei Kaviar machte er eine
Ausnahme, schließlich war er Russe. Außerdem hatte er
Zeit, er war sehr früh dran.

Bykow saß abseits an einem runden Tischchen, er
trug Zivilkleidung. Die Bar war in Beschlag genommen
von einer lärmenden Gruppe von Männern in teuren,
aber zerknautschten Anzügen. Bykow hatte ihre Gespräche aufgeschnappt, offenbar Deutsche und Amerikaner,
wahrscheinlich Ingenieure, die irgendwas bauten. In und
um Dschidda wurde immer noch viel gebaut, die Saudis
hatten immer noch bizarr viel Geld.

Auch diese Abflughalle war neu, ein 18-Milliarden-

Projekt, das die Firma »Hochtief« aus Deutschland, dem Ruhrgebiet, sich an Land gezogen hatte – und sie sah auch tatsächlich phantastisch aus: übersichtlich, glänzend, kühl, hochwertig in allen Materialien, sauber. Die Bediensteten waren Inder, Pakistani, Iraner, Georgier, Südamerikaner. Sie waren freundlich, schnell, aufmerksam.

In ganz Russland, dachte Bykow melancholisch, gab es keinen Flughafen, der es nur annähernd mit diesem Airport aufnehmen konnte. Sogar der Kaviar, obwohl aus Frankreich und aus einer Zuchtfarm, war gut.

Bykow sah den Mann, den er erwartete, auf das »Prunier« zusteuern. Dr. Zhiming war allein, wie verabredet. Eine Flughafenhalle als Treffpunkt, mit ihren unzähligen Kameras, war ein etwas unangenehmer Ort; andererseits waren die Männer völlig unauffällig. Alle anderen Tische waren belegt, gut, dachte Bykow, es war nachvollziehbar, wenn ein Gast sich an einen Tisch setzte, an dem noch drei freie Stühle standen. Bykow angelte seine kleine Ledertasche von einem der Stühle und klemmte sie zwischen seine Füße.

Dr. Zhiming hatte sich ein Tellerchen mit Lachs geholt, eine Flasche Wasser. »Ist dieser Stuhl frei, darf ich ...?«

Bykow machte eine Handbewegung. »Aber bitte.«

Eine Weile schwiegen sie. Bykow bestrich etwas Brot mit Kaviar.

»Eine interessante Begegnung, die wir hatten«, setzte der Chinese an.

»Aber wir haben ein Problem«, sagte Bykow.

»In der Tat.«

»Wir haben das Problem, dass wir nicht wissen, ob wir einander vertrauen können«, sagte Bykow.

»In der Tat.«

»Ich könnte andere Motive haben als die, die ich angedeutet habe. Ich könnte im Auftrag Ihrer Regierung arbeiten. Ich könnte – theoretisch – Ihrer Regierung sagen, was ich über Sie weiß, Sie würden im Nu entmachtet, vernichtet, und das auf sehr schmerzhafte Art und Weise wahrscheinlich.«

Zhiming schwieg.

»Und Sie könnten ebenfalls meiner Regierung mitteilen, was Sie über mich wissen. Mein Schicksal wäre besiegelt und ebenfalls unerfreulich.«

»Von außen betrachtet, könnte man sagen, wir haben uns – theoretisch – ein Stück weit in die Hand des anderen begeben«, Zhiming machte eine Bewegung, als würde er etwas von seiner rechten in die linke Hand schieben. »Wir wissen natürlich inzwischen voneinander. Aber woher wissen wir, dass wir einander trauen können bei einer Operation dieser Größenordnung?«

»Warum versuchen wir es nicht mit Ehrlichkeit?«, schlug Bykow vor. »In meinem Land, in meiner Profession gibt es einen Ehrenkodex ...«

Dr. Zhiming unterbrach ihn. »Das Konzept von Ehrlichkeit wird überschätzt, der Begriff ist relativ. Ich halte es mehr mit Logik.«

»Logik.«

»Ja. Lassen Sie mich erklären. Jeder von uns weiß jetzt schon so viel, dass wir uns gegenseitig ausliefern könn-

166

ten. Dieses Risiko sind wir bereits eingegangen. Falls Sie mich ausliefern wollten, bräuchten Sie nicht mehr Material. Dasselbe gilt *vice versa*. Es gäbe keinen Grund, dann noch zu warten. Es wäre sogar falsch, aus Sicht der jeweiligen Regierung und der jeweiligen Dienste, es wäre Zeitverschwendung. Sie hätten mich gleich hier und jetzt – nun, aus dem Verkehr ziehen lassen können. Wenn Sie mich denn in eine Falle gelockt hätten ...«

»Ich verstehe«, sagte Bykow.

»Wenn wir uns also wiedersehen – und der eine hat den anderen zwischenzeitlich *nicht* denunziert –, dann können wir uns logischerweise trauen.«

»Mit gewissen Einschränkungen«, fügte Bykow hinzu.

»Es gibt immer Einschränkungen«, erwiderte Zhiming.

»*Charaschó*, gut, wir haben viel zu tun«, Bykow beugte sich vor, »wir müssen weitere Treffen festlegen. Wir müssen Kommunikationswege etablieren. Sehr, sehr sichere Kommunikationswege. Wir brauchen dafür einige Helfer und Spezialisten – aus Ihren und meinen Reihen. Wir müssen vorsichtig, aber auch schnell sein, wenn wir prüfen, wen wir hinzuziehen. Wir müssen die Finanzierung aufstellen. Wir müssen Szenarien durchspielen. Und wir müssen prüfen, ob Brasilien, anfangs nur eine Idee, tatsächlich der richtige Anlass ist. Und last, not least müssen wir unseren gemeinsamen Bekannten, den großen schwarzen Mann aus dem schönen Nigeria, vorsichtig an uns binden, ihn informieren, über welche Lieferungen und Zeiträume wir hier reden.«

»Wir haben Glück«, sagte Dr. Zhiming, »dass unsere Staatschefs diese Kooperation und vertrauensvolle Zusammenarbeit anstreben.«

»Glück?« Bykows Gesichtsausdruck blieb neutral.

»Ja, denn es wird eine ganze Reihe von Arbeitskreisen und Anlässen geben, zwischen Ihrem Land, den USA und uns, Anlässe, zu denen wir, Sie und ich, uns ganz selbstverständlich begegnen werden. Diese G3-Allianz, der wir mit Skepsis gegenüberstehen, wird für uns das Trojanische Pferd sein, in dessen Bauch wir unser eigenes Vorhaben planen ...«

»Wie poetisch formuliert«, Bykows Ausdruck war immer noch neutral. *Vielleicht habe ich dich unterschätzt,* dachte er.

»Wir werden Mittel benötigen für Waffenkäufe, dazu kommen Ausgaben für Strohmänner, Firmengründungen, Kommunikation, Bestechungen. Wie viel müssen wir aufbringen?«

»Viel«, sagte Dr. Zhiming, »es wird eine teure Operation.«

Samstag, 5. Oktober 2024
São Paulo, Brasilien

São Paulo: härter, größer, böser als Rio, Lima, Bogotá.
São Paulo: reicher, schöner, schillernder als Santiago, Buenos Aires, Caracas. São Paulo: Traumstadt, Staustadt, Slumstadt, wo um praktisch jedes stinknormale Wohnhaus sechs Meter hohe Mauern ragten, mit Kronen aus Stacheldraht und Rasiermesserdraht und einbetonierten Glasscherben, wo man auf Partys prahlte, in welcher Tiefgarage man zuletzt von wie vielen Gangstern überfallen und beraubt worden war, São Paulo, die Stadt, die dich frisst, ausspuckt, vergisst, wie die *Paulistanos* sagen – und natürlich waren sie stolz darauf.

Das also war São Paulo.

Aber mittendrin, mitten in diesem vom Irrsinn umzingelten Wahnsinn, lag das Viertel Vila Madalena: der Gegenentwurf. Vila Madalena war ein Viertel wie aus dem Märchen. Es war bunt und lustig und entspannt. Designerinnen, Köche, Studenten wohnten hier, junge Ärztinnen, Fotografen, Blogger, Möbeltischler. In Vila Madalena wurde noch nachts auf der Straße Samba gespielt, in jeder Straße wohnte ein halbes Dutzend exzellenter Gitarristen, Saxophonisten, Flötisten. In Vila Madalena gab es tatsächlich Straßen- und Shishacafés, wo der bläuliche Kiff wie ein Baldachin über den Köpfen der Gäste hing, hier gab es keine Schießereien, hier lag abends im Hausflur nicht der röchelnde Drogentote von morgen.

Keiner wusste, warum das so war.

Vielleicht brauchte eine Stadt wie São Paulo wenigstens ein kleines Fleckchen Unschuld.

Die Häuser waren in Vila Madalena nicht höher als drei, vier Etagen. Es gab viele schöne Häuser. Es gab viele schöne Frauen.

Ricardo da Silva, der Koch aus Leidenschaft, wohnte in Vila Madalena, Rua Fleury. Er war nach São Paulo gezogen, hatte sich in Vila Madalena eine schöne Wohnung gemietet und sie nach seinen Vorstellungen umbauen lassen – im Grunde zu einer einzigen, großen, modernen Küche mit einem Schlafzimmer, mehr brauchte er nicht.

Dies war seine Firmenzentrale, denn Ricardo hatte, nach einigem Hin und Her, nach Verhandlungen mit diversen Spitzenrestaurants, seinen eigenen Catering-Service gegründet.

Dies kam ihm entgegen. Kein Restaurant, kein großes Team, nur gelegentliche Sous-Chefs und Konditoren, die er von Auftrag zu Auftrag engagierte und die darauf brannten, mit ihm zu arbeiten – und so belieferte er von hier aus mit seinem mobilen Catering jene Kunden, die ihn sich leisten konnten.

»Innovation Wei« – so nannte Ricardo seine neugegründete Firma. Das »Wei« war eine kleine Erinnerung an das chinesische *Wei shenme*, denn so hatte sein chinesischer Lehrvater ihn, den wissbegierigen Jungen, immer genannt. »Der kleine Herr Warum«.

An Vila Madalena, dem Viertel, in dem er lebte, mit seinem Lebensgefühl und den zahllosen Straßenkonzerten und der Kunst, nahm Ricardo nicht viel Anteil, er war zu *concentrado*; aber er mochte das Quartier, weil ihn die Buntheit in seiner Kunst des Kochens inspirierte. Er hatte genau einen halben Tag gebraucht, um sich vollständig einzugewöhnen. In seiner heiteren Geistesabwesenheit und Verträumtheit passte er bestens hierher, er lebte für sich, behütet und eingesponnen in seinem Kokon aus Gerüchen, Geschmackskombinationen, chinesischen Gedichten, die er immer noch während der Arbeit leise und für sich rezitierte: etwa die Poeme von Li Bai und Du Fu.

Und nie im Leben hätte er daran gedacht, dass er schon bald in Gefahr geraten könnte, dass er demnächst die Welt retten müsste.

Mittwoch, 20. November 2024

620 Eight Avenue, New York City, USA
»New York Times«, Büro des Chefredakteurs

Dean M. Bradley saß hinter seinem Schreibtisch in der dreiundzwanzigsten Etage des Times-Tower, im Herzen von Manhattan, und studierte, zunehmend genervt, den Plan zur Neuordnung der Korrespondenten und Auslandsbüros. Die Redaktion unterhielt weltweit siebenundzwanzig dieser Korrespondenten, sie kosteten ein Heidengeld. War außerdem ein Büro in einem Krisengebiet angesiedelt, wurde das Budget aufgestockt, für Sicherheitsmaßnahmen – und inzwischen wurden immer mehr Länder zu Krisengebieten.

Die Welt war ein gefährlicherer Ort geworden.

Bradley hatte seine Bürotür geschlossen. Die Ausgabe für den nächsten Tag war bereits im Großen und Ganzen abgeschlossen, um den letzten Schliff kümmerten sich andere. Bradleys Sekretärin, Mrs Trabitzky, sollte einlaufende Anrufe und Mails in der Zwischenzeit nach Wichtigkeit sortieren und ihm später vorlegen. Später. Wenn Bradleys Tür zu war, war sie zu.

Doch da trat Mrs Trabitzky ein, Bradley musste ihr Klopfen überhört haben. Sie hielt einige Seiten in der Hand.

»Ich glaube, dies hier ist wirklich wichtig, Sir«, sie legte nach kurzem Zögern die Blätter auf seinen Schreibtisch und verschwand so diskret, als habe es sie nie gegeben. Das war eine ihrer unschätzbaren Fähigkeiten.

Bradley runzelte die Stirn, griff aber zum Papierstapel und überflog die Zeilen:

»Dean, ich weiß, dass Du von anonymen Briefen nichts wissen willst, aber jetzt musst Du dies hier lesen: Heute kam Jeff und übergab mir ein Schreiben. Er selbst kenne den Absender nicht, sagte Jeff, doch der Brief mit brisantem Inhalt behauptet, Barack Obama und Bill Gates würden die absolute Seriosität des Absenders bestätigen. Beide geheimen privaten Telefonnummern wurden zudem angegeben. Wir haben mit Gates und Obama telefoniert – beide bestätigen die absolute Integrität des Verfassers, bestätigen sogar, dass sie selbst den Inhalt des Briefes kennen. Sie bitten uns, dass wir das drucken. Aber lies erstmal den Brief …«

Dean Bradley las den anonymen Brief. Er las ihn einmal.

Las ihn ein zweites Mal.

Er begriff die Bedeutung dieser Zeilen.

Bradley lehnte sich in seinem Schreibtischstuhl zurück und schloss für einige Sekunden die Augen.

Als er sie öffnete, war sein Entschluss gefasst, ein Entschluss, mit dem Bradley seinen Job, seine Reputation, seine Karriere riskieren würde. Er griff zum Telefon.

»Mrs Trabitzky? Ja, geben Sie mir das CvD-Büro, jaja, Frederic selbst …«

Jacob Frederic war der sogenannte »CvD«, der Chef

vom Dienst, ein mächtiger Posten, er war zuständig für die Positionierung der Artikel und den Aufbau der Titelseite. Frederic war ein knurriger Typ, der kein Blatt vor den Mund nahm, einige Jahre älter als Bradley. Der mochte ihn. Frederic war sicherlich kein Charmeur, doch ein Fanatiker in seinem Job.

»Jacob? Ja, pass auf, wir müssen die Seite eins umbauen. Für einen Leserbrief. Nein, ich hab nicht den Verstand verloren – he, übrigens sprichst du mit deinem Chefredakteur, Jacob. Hör doch erstmal zu, ich schick dir alles, du wirst schon sehen … Verdammt, ich *weiß*, wie knapp die Zeit ist … Und daneben stellen wir einen Erklärtext von mir, den schreib ich dir gleich … Nur etwa fünfundzwanzig Zeilen, als Kasten, kursiv. Lies alles erstmal, wir reden dann …«

Am nächsten Tag wurde die Titelseite von zwei Texten beherrscht, die erst in letzter Minute eingerückt worden waren. Der wesentlich kürzere Artikel war von Bradley:

Liebe Leserinnen, liebe Leser,
diese Zeitung, deren Chefredakteur zu sein ich die Ehre habe, folgte in den 173 Jahren ihres Bestehens drei Grundsätzen, die uns gleichsam heilig sind.

Erstens: Wir drucken nichts als die Wahrheit. Nur ihr sind wir verpflichtet.

Zweitens: Wir haben niemals einen anonymen Brief oder einen anonymen Gastkommentar gedruckt. Fremde Federn sind immer willkommen, Anonymität war uns stets suspekt. Wer sich bei uns zu Wort meldet, sollte gleichsam mit aufgeklapptem

Visier sprechen, mit seinem Namen für sich eintreten.

Doch von diesem Grundsatz weichen wir in der heutigen Ausgabe ab, auf genau dieser Seite. Denn es gibt noch ein drittes Credo für uns: Wenn die Situation es fordert, wenn es buchstäblich um Überleben oder Tod geht, dann müssen auch wir über unseren Schatten springen.

Bei uns ist ein Leserbrief eingegangen, dessen Autor offenbar tiefe Einblicke in das politische Weltgeschehen hat, der jedoch anonym bleiben muss. Trotzdem will er sich an eine breite Leserschaft wenden. Wir ermöglichen es ihm. Sein Anliegen ist von größter Wichtigkeit.

Die Seriosität und Integrität des anonymen Schreibers sind uns von zwei der einfluss- und erfolgreichsten Persönlichkeiten auf diesem Planeten bestätigt worden. Wir wiederum verbürgen uns bei Ihnen, liebe Leserinnen und Leser, für den Autor. Wir stehen hinter diesem Text.

Dean M. Bradley, Chefredakteur

Daneben der Leserbrief, für den Dean M. Bradley alle heiligen Grundsätze, seine und die der Zeitung, über den Haufen geworfen hatte. Er nahm fast die ganze Seite in Anspruch.

Liebe Leserinnen, liebe Leser der »New York Times«! Wir alle kennen die politischen Entwicklungen der letzten drei Jahre. China, Russland und die USA sind

175

aufeinander zugegangen, haben in unzähligen Gesprächen Vertrauen aufgebaut und durch koordiniertes Verhalten eine Vielzahl von Konfliktherden auf der Erde befrieden können. Ohne Druck und spürbare Sanktionen ging das nicht. Denken Sie nur an die sozialen und wirtschaftlich-finanziellen Folgen für den Iran, nachdem Chinas Unterstützung wegfiel. Der Iran konnte an niemanden mehr sein Öl verkaufen, mit der Folge des unmittelbaren finanziellen Zusammenbruchs.

Gleichzeitig machten die USA Israel unmissverständlich klar, dass seine unversöhnliche Haltung gegenüber den Palästinensern von den Großmächten nicht mehr hingenommen wird. Auch Israel musste einlenken. Der friedensstiftende Einfluss Russlands auf Syrien ist genauso bekannt wie der Druck Chinas auf Nordkorea.

Was noch vor wenigen Jahren unvorstellbar erschien, ereignete sich im vergangenen Jahr. Russland, China und die USA entsandten Truppen nach Mali und in andere afrikanische Staaten und beendeten gemeinsam den Terror islamistischer Invasoren.

Und im Dezember 2022 begannen ernsthafte Abrüstungsgespräche mit dem Ziel, kurzfristig das nukleare Potenzial zu halbieren. Deaktivierung und Vernichtung der Sprengköpfe sind bereits in vollem Gange.

Für viele von uns ist diese Entwicklung vergleichbar mit der Perestroika der Gorbatschow-Zeit und der Beendigung des Kalten Krieges. Vielleicht überraschte das atemberaubende Tempo, das die drei Großmächte vorlegten, mehr als die Entwicklung selbst. Wir alle spüren seit über zwei Jahren, dass endlich das geschieht, was sich Milliarden Menschen schon lange gewünscht haben. Viele Beobachter führten die politische Entwicklung auf die schweren wirtschaftlichen Folgen der Corona-Pandemie und die immer bedrohlichere Weltklimasituation zurück.

Im November 2022 trafen sich die drei Regierungschefs in Miami. Das Treffen der drei Staatschefs war der Auftakt für eine neue Politik. Großes Aufsehen verursachte auch Putins überraschender Zwischenstopp in Boston und sein Besuch im New England Aquarium auf dem Rückflug nach Moskau.

Die USA, China und Russland werden in den nächsten Monaten radikalere Schritte mit dem Ziel einleiten, den CO_2-Ausstoß und damit die Erwärmung der Erde nachhaltig zu begrenzen, den explosiven Anstieg der Weltbevölkerung zu begrenzen. Sie werden ihre Maßnahmen als einen »Kniefall der Menschheit vor der Schöpfung« bezeichnen. Eine Verweigerungshaltung aller anderen Staaten der Erde wird nicht toleriert werden.

Wie bekannt, haben sich im Auftrag der G3 in den letzten beiden Jahren 300 Wissenschaftler zu zahlreichen Konferenzen getroffen. Dabei ging es um die Frage, was getan werden muss, um die sozialen und wirtschaftlichen Folgen einer radikaleren Klimapolitik abzufedern.

Nicht bekannt wurde, dass es parallel zu diesen Konferenzen auch Treffen namhafter Wissenschaftler unter strengster Geheimhaltung gab.

Im Fokus dieser Geheimtreffen stand die Frage, was zu tun sei, wenn Länder nicht kooperativ und verantwortungsbewusst wären und klimarettende Maßnahmen ignorieren würden?

Die von den G3 ernst genommene Nichteinmischung in die Politik anderer Länder steht im Widerspruch zu dem Vorhaben, innerhalb von fünf Jahren weitgehende Klimaneutralität zu erreichen.

Die Kernfrage lautete: Ist es deshalb unvermeidlich und ethisch vertretbar, auch militärisch aktiv zu werden?

Die Mehrheit der Wissenschaftler kam zu dem Schluss, dass das Abholzen und die Brandrodung tropischer Regenwälder endlich kompromisslos bekämpft werden muss. Die Zeit der schönen Worte und gut gemeinter Bitten sei abgelaufen.

Ersparen Sie es sich, führende Politiker nach der Richtigkeit meiner Aussagen zu befragen. Sie werden ausweichend antworten. Die größte Sorge der drei Regierungen ist, dass eine Mehrheit der Menschheit den eingeleiteten Weg, der zu neuen Einschränkungen führt, nicht mitgehen wird. Paradoxerweise haben jahrzehntelang Millionen Menschen demonstriert, weil die Politiker nur zögerlich handelten und nicht verstehen wollten.

Jetzt ist ein umgekehrtes Szenario nicht mehr auszuschließen. Die Politiker haben verstanden, aber Millionen von Menschen wollen nicht verstehen.

Liebe Leserinnen und Leser, ich appelliere inständig – bedenken Sie, bevor Sie urteilen, was auf dem Spiel steht.

Donnerstag, 09. Januar 2025

Frankfurt am Main, Deutschland

Frankfurter Allgemeine Zeitung, Seite 1

Abstürze und Aufstiege

Irritierende Kursschwankungen weltweit/Experten sprechen von einem »schwarzen Donnerstag«/ Börsensprecher halten Softwarefehler für »ausgeschlossen«

Frankfurt, New York, Tokio (faz/dpa/ap) – Am gestrigen Tag registrierten alle wichtigen globalen Börsen überraschende und heftige Kursschwankungen. Allein der deutsche Leitindex DAX in Frankfurt gab kurz nach Eröffnung um gut 2 700 Punkte nach. Der Nikkei in Tokio wie auch der Dow Jones in New York schlossen mit Verlusten zwischen 14 und 17 Prozent.

Solche Kurseinbrüche innerhalb eines Tages meldeten die Märkte in Europa wie auch Asien zuletzt infolge der Corona-Pandemie 2020. Der Dow Jones fiel gar auf den tiefsten Stand seit Herbst 2016. Ein Sprecher der Deutschen Bank nannte den Vorgang einen »schwarzen Donnerstag«.

Erste Gerüchte, es habe sich um einen technischen Fehler bei der Bilanzierungssoftware gehandelt, bestätigten sich nach Recherchen dieser Zeitung nicht. »Von einem technischen Problem«, so ein Sprecher der Frankfurter Börse, »hätte jede Aktie und jeder Index gleichermaßen betroffen sein müssen.« Es sei allerdings deutlich geworden, dass besonders Unternehmen in den Bereichen konventionelle Energiewirtschaft, Tourismus, Automobilhersteller auf Talfahrt gegangen sind.

Der Unternehmenswert der fünf größten Rüstungsfabrikanten der Welt halbierte sich zwischenzeitlich, bevor sich der Kurs gegen Abend leicht entspannte. Die Wertpapiere von Ölfirmen und Luxus-Hotelketten verloren gut ein Viertel ihres Wertes. Die Chefs der europäischen, amerikanischen und chinesischen Notenbanken tauschten sich in der Nacht zu Freitag in einer Telefonschaltung aus. Solch ein Krisengespräch, kommentierte EZB-Chefin Christine Lagarde in einer raschen Pressekonferenz, sei allerdings »nichts Ungewöhnliches«, da man sich ohnehin im »ständigen Austausch« befinde.

Nicht für alle Werte war der gestrige Tag negativ. Für Anleger, die rechtzeitig in nachhaltige Unternehmen investiert hatten, dürfte es gestern eher ein Glückstag gewesen sein. Beispielsweise die E-Auto-Pioniere, für die es gestern um gut 18 Prozent nach oben ging. Klarer Gewinner war die Aktie des Kunstfleisch-Herstellers »Better than Meat« in Kalifornien.

Sie erzielte innerhalb eines Tages einen Sprung von 55 Prozent – der höchste Sprung einer US-amerikanischen Aktie seit mehr als zweieinhalb Jahren.

Montag, 20. Januar 2025

Straße zwischen Ugo und Abule, Nigeria

Lisha Aluko, die Krankenschwester aus dem Dorf Ita Egbe, die »Flying Nurse« und inzwischen auch stellvertretende Leiterin der Caritas-Zentrale in der Kleinstadt Ugo, fuhr auf der Landstraße Richtung Abule. Sie fuhr langsam, die Straße war voller Krater und Schlaglöcher, und auch wenn Lisha eine sichere Motorradfahrerin war und eine geländegängige »Enduro« lenkte, wollte sie doch vorsichtig sein.

Außerdem musste sie nachdenken. Was sie vorhatte, war nicht ungefährlich.

Lisha war am Morgen in Ugo aufgebrochen, nach Absprache mit ihrer Chefin. Drei Männer hatten sich bei ihnen im Krankenhaus einer Vasektomie unterzogen, einer Operation, die die Samenleiter durchtrennte und weitere Kinder verhinderte. Die Männer hätten eigentlich nach der Operation noch einige Tage zur Überwachung und Nachversorgung bleiben müssen. Doch sie hatten sich davongemacht, um zu arbeiten, und jetzt hatte sich die Wunde bei einem von ihnen entzündet. Er lag daheim, fieberte, konnte sterben. Im Rucksack, den Lisha auf ihren Rücken geschnallt hatte, befanden sich Cefpodoxim, Unacid, Betaisodona, außerdem Verbandsmaterial, Spritzen, ein starkes Schmerzmittel. Und 4000 Naira in Hundertern, rund zehn Euro, die Lisha von ihrem eigenen Geld abgezweigt hatte und die sie der Ehefrau zustecken wollte.

Bis Abule waren es noch etwa zwanzig Kilometer. Lisha kannte die Strecke. Die Straße führte schnurgeradeaus, links und rechts Steppe, ein paar Sträucher, hier und da ein Affenbrotbaum.

Aber die Strecke war nicht das Problem.

Das Problem war die Boko Haram.

Die islamische Terrorgruppe, neun Teile Terror, ein Teil Religion, war aus weiten Teilen Nigerias vertrieben worden. In einigen Regionen jedoch hatte sie Rückzugsgebiete, Widerstandsnester. Abule lag in einer solchen Region.

Als »Flying Nurse« verkörperte Lisha alles, was die Boko Haram bekämpfte. Sie war von einer ausländischen Organisation angestellt worden. Von einer christlichen Hilfsorganisation. Sie war gebildet, verwestlicht. Und vor allem vertrat sie die von der Regierung inzwischen stark propagierte Geburtenkontrolle. Und sie glaubte daran.

Lisha wusste, sah es ja täglich, wie viel besser es den Menschen, den Familien erging, wenn sie nur zwei und nicht sechs Kinder hatten. Bevölkerungskontrolle war der Schlüssel zu Fortschritt, Hoffnung. Und das wusste auch Boko Haram.

Auf Prämien zur Geburtenkontrolle reagierten die Islamisten mit Entführungen, auf die Verteilung von

Verhütungsmitteln mit Terror und Bomben. Ein Dorf zu betreten, einen Patienten zu behandeln, wenn das Dorf beherrscht wurde von Boko-Haram-Kämpfern, war lebensgefährlich.

Als Abule in Sichtweite kam, drosselte Lisha ihre Maschine, stellte den Motor schließlich aus und schob die »Enduro« unter einen Affenbrotbaum. Mit dem Taschenmesser, das sie im Rucksack trug, schnitt sie aus einem Busch einige Zweige ab und drapierte sie über der »Enduro«.

Es war Mittagszeit, die Luft flimmerte. Lisha unterdrückte den Impuls, ihre Wasserflasche hervorzuholen, lieber sparsam sein. Im Schutz einiger Büsche und Felsen näherte sie sich dem Dorf. Es war merkwürdig still. Schlechtes Zeichen.

Und da sah sie es auch schon: Ein Jeep stand zwischen zwei Häusern, geparkt, mit dem grünen Boko-Haram-Banner, und dort standen vier, fünf Kämpfer, Tücher um den Kopf geschlungen, rauchend, redend.

Abule war besetzt.

Wenn Lisha zu ihrem Patienten vordrang, riskierte sie ihr Leben.

Wenn nicht, würde er möglicherweise sterben.

Sie schlich zurück zu ihrem Motorrad.

Montag, 20. Januar 2025

Washington, D.C., Capitol Hill

Etwa zur selben Zeit in Washington, D.C.: Zäune und Absperrungen waren überall aufgebaut, Georgetown abgeriegelt, 45 000 Sicherheitsbeamte im Einsatz, ganze Straßenzüge waren geräumt worden, alle hohen Gebäude von Secret-Service-Einheiten besetzt, überwacht. Die Kosten beliefen sich auf mehr als 300 Millionen US-Dollar, so viel wie nie. 28 500 Menschen aus 52 Staaten waren an der Vorbereitung, Überwachung und Sicherung beteiligt. Die Pennsylvania Avenue, wo gleich die Parade stattfinden sollte, wurde von 3700 Polizisten gesichert.

Die teuerste Amtseinführung aller Zeiten.

Es war kurz nach zwölf Uhr mittags, der Höhepunkt der Zeremonie. Die Präsidentin hatte vor wenigen Minuten ihre linke Hand auf die Bibel gelegt; es war dieselbe schmale, schlichte Bibel, die schon Abraham Lincoln gehört hatte. Die rechte Hand hatte sie zum Amtseid erhoben. Ihr gegenüber stand der Oberste Richter der Vereinigten Staaten von Amerika, der ihr den Schwur abnehmen würde. Dahinter das ehrenwerte »Inauguration Committee«, Senatoren, Abgeordnete, außerdem

186

Staatsgäste aus 54 Ländern. Der Ehemann und die zwei Kinder der Präsidentin standen in der ersten Reihe. Die Tribünen für TV-Sender und Medien waren links und rechts positioniert.

Die Präsidentin trug ein dunkelblaues Kostüm mit feinen Nadelstreifen, eine weiße Bluse, sie wirkte ungeheuer ernst und gefasst.

Der Richter sprach den Amtseid vor: »Ich schwöre feierlich …«

Die Präsidentin wiederholte die Worte. Es war nur ein einziger Satz.

Der Rasen vor dem Capitol Hill war voller Menschen. Die meisten Schaulustigen standen schon seit der Nacht dort, es waren Tausende.

»So wahr mir Gott helfe«, sagte jetzt die Präsidentin, das war der – theoretisch freiwillige – Zusatz, mit dem sie den Amtseid besiegelte. Applaus brandete auf. Während die Kameras über die Menschenmenge schwenkten, reichte der Oberste Richter der neuen Präsidentin die Hand zur Gratulation, schritt zurück an seinen Platz. Jetzt wurde ein Teleprompter aufgestellt. Vor drei Tagen hatte sie beschlossen, ihre vorbereitete Rede zu verwerfen, und die Ideen formuliert, die sie jetzt der Welt erklären würde.

Die Präsidentin trat ans Mikro.

Sie schaute ernst, begrüßte, wie das Protokoll es vorschrieb, die Ehrengäste, Senatoren, Staatsgäste, Richter, die Generalität und die Geistlichen. Und natürlich das amerikanische Volk.

Dann holte sie tief Luft. »Diese Rede«, sagte sie, »ist

in zweierlei Hinsicht eine Premiere: Erstens hat noch nie in der Geschichte unserer großartigen Nation eine Frau an dieser Stelle gestanden.«

Applaus.

»Und zweitens hat noch nie ein Präsident an dieser Stelle Umwälzungen angekündigt, die so groß sind, die so sehr Ihrer aller Leben verändern werden, wie ich es jetzt tun werde.«

Stille.

Und dann begann sie:

»Liebe amerikanische Landsleute, 2025 jährt sich zum zwanzigsten Mal Hurrikan Katrina. Der Hurrikan, der Teile der USA in einem nie dagewesenen Ausmaß heimsuchte. Viele verloren ihre Häuser, sahen sich ihrer Lebensgrundlage und Zukunft beraubt. Bis heute leben unzählige Opfer dieser Naturkatastrophe nicht in ihrer einstmals so schönen Heimat, sondern mussten sich wie Flüchtlinge einen neuen Ort zum Leben suchen. Die Welt schaute auf diese großartige Stadt New Orleans, die auf einmal dunkel und beinahe erstorben im Wasser lag.

Seitdem haben sich ähnliche Katastrophen, dutzendfach, wenn nicht sogar hundertfach, auf der Welt wiederholt. Nicht jedes Mal hat die Welt so teilnahmsvoll hingeschaut wie auf New Orleans 2005. In unserer kampferprobten Art und Weise haben wir den Wiederaufbau angepackt, die Deiche erhöht und uns Mut gemacht, dass diese Katastrophe eine einmalige bleiben wird. Die wahre Ursache, den Klimawandel, haben wir ausgeblendet. Einer meiner Amtsvorgänger, Barack

Obama, erwähnte 2015, anlässlich des zehnjährigen Gedenktages von Hurrikan Katrina, den Klimawandel, als Ursache für diese Krise biblischen Ausmaßes, nur ein einziges Mal in seiner Ansprache.

Wie ein Gespenst erschreckt uns seit Jahrzehnten das Problem der Erderwärmung und der damit einhergehenden verheerenden Folgen. Die Bedeutung des Problems hat nicht nur in den USA die Gesellschaft zutiefst gespalten. Während ein Teil der Menschheit die ökologische Krise leugnet oder darauf wartet, dass ein technologischer Durchbruch alle Probleme schlagartig löst, ist der andere Teil der Menschheit zutiefst besorgt, verzweifelt und wütend auf Regierungen, die nichts oder fast nichts tun.

In groß angelegten Klimakonferenzen wurden Ziele und Absichten formuliert, ohne letztlich Klimaneutralität zu erreichen. Doch diese ist unabdingbar, um die große Katastrophe aufzuhalten. Nur wenn Handlungen und Prozesse keine Treibhausgasemissionen mehr verursachen oder deren Emissionen vollständig kompensiert werden können, ist Klimaneutralität erreicht. Dabei können die Pflanzen der Erde schätzungsweise nur ein Viertel der von Menschen gemachten Emissionen aufnehmen.

In einer Demokratie sind Politiker auf die Zustimmung ihrer Wählerinnen und Wähler angewiesen. Deshalb vermitteln sie in ihren Reden oft ein geschöntes Bild. Das Motto ist simpel: Wenn Sie mich wählen, wird alles besser! Im Zweiten Weltkrieg, zu Beginn des Westfeldzuges, schwor Premier Winston Churchill die britische Bevölkerung ein auf die Entbehrungen des Krieges: *›Ich habe nichts zu bieten, außer Blut, Mühsal, Tränen und Schweiß.‹* Churchills schockierende Offenheit war es, die die britische Bevölkerung auf den Krieg vorbereitete. Er zeigte seinen Landsleuten ohne Umschweife das Leid und die Not auf, denen sie sich zu stellen hatten, um für eine lebenswerte Zukunft zu kämpfen – für sich selbst und nachfolgende Generationen.

Heute ist nicht nur das Leben unserer Kinder und Enkelkinder in Gefahr, heute ist die Schöpfung auf der Erde bedroht. Es ist meine Pflicht als Präsidentin der Vereinigten Staaten, die Wahrheit zu sagen. Dazu gehört auch, endlich eine Antwort zu finden auf die drängenden Probleme unserer Zeit. Deshalb haben die USA, China und Russland schon vor mehr als zwei Jahren dreihundert der angesehensten Wissenschaftler, darunter einundfünfzig Nobelpreisträger, beauftragt, eine Machbarkeitsanalyse zu erstellen. Dabei ging es um sechs Fragen:

Erstens: Wie kann das Weltbevölkerungswachstum gebremst und die Anzahl der Menschen auf der Erde auf ein für die Natur vertretbares Maß reduziert werden?

Zweitens: Wie senken wir den Ausstoß klimaschädlicher Emissionen, um Klimaneutralität zu erreichen?

Drittens: Wie senken wir signifikant den Ressourcen-Verbrauch?

Viertens: Was kann und muss die Politik tun, um die mit der Umsetzung verbundenen Härten, wie den Verlust des Arbeitsplatzes, zu minimieren und für den Einzelnen erträglicher zu machen?

Fünftens: Ist es unvermeidlich und ethisch verantwortbar, auch militärisch aktiv zu werden, wenn sich Länder nicht kooperativ an klimarettenden Maßnahmen beteiligen?

Sechstens: In welchem Maß muss der Mensch seine Ernährung umstellen und den Fleischkonsum reduzieren, um den Ausstoß von Methan und Stickoxiden drastisch zu senken? Die Folgen der Massentierhaltung sind gravierend – für das Tierwohl, aber auch für die Wälder, die infolge der Futteranpflanzungen und für Weideflächen weichen müssen.

Bei dieser Machbarkeitsanalyse stand im Fokus, wie wir innerhalb der nächsten fünf Jahre ein effizientes Klimarettungspaket auf den Weg bringen, das unseren Wohlstand langfristig sichert.

Entscheidend für die Rettung der Welt ist der Umbau unserer Energieressourcen: weg von der Kohle, hin zu regenerativen Energiequellen, wie Sonne und Wind, Wasserstoff und Geothermie. Weniger klimaschädliche Kraftwerke, angetrieben durch Kohle und Gas – ein Wandel, den wir von nun an noch entschlossener angehen werden. Der Umbau wird wahrscheinlich ein gutes Jahrzehnt in Anspruch nehmen. Mindestens für diese Zeit müssen wir auf folgende CO_2-Ausstoß reduzierende Maßnahmen, auf deren zügige Umsetzung es ankommt, vertrauen:

Die erste Maßnahme: Wir müssen unseren Fleischkonsum drastisch senken. Mindestens fünfundzwanzig Prozent des weltweiten CO_2-Ausstoßes hängen mit dem Verzehr tierischer Lebensmittel zusammen. Insbesondere der Verzehr von Rindfleisch belastet die Umwelt. Daher wird zum Schutz der Regenwälder ein Importverbot von Rindfleisch aus tropenwaldreichen Ländern verhängt. Zudem führen wir eine Sonderabgabe auf alle Fleischprodukte ein, gestaffelt nach ihrer Klimaschädlichkeit, mit dem Ziel, den Fleischkonsum in den nächsten drei Jahren um vierzig Prozent zu reduzieren. Im Gegenzug werden wir, um soziale Härten auszugleichen, andere Lebensmittel deutlich vergünstigen. Dazu werden wir gezielt Subventionen und eine steuerliche Entlastung einsetzen. Sollte die Kombination aus Importstopp und Steuern nach einem Jahr nicht ausreichend erkennbar die Reduzierung des Fleischkonsums zur Folge haben, wird die Einführung von Bezugsscheinen auf Fleisch angeordnet.

Die zweite Maßnahme: Die Fahrleistung je Auto wird beschränkt. Jeder Amerikaner fährt heute im Durchschnitt zwanzigtausend Meilen pro Jahr. Diese Distanz darf künftig nur noch von Autos zurückgelegt werden, die einen besonders niedrigen CO_2-Ausstoß haben. Infolge des nach wie vor geringen Anteils regenerativer Energien gehört der Ausbau der E-Mobilität zu den langfristigen und nicht zu den kurzfristigen Eckpfeilern unseres Fünf-Jahres-Programms.

Drittens: Wir streben an, den durchschnittlichen Energiebedarf eines Drei-Personen-Haushalts in den nächsten zwei Jahren um ein Viertel zu senken. Zehn Prozent des amerikanischen Energieverbrauchs sind allein auf das Kühlen im Wohn- und Gewerbebereich zurückzuführen. Künftig dürfen nur noch ausgewählte

Einrichtungen wie Krankenhäuser und Pflegeheime mit Überschreiten einer Raumtemperatur von fünfundzwanzig Grad eine Klimaanlage zur Kühlung einsetzen. In Privathäusern ist dies nur mit einer Ausnahmegenehmigung möglich. Weitere Maßnahmen sind die Einführung einer Abwrackprämie für Haushaltsgeräte mit hohem Energieverbrauch und ein milliardenschweres Sofortprogramm zur energetischen Sanierung von Wohn- und Gewerbeimmobilien.

Viertens: Das Flugaufkommen wird drastisch reduziert – auf die Hälfte des heutigen Niveaus. Private Flugreisen werden auch in Zukunft möglich sein. Allerdings werden Häufigkeit und Entfernung für jeden US-Bürger Regularien unterliegen.

Fünftens: Zur Belebung der Wirtschaft werden wir ein schnelles Prüfungsverfahren zur Bewertung innovativer grüner Technologien einführen, die zeitnah alte, klimaschädliche Technologien ersetzen werden.

Die sechste Maßnahme: Zusätzlich werden die USA das größte Wiederaufforstungs-Programm in ihrer Geschichte auflegen.

Alle weiteren Vorhaben und Gesetzesänderungen sind ausgearbeitet. In den nächsten Wochen werden die Ministerien in vierundsiebzig Pressekonferenzen die Umgestaltungen im Einzelnen erläutern.

Unser bisheriges Wirtschaftsmodell hat für einen schnell steigenden Lebensstandard seit den 1950er Jahren gesorgt. Viele Menschen haben jedoch das Gefühl, dass dieses Versprechen einer besseren Zukunft hohl geworden ist. Wir sehen uns mit immer neuen

Höchstständen an Drogenopfern, Depressionen und Selbstmorden konfrontiert. Das traurige Ergebnis einer Gesellschaft, die ihr Ziel aus den Augen verloren hat und vielleicht auch deshalb versucht, immer schneller zu werden.

Jede Einschränkung, so entschieden sie auch in unseren Alltag eingreift, wird dem Klima und unserem Planeten zugutekommen. Auch rechne ich fest mit einer spürbaren Verbesserung unserer mentalen Gesundheit. Viele Auflagen während der Corona-Krise haben sich im Nachgang als weniger belastend herausgestellt als angenommen. Andere Entbehrungen erwiesen sich sogar oft als großes Glück. Viele amerikanische Arbeitnehmer profitieren heute privat wie finanziell von den flexiblen Home-Office-Regelungen, die seit der Corona-Krise gelten. Wir verbringen mehr Zeit mit unseren Familien und weniger Zeit alleine in unseren Autos auf dem Weg zur Arbeit.

Die weitere Vorgehensweise haben wir in den vergangenen Monaten mit der Führung der Republikanischen Partei, den *Joint Chiefs of Staff* und den zehn wichtigsten Vertretern der Wirtschaft diskutiert. Die Senatoren wurden informiert und mit in die Überlegungen einbezogen. Der Kreis der Beteiligten musste dabei so klein wie möglich gehalten werden.

Dieses Vorhaben unterlag der höchsten Geheimhaltungsstufe, jede öffentliche Diskussion hätte einen ruhigen Prozess der Entscheidungsfindung unmöglich gemacht.

Hier drängt sich natürlich die Frage auf: Warum

so viel Veränderung in so atemberaubend kurzer Zeit, in fünf Jahren? Die Antwort ist einfach: Die Lebensgrundlage für die gesamte Schöpfung ist in einer Weise bedroht, wie wir Menschen es uns kaum vorstellen können.

Deshalb mahnten auch alle am Entscheidungsprozess beteiligten Persönlichkeiten dringend die baldige Abschaffung des weltweiten Rüstungswahnsinns an. Daraus entstand die Idee, ab 2030 die Bildung einer Weltregierung voranzutreiben, mit begrenzten, aber sehr verbindlichen Aufgaben. Die Weltregierung müsste jedem Land auf der Erde die absolute, territoriale Unverletzlichkeit garantieren sowie die politische Souveränität. Ob die Staatsführung demokratisch, autokratisch oder theokratisch bestimmt ist, entscheidet jedes Land selbst.

Jeder Mitgliedsstaat hat jedoch zwei Anforderungen kompromisslos zu erfüllen. Erstens: Mit Ausnahme der für die Inlandssicherung erforderlichen Einheiten ist eine hundertprozentige Abrüstung zeitnah umzusetzen. Zweitens: Jeder Mitgliedsstaat hat die Gesetze der ›Allianz fürs Klima‹ einzuhalten.

Bei Zuwiderhandlung sind spürbare Sanktionen der Weltregierung die unmittelbare Folge. Die Weltregierung wird die einzige Institution auf der Erde sein, die über eine schlagkräftige und umfangreiche Armee verfügt.

Staaten, die der Weltregierung beitreten, verpflichten sich, fünfzehn Prozent ihres bisherigen – nun auf null sinkenden Militäretats – zur Finanzierung des

Militärs der Weltregierung beizusteuern. Unabhängig davon, dass wir der Erderwärmung weltweit anders entgegentreten müssen als bisher, hat die Regierung in Zusammenarbeit mit der republikanischen Führung beschlossen:

Die USA werden mit sofortiger Wirkung aus der NATO und den Vereinten Nationen austreten. Wir sehen keine nennenswerte Bedrohung einzelner Staaten, die die Aufrechterhaltung und Mitgliedschaft in der NATO erforderlich macht. Sollte trotzdem eine territoriale Verletzung eines Landes vorliegen, planen die USA, China und Russland gegebenenfalls militärisch einzugreifen. Die UN wiederum hat sich zu einer Gemeinschaft entwickelt, die zwar in vielen Bereichen gute Arbeit leistet, doch im Hinblick auf militärische Maßnahmen erscheint sie als zahnloser Tiger.

Die Befehlshaber der Teilstreitkräfte zu Luft, zu Land und zu Wasser haben der politischen Führung bedingungslose Loyalität zugesagt – sie kennen unsere Ziele und unterstützen sie vollumfänglich.

Schon seit Langem wird zu Recht beklagt, dass die soziale Spaltung voranschreitet oder sich verfestigt. Dabei fällt zumeist der Satz: *Die Reichen werden immer reicher, die Armen immer ärmer.* Die Umsetzung unserer ambitionierten Ziele kostet viel Geld und kann nicht auf den Schultern des ärmeren Teils unserer Bevölkerung ausgetragen werden. Deshalb hat die Regierung eine einmalige Vermögenssteuer beschlossen.

Innerhalb von fünf Jahren hat jeder Bürger und jede Bürgerin in einer Staffel zwischen zwölf und fünfundzwanzig Prozent einen Beitrag zur Finanzierung der Vorhaben zu leisten. Die Steuer beginnt für Einzelpersonen bei einem Vermögen von drei Millionen Dollar, für Verheiratete bei viereinhalb Millionen Dollar und erhöht sich in Staffeln. Ab einem Vermögen von hundert Millionen Dollar beträgt der Satz fünfundzwanzig Prozent. Bei Aktiengesellschaften wird eine einmalige Steuer von acht Prozent erhoben. Basis für die Berechnung ist die Marktkapitalisierung auf der Grundlage des Börsenkurses vom 30. Dezember 2024. Auch hier zahlbar innerhalb von fünf Jahren.

China und Russland verkünden am heutigen Tag – nicht zufällig – ähnliche Maßnahmen in ihren Ländern. Den Regierungen der G3 ist bewusst, dass Einschränkungen für jeden einzelnen Bürger dieser drei Länder zu wenig sind, um unser ambitioniertes Fünf-Jahres-Klimaziel zu erreichen. Auch dürfte es unmöglich sein, Chinesen, Russen und Amerikanern allein die Bürde aufzuladen, die in anderen Ländern von vornherein abgelehnt wird. Die G3-Regierungen fordern alle Länder der Erde dazu auf, gleiche oder zumindest sehr ähnliche Maßnahmen zeitnah einzuführen. Länder, die dies verweigern, werden nicht mehr als befreundet angesehen und müssen mit Sanktionen unterschiedlicher Art rechnen. Neben dem Klimaziel und der Schonung der Ressourcen steht das Null-Bevölkerungswachstum auf der Erde für uns im Mittelpunkt.«

Die Präsidentin machte eine Pause, trank etwas Wasser. Ihre Stimme klang angestrengt, fast heiser. Aber sie nahm sich zusammen.

»Noch heute wird der Präsident Nigerias in Abuja die sofortige Einführung der Ein-Kind-Politik in seinem Land verkünden. Blaupause für das Vorgehen der nigerianischen Regierung wird Chinas Politik sein – bis 2015 galt hier die Ein-Kind-Politik.

Damit ist auch erklärt, warum nach der Vertreibung islamistischer Terror-Gruppen die Streitkräfte der G3-Staaten aus Nigeria nicht abgezogen wurden. Die Einführung einer konsequenten Ein-Kind-Politik wird bei einer Mehrheit der Bevölkerung Nigerias auf Widerstand stoßen, und es ist wahrscheinlich, dass sie sich gegen den Präsidenten und die Regierung wendet.

Das werden wir nicht zulassen.

Mit zweihundertzweiundzwanzig Millionen Einwohnern ist Nigeria das bevölkerungsreichste Land Afrikas. Aktuell bringt dort jede Frau im Durchschnitt fünf Kinder zur Welt. Nach Berechnungen der Vereinten Nationen wird sich die afrikanische Bevölkerung in sechsundzwanzig Jahren verdoppeln. Die Menschheit muss einer solchen Entwicklung entschlossen entgegentreten, um dem Überleben der Schöpfung eine Chance zu geben. Weltweit stagniert der Anstieg des Bevölkerungswachstums weitestgehend, leider gilt das nicht für den afrikanischen Kontinent und auch nicht für das bevölkerungsreichste Land der Erde – Indien.

Auf dem afrikanischen Kontinent bereitet uns derzeit eines große Sorge: Als Folge des äthiopischen Staudammbaus drohen massive Konflikte zwischen Ägypten und Sudan. Ägypten befürchtet, vierzig Prozent der eigenen Bevölkerung nicht mehr ernähren zu können, falls

198

das Wasser des Nils das Land nicht mehr so erreicht wie seit Jahrtausenden.

Derzeit leben dort über einhundertzwölf Millionen Menschen. Werfen wir einen Blick auf die Hauptstadt Kairo. Die Stadt besteht fast zur Hälfte aus Elendsvierteln. Ein Kind, das in diese Welt geboren wird, muss von Anfang an kämpfen. Familien leben zusammengepfercht, Wasser- und Stromversorgung sind miserabel oder nicht vorhanden, es gibt keine Kanalisation oder Müllabfuhr. Der einzige Ausweg aus Hunger, Elend und Perspektivlosigkeit wäre eine gute Schulbildung, doch die steht den Kindern dieser Armenviertel nicht zur Verfügung.

Vielmehr lernen sie schon früh, für das karge Essen zu arbeiten, das ihnen das Überleben sichert. Diese Elendsviertel wachsen beständig durch die zahlreichen Landflüchtlinge, die in der Stadt auf eine bessere Zukunft hoffen. Sorgt nun das ausbleibende Wasser des Nils für Dürren und Ernteausfälle, werden die Folgen für die Armen des Landes fatal sein und die Zahl der Elendsviertel auf ein dramatisches Maß anwachsen. Dann reichen auch Zuschüsse für Brot nicht aus, um den Hunger der Menschen zu stillen ...«

Der ägyptische Regierungschef stand unter den Staatsgästen. Er blieb unbewegt, aber sein Gesichtsausdruck war hart.

Die Präsidentin fuhr fort.

»Die G3 haben der ägyptischen Regierung angesichts von über einhundertzwölf Millionen Menschen, die zu einem großen Teil in diesen nicht menschenwürdigen Verhältnissen leben, dringend angeraten, ebenfalls die

Ein-Kind-Politik nach dem Modell Chinas einzuführen. Auch hier könnte die Regierung bei Bedarf auf militärische Unterstützung der G3 bauen.

Ein anderes Beispiel. Äthiopien hat im Bereich der Familienplanung schon einiges erreicht. Während die Länder südlich der Sahelzone immer noch eine Geburtenrate von fünf Kindern und mehr pro Frau haben, liegt dieser Wert in Äthiopien mittlerweile bei 3,8. Trotz dieses ersten Erfolges befinden sich die Regierungen der G3 in ernsten Gesprächen mit der Regierung in Addis Abeba. Sie verfolgen das Ziel, für *ganz* Afrika zeitnah eine Ein-Kind-Politik durchzusetzen.

Nigeria, Ägypten und Äthiopien sollen dabei eine Vorreiterrolle haben. Dafür wird in diesen Ländern der Aufbau einer modernen Infrastruktur unterstützt werden, mit über fünfzig Milliarden Dollar, bezogen auf die nächsten fünf Jahre.«

Der ägyptische Regierungschef blieb weiterhin unbewegt. Aber er fragte sich, ob er sich verhört hätte.

Die Präsidentin fuhr fort.

»Die G3-Staaten erwarten, dass die aufzubringenden fünfzig Milliarden Dollar auch von anderen befreundeten Nationen und weltweit prosperierenden Unternehmen mitfinanziert werden. Darüber hinaus wird es ab sofort ein Spendenkonto geben, sodass jeder Bürger der Welt das Projekt unterstützen kann.

Ein weiterer Schwerpunkt der G3-Länder wird die Zusammenarbeit mit der Europäischen Union und Indien sein. Die Dynamik der Bevölkerungsentwicklung in Indien auf 1,44 Milliarden Menschen ist für die G3 besorgniserregend. Die Alterspyramiden in China und Indien könnten kaum unterschiedlicher sein. In Indien liegt der Altersdurchschnitt bei siebenundzwanzig Jahren, ein dramatischer Wert. In China liegt er bei rund siebenunddreißig Jahren, als Folge politischer Maßnahmen. Nach Angaben der Vereinten Nationen wird – wenn die Regierung nichts unternimmt – die indische Bevölkerung in den nächsten fünfundzwanzig Jahren noch einmal um dreihundert Millionen Menschen wachsen. Vor dem Hintergrund der zunehmenden Erderwärmung und der damit verbundenen Risiken haben China, Russland und die USA vereinbart, eine ›Allianz für das Klima‹ zu gründen. Die Länder dieser Allianz werden nicht nur innerhalb ihrer Nationen das Menschenmögliche tun, um den CO_2-Ausstoß zu reduzieren, sondern auch gemeinsam andere Staaten auffordern, es ihnen gleichzutun.

Die G3-Staaten haben ein entschiedenes Interesse daran, Indien und die Europäische Union in die ›Allianz fürs Klima‹ gleichberechtigt aufzunehmen. Voraussetzung für die Erweiterung der Allianz ist allerdings die Übereinstimmung mit den Zielen der G3.

Auch bei der Geschwindigkeit der Umsetzung werden die G3-Staaten keinerlei Abweichungen vom Zeitplan akzeptieren. Angesichts der gesamten Situation in Indien erwarten die G3-Staaten auch von Indien die baldige, konsequente Einführung der Ein-Kind-Politik. Die G3 erklären gemeinsam: Wer sich nicht für die Klimaziele einsetzt, so wie wir es tun, mit dem kann und wird es keine Freundschaft geben.

Die Allianz wird in Gesprächen mit anderen Ländern stets gemeinsam auftreten. Die Gemeinsamkeit der G3 ist dabei für jedes Land eher eine Chance als ein Risiko. Das mögen Regierungen, die sich durch Umweltmaßnahmen nur belastet fühlen, anders sehen. Allerdings ist die Zeit ergebnisloser Gespräche, des Informations- und Meinungsaustausches ohne sichtbare, nutzbringende Konsequenzen – diese Zeit ist abgelaufen. Die G3 rechnen damit, von vielen als Öko-Diktatur diffamiert zu werden. Diese Diffamierung wird von Menschen und Regierungen kommen, die am Zustand der Erde und der Schöpfung nichts erkennbar Gefährdetes sehen.

Liebe amerikanische Landsleute, wie einst Winston Churchill spreche ich heute zu Ihnen und kündige gewisse Entbehrungen an. Aber es werden keine Bomben auf Washington fallen, kein Amerikaner wird hungern oder frieren – ganz im Gegenteil. Die USA werden in den nächsten Jahren viele Milliarden in den sozialen Wohnungsbau investieren, damit kein Bürger und keine Bürgerin mehr in unwürdigen Verhältnissen lebt.

Auch werden wir Milliarden in die medizinische Versorgung, die Pflege alter Menschen, in die Kinderbetreuung und die Bildung unserer Jugend investieren. Mit großen Summen werden wir Universitäten unterstützen und die Forschung fördern. Auch wird ein Schwerpunkt auf den Ausbau des Schienennetzes gelegt werden, um die vorrangige Nutzung öffentlicher Verkehrsmittel voranzutreiben. Aber vor allem werden wir Menschen, die in Arbeitslosigkeit geraten sind, materiell umfangreich unterstützen. Denn diese Mitbürger und ihre Familien sind es, die einen höheren Preis zahlen. Trotz aller Sorgen und Probleme sehen die Regierung und ich eine gute Zukunft für die Menschen unseres Landes, die Menschheit und die Schöpfung. Heute habe ich mich an Sie gewandt, weil die Erde mindestens zehn Jahre braucht, um einmal tief durchzuatmen.«

Pause. Dann:

»Der Mensch hat die große Klimakrise verursacht. Und nur der Mensch kann das Ruder wieder herumreißen.

Ein Vorgänger in diesem Amt sprach oft von der Großartigkeit unserer Nation. Tatsächlich leben in unserem Land viele Millionen Frauen und Männer, die mit ihrer Tatkraft, ihrer Ehrlichkeit, ihrer Liebe zur Familie, zur Gemeinschaft und zur Schöpfung unserem Land gedient und ihm ein lebensbejahendes Gesicht gegeben haben. Lassen sie uns jetzt gemeinsam die Ärmel hochkrempeln. Wir haben die Kraft, Gespenster, die uns bedrängen, zu verjagen. Wir brauchen die Gemeinschaft von zweihundert Ländern auf der Erde, wir brauchen ihre Unterstützung, ihr Vertrauen. Noch vor wenigen Jahren war es nahezu für alle Menschen auf dieser Erde unvorstellbar, dass Russland, China und die USA nicht mehr durch Machtstreben, Misstrauen und Vorurteile voneinander getrennt agieren. Sondern vereint sind im Kampf um den Erhalt der Schöpfung.«

Die letzten Worte hatte sie sehr leise gesprochen. Sie griff zum Wasserglas und trank es leer. Ein Assistent eilte heran, um es nachzufüllen, sie winkte ihm ab.

Und auf dem Capitol Hill, wo das *Inauguration*

Comittee stand, die Senatoren, Abgeordneten, Staats-gäste aus vierundfünfzig Ländern, die Kamerateams der TV-Sender, die Journalisten, die Tausenden von Men-schen auf dem Rasen, vor vielen Bildschirmen auf der ganzen Welt – es herrschte vollkommene Stille.

Dienstag, 21. Januar 2025, kurz nach Mitternacht
Landstraße zwischen Abule und Ugo, Nigeria

Von Abule bis Ugo sind es etwa zwei Stunden mit dem Jeep, mit dem Motorrad dauert es etwas länger, vor allem nachts – wegen der Schlaglöcher muss man vorsichtig fahren. Lisha Aluko hatte den Scheinwerfer ihrer Maschine halb tief eingestellt, sie sah nicht weit, aber dafür genau. Sie fuhr sehr langsam. Sie hatte es nicht eilig. Es war jetzt merklich kühler. Und Lisha war glücklich.

Lisha, die Krankenschwester aus Nigeria, hatte es geschafft. Sie war nicht entdeckt worden von den Kämpfern der Boko Haram, ihre List hatte funktioniert. Sie hatte sich bis Einbruch der Dämmerung versteckt gehalten, ihr Wasser rationiert, ein sparsamer Schluck alle eineinhalb Stunden, dann war sie im Zickzack, immer wieder verharrend, sich duckend, nach Abule hineingeschlichen. Sie kannte das Dorf, wusste, wo der Kranke lag. Sie war ins Haus geschlüpft, bei abgedeckter Lampe hatte sie die Wunde gereinigt, einen neuen Verband angelegt, Cefpodoxim und Unacid verabreicht, der Hausfrau 4 000 Naira gegeben, dabei den Finger an die Lippen gelegt, ihre Wasserflasche aufgefüllt, und dann war sie unbemerkt zur Tür hinausgehuscht.

Raus aus Abule. Und hin zu ihrem Motorrad. Es lag noch da, das brave Ding. Die Boko-Haram-Milizionäre hatten entweder geschlafen oder waren bekifft.

Lisha fuhr und dachte, dass das Leben schön sei.

Über ihr stand ein halber Mond am afrikanischen Nachthimmel, war Sternensaat ausgesät, und hätte sie nach oben geschaut, hätte sie Venus, Mars, Jupiter, Saturn, Uranus ausmachen können, doch Lisha, vorsichtig und gewissenhaft wie stets, hielt ihre Augen auf die Straße gerichtet.

Donnerstag, 23. Januar 2025

Pacific Asia Museum, Pasadena, Kalifornien, USA

Ein Pagodenbau an der Los Robles Avenue in Pasadena, Los Angeles, ein Pagodenbau, jedoch modern interpretiert, gebaut von Marston, Van Pelt & Maybury, unter Verwendung eines hellgrauen, dichten Sandsteins, gelegen zwischen Woodbury Avenue und Orange Grove. Hier residierte das USC Pacific Asia Museum.

Das Haus war vergleichsweise klein für amerikanische Museen, beherbergte aber eine der interessantesten Sammlungen von Asiatika der amerikanischen Westküste. Chinesische Tuschebilder der Zhe- und Wu-Schule. Japanische Holzschnitte von Hokusai-Vorläufern, japanische Keramik von Hamada. Schwerter aus dem China des sechzehnten Jahrhunderts. Und es gab acht Ausstellungssäle, jeder in einem anderen Farbton: Tiefrot, Resedagrün, Orange, Tiefblau. Der Anstrich war mit einer sehr stark pigmentierten Farbe vorgenommen worden. Der Farb- und Raumklang war überwältigend.

Dr. Yuan Zhiming, stellvertretender Minister für Internet-Belange und harmonische Betreuung sozialer Medien der Volksrepublik China, wanderte beseelt von der Schönheit der Artefakte durch die kühlen Museumsräume. Er hatte dieses Museum als Treffpunkt vorgeschlagen. Hier würden sie allein sein. Unter dem Vorwand, für seinen Staatspräsidenten Xi Jinping eine Überraschungs-Ausstellung organisieren zu wollen, hatte der Vizeminister das Museum sofort für sich bekommen. Der Museumschef hatte sich geradezu überschlagen vor Entgegenkommen.

Außerdem war es eine kleine Rache an Bykow. Der hatte das vergangene Treffen in St. Petersburg in einem hochgerühmten russischen Restaurant stattfinden lassen, Zhiming hatte das Angebot an Speisen und Getränken verabscheut.

Es war vielleicht die einzige Schwäche des Dr. Zhiming: Er musste nicht viel essen, aber er musste regelmäßig essen, und es musste ihm schmecken, sonst war er unterzuckert und wurde unausstehlich.

Es war das vierte Treffen der beiden. Bykow und Zhiming hatten in den vergangenen zwei Jahren, seit Saudi-Arabien, diskret und hart gearbeitet. Sie kannten sich besser, vertrauten sich schlecht und recht. Bykow hielt den Chinesen für eine Diva; Zhiming sah in dem hageren Russen einen Söldner, für den Kultur aus Borschtsch-suppe und Eishockey bestand.

Beide hatten, sehr vertraulich, mit einigen wenigen Geldgebern gesprochen, mit Vertretern aus Industrie und Militär, deren Interessen durch den intendierten Radikalumbau der Welt beschädigt wurden. Sie hatten so wenig verraten wie möglich. Sie hatten knapp vier Milliarden US-Dollar in der Kriegskasse.

208

Ein inzwischen erprobter Stab von weniger als einem Dutzend Leuten arbeitete ihnen zu, Leute, die exzellent bezahlt wurden und die immer nur einen kleinen Teil des ganzen Plans kannten und sich gegenseitig kontrollierten. Der elektronische und kommunikative Teil war von Zhiming skizziert, die Installation von ihm persönlich überwacht worden.

Um die Kommunikation zu verschleiern, nutzten sie das Tor-Netzwerk, eine anspruchsvolle Lösung, aber beliebt bei Whistleblowern in aller Welt, denn eine Rückverfolgung war nahezu ausgeschlossen.

Die Idee war einfach: Jeder der vielen Millionen Rechner, die in dem geschlossenen Netzwerk arbeiteten, wurde zum Server. Wenn sich jemand im Web bewegte, wurden seine Daten verschlüsselt und über mindestens drei zufällig ausgewählte anonyme Server geschickt. Alle vier Minuten veränderten sich die Verbindungsstrecken.

Diese Daten waren nicht zurückzuverfolgen, ebenso wenig der Standort der Rechner.

Allenfalls hätte man viele Rechner im Tor-Netzwerk unter Kontrolle bringen und den ganzen Datenverkehr abfangen müssen. Um auch das zu verhindern, hatte Zhiming eine Malware installiert, zum größeren Teil von ihm selbst entwickelt, die fremde Zugriffe auf einem Rechner identifizieren, blocken und damit für den eigenen Datenstrom umgehen konnte.

Es war schade, dass Bykow nicht verstand, wie genial Zhiming ihre Spuren verwischte. Andererseits war es besser, fand Zhiming, er blieb unwissend.

Es hatte, seit die Allianz der Supermächte – oder auch

G3, wie sie genannt wurde – sich allmählich formierte, mehr als hundert Arbeitskreise, Fachtagungen, Kooperationsmodelle der drei Supermächte gegeben, Tendenz: langsam steigend. Die Allianz wuchs zusammen, ihre Gegner ebenso.

Und vor drei Tagen hatte die US-Präsidentin ihr Programm verkündet.

Jetzt gab es keinen Weg zurück.

Die erste Reaktion auf die Proklamation der Präsidentin war Verblüffung gewesen, Schock, wütendes Aufbegehren.

Die Staatschefs der anderen Länder, die Europäer, Kanadier, Japaner, die UN, OPEC und zwei Dutzend anderer Organisationen – sie waren zumeist noch in Schockstarre. Die Medien stotterten und krächzten vor Aufregung: »Unglaublicher Alleingang«, hatte die Titelzeile von »Asahi Shimbun« in Tokio gelautet. »Diktatur der Guten«, schrieb die »USA Today«, »Öko-Tyrannen meinen es ernst«, titelte »Le Monde«. »Der Umbau der Welt«, hieß es auf dem Cover des deutschen »Spiegel«.

Die Stimmung in den Industrie-, Lobby- und Militärapparaten, die sich leicht ausrechnen konnten, dass sie zu den Verlierern gehören würden: blanke Angst. Zorn. Unglauben.

Und die jeweiligen Machtapparate in Peking, Moskau, Washington, die diese Entwicklung geahnt, jetzt jedoch Gewissheit hatten, waren zutiefst gespalten: glühende Befürworter, eine Minderheit; ihnen stand eine schweigende, teilweise hasserfüllte Mehrheit gegenüber.

Bykow und Zhiming hatten die Reaktionen richtig eingeschätzt. Sie hätten die Mehrheit hinter sich, wenn sie, den richtigen Anlass vorausgesetzt, die Allianz entscheidend treffen und zu Fall bringen würden. Sie würden die Machtablösungen in Moskau und Peking initiieren, den absurden Weltrettungsplan ihrer vernetzten – und damit schwerer angreifbaren – Staatschefs zunichtemachen. Mit einem einzigen gezielten Stich.

Und die Sollbruchstelle, dachte Dr. Zhiming, *wird also Brasilien sein. Der erste große Konflikt. An dem eitlen und renitenten Präsidenten, nicht viel mehr als eine Marionette seiner Großagrarier, der Öl-, Holz- und Fleischindustrie, müssen die G3-Staatschefs ein Exempel statuieren. Zeigen, dass sie es ernst meinen.*

Zhiming hörte Schritte. Die zwei Aufpasser am Museumseingang hatten Bykow nach der Beschreibung erkannt und ehrerbietig passieren lassen, ansonsten war niemand da.

»Wir haben viel zu besprechen«, das war Bykows Begrüßung.

»In der Tat«, sagte Dr. Zhiming.

»Haben Sie die Rede gesehen?«, fragte Bykow.

»Ich war am Capitol Hill zugegen«, sagte Dr. Zhiming etwas steif.

»Aha. Gut. Gehen wir ein paar Schritte. Komisches Museum. Warum haben die die Wände so bemalt?«

Idiot, dachte Zhiming. Er sagte: »Ich denke, sie fanden, dass die Artefakte gut präsentiert werden – was übrigens auch meine Ansicht ist.«

»Wie viel Zeit haben wir in diesem Kasten hier?«

Dr. Zhiming seufzte. »Einerseits unendlich viel Zeit«, sagte er, »aber andererseits müsste ich eine Kleinigkeit essen.«

»Sprechen wir über Brasilien«, sagte Bykow.

Montag, 17. Februar 2025

São Paulo, Brasilien

Enrique Jacob de Surfo, Präsident des FC São Paulo, außerdem Spieler-Einkäufer, liebte drei Dinge in seinem Leben: gutes Essen, seinen Helikopter, und am meisten liebte er seine Shopping-Touren.

Am glücklichsten war er – verständlich, wenn er diese drei Leidenschaften verbinden konnte –, wenn er mit dem Helikopter, einem sechssitzigen, in den Vereinsfarben Rot-Weiß-Schwarz lackierten »Eurocopter« AS350, zu einem Lunch mit Einkaufsoptionen fliegen konnte, zu einem leichten, aber vorzüglichen Mahl, bei dem er in entspannter Atmosphäre ein paar millionenschwere Spielerkäufe machen konnte.

Heute etwa hatte er Lust gehabt auf grüne Austern, sie wurden über Nacht aus Marseille eingeflogen, es gab sie im »Bo« oder im »Chustó«, Austern aus der Charente-Maritime, dazu eine Flasche »Château d'Yquem«. Surfo hatte sich für das »Bo« entschieden.

Sein Gast war ein Spielervermittler aus Mailand, der in der Stadt war, sie kannten sich schon lange, Marco Brambilla und er. Und der Mann hatte ein gutes Portfolio, immer wieder interessante Talente.

213

Surfo blickte aus dem Fenster auf die Stadt tief unter ihm. Sie flogen in einem der einundzwanzig Korridore, die in São Paulo für den Heli-Verkehr eingerichtet waren. Unter ihnen lag der Stadtteil Jardins, Surfo erkannte die Allee Alameda Santos, dort war das »Renaissance« mit seinem Heliport: Surfo sah das große gelbe »H« auf dem Dach.

Dort würden sie landen.

Es gab inzwischen etliche hochklassige Restaurants mit eigenen Helikopter-Landeplätzen, und mittlerweile flogen rund 1300 einmotorige Helikopter durch die Stadt. Die Superreichen flogen, alle anderen, die Normalen, krochen dahin durch die permanent verstopften Straßen, standen stundenlang im Stau, fünf Millionen Autos bei fünfundzwanzig Millionen Einwohnern; aber so war es eben, dies war eben São Paulo, die bevölkerungsreichste, verstopfteste, aber auch verrückteste und schönste Stadt der Welt, fand Surfo. Trotz des Smogs, des Drecks. Außerdem: Von hier oben war es nicht schlimm.

Und er war oben, ganz oben, er hatte es geschafft, er war *o presidente*, er war Präsident des FC São Paulo, des wichtigsten Clubs der wichtigsten Stadt im wichtigsten Land des Kontinents. Und auf seinen Shopping-Touren pflückte er Spieler und Talente, wie ein Mädchen, das über eine Blumenwiese geht.

Surfos Instinkt für gute Fußballer war berühmt. Er hatte Kaká gekauft, Grafite, Beira; nicht wenige seiner Schützlinge, die er entdeckt und aufgebaut hatte, waren später Superstars, Weltfußballer, Alpha-Spieler geworden.

Einen guten Spieler zu finden war inzwischen eine Wissenschaft, es gab computergesteuerte Analysen von Bewegungsabläufen, es gab Gen-Analysen, Spiel-Algorithmen; aber das war, fand Surfo, wie der Versuch, auf Computerbasis an der Börse Geld zu verdienen. Daten waren Rückblicke.

Es kam auf die Zukunft an, auf den *Instinkt*.

Tatsächlich besaß Enrique Jacob de Surfo eine sehr seltene Gabe. Er besaß eine intuitive Sicherheit darüber, was in einem anderen Menschen steckte. Ob er etwas konnte, wollte, wie stark dieser Wunsch in dem jeweiligen Gegenüber war. Viele Spieler konnten das Spiel lesen, er konnte Spieler lesen.

Ich kann einen Mann ansehen, prahlte Surfo manchmal, und ich sehe dessen Zukunft. Ich weiß, ob er lügt oder nicht, ob es wichtig ist, was er sagt – oder idiotisch.

Der Pilot drehte sich kurz zu Surfo um, hob fünf Finger einer Hand. Noch fünf Minuten. Surfo nickte, zeigte mit dem Daumen nach oben.

Heute wollte er mit seinem Mailänder Freund Brambilla über zwei Ankäufe reden, einen Verteidiger aus Turin, einen offensiven Mittelfeldspieler aus Nigeria. Beide waren noch günstig – relativ günstig – zu haben.

Der Helikopter ging jetzt hinunter auf das Hochhaus-Dach, das im dreiundzwanzigsten Stock war, das gelbe »H« kam schnell näher.

Eine zweistellige Millionensumme würde Surfo heute wahrscheinlich ausgeben. Der Verein hatte zwar Geld – aber Surfos Einkaufsdrang war groß, er musste auch immer wieder solvente Förderer ansprechen.

Er nahm sich vor, nach dem Mittagessen seinen Freund Telés anzurufen. Joao Carlos Telés war einer der reichsten Unternehmer in São Paulo, Software, Kooperationen mit Microsoft und Alphabet, befreundet mit Bill Gates.

Aber natürlich war Telés fußballbegeistert, und natürlich war er ein *Paulistano*.

Er könnte, dachte Surfo, zweihundert oder dreihundert Millionen springen lassen, es wäre eine Geste des guten Willens.

Der Helikopter setzte auf. Surfo nahm die Kopfhörer ab und löste den Gurt.

Dienstag, 25. Februar 2025
New York, USA
Titelseite der »New York Times«

Putin vor UN: »Das können und werden wir nicht dulden«

Rede des russischen Staatschefs vor der Hauptversammlung provoziert Skandal

New York 25.02.2025 – Mit mahnenden Worten hat sich heute Russlands Präsident Wladimir Putin vor der 80. Generalversammlung der Vereinten Nationen in New York direkt an die Regierung Brasiliens gewandt. Vor dem Hintergrund des Klima-Rettungsplans der G3 verlangte er von Regierungschef Batista, seine ablehnende Haltung gegenüber den geforderten Maßnahmen der drei Weltmächte zu überdenken. »Wir fordern unsere Freunde in Brasilien auf, sich dem Kampf gegen die globale Klimaerwärmung anzuschließen«, so der russische Regierungschef. Zu lange habe man zugesehen, wie die Erde sich auch aufgrund der Brandrodungen im Amazonas aufheize. Putin: »Das können und dürfen wir nicht mehr dulden.«

Die brasilianische Regierung bleibe, so Putin, trotz diverser Gespräche bei ihrem Kurs der verbrannten Erde. Arturo Batista habe zwar immer wieder beteuert, konstruktiv mit der Allianz zusammenarbeiten zu wollen, doch habe es bis heute keine echten Fortschritte gegeben. »Das können wir so nicht mehr hinnehmen«, sagte Putin unter dem Applaus der Staats- und Regierungschefs. Wenn die Regierung in Brasilia nicht unverzüglich ihre Politik überdenke, müssten die G3 »entsprechend reagieren«. Wie das genau aussehen könnte, ließ Putin allerdings offen, deutete aber an, dass ein militärisches Eingreifen nicht mehr ausgeschlossen sei. Man habe an allen Fronten versucht, die Regierung Brasiliens umzustimmen, jetzt müsse man über »andere Formen an anderen Fronten« nachdenken.

Während der Rede sorgte der brasilianische Botschafter bei der UN, David Marinho, für einen Eklat: Entgegen allen diplomatischen Gepflogenheiten verließ er während der Rede das Plenum. Der russische Staatschef hielt inne und rief Marinho mahnend zu, er möge bitte wieder seinen Platz einnehmen. »Andernfalls müssen wir das als klares Statement der brasilianischen Regierung werten«, so Putin. Auch bei den anwesenden Staats- und Regierungschefs löste der Abgang Marinhos Skepsis aus. »So darf man sich in der jetzigen Situation nicht verhalten«, so ein hochrangiger Diplomat. Beobachter sprachen im Anschluss von einer »sichtbaren Erschütterung« Marinhos.

Donnerstag, 6. März 2025

Pune, Bundesstaat Maharashtra, Indien

Sechsmal war Akilha Tiwari seit dem Monsun nach Mumbai gefahren, das erste Mal vier Monate nach dem großen Regen und mit dem Bus, weil die Zugtrasse immer noch nicht befahrbar war. Akilha war damals mit Absicht an der Busstation oberhalb ihres alten Viertels ausgestiegen, der Weg zum Haus würde von da oben zwar länger sein, aber dafür würde sie nicht dort entlanglaufen müssen, wo sie vor vier Monaten die Leichen gesehen hatte.

In ihrer Wohnung hatte es nichts mehr von Wert gegeben. Decken und Bett waren fortgespült oder gestohlen worden, die Küchenregale leer, in der Ecke, in der sie früher gekocht hatte, fehlte ein Teil der Wand, weggerissen von der Flut oder eingeschlagen von Dieben – wer immer etwas mitnehmen wollte, konnte bequem einsteigen. Keiner der Nachbarn hatte mit ihr gesprochen. Akilha war zurück zur Bushaltestelle gegangen, ihr Baby fest ins Tragetuch gewickelt.

Die nächsten fünf Mumbaibesuche unternahm Akilha mit dem Zug. Sie lief zum Einwohneramt, einem schmutzigen Gebäude mit neun Stockwerken und zu wenigen Fenstern, und stellte sich in die Schlange, die schon früh am Morgen bis weit auf die Straße reichte. Akilha wollte Rahul, ihren Mann, für tot erklären lassen. Seine Leiche war nie gefunden worden.

Der Stadtrat von Mumbai hatte den Opfern des Monsuns eine Entschädigung versprochen. Aber weil die Wohnung Rahul gehörte, konnte auch nur Rahul einen Antrag stellen. Damit sie, Akilha, die Entschädigung beantragen konnte, musste erst bescheinigt werden, dass ihr Mann wirklich tot war.

Fünfmal versuchte Akilha jemanden zu finden, der zuständig sein könnte, aber sie wurde vertröstet, an Kollegen verwiesen, mit neuen Formularen wieder weggeschickt, und beim nächsten Besuch war der Beamte dann versetzt, nicht zu sprechen oder konnte sich an nichts mehr erinnern.

Eine alleinstehende Frau mit Baby zählt nicht in Indien, dachte Akilha Tiwari.

Irgendwann hieß es dann, der Topf mit den Entschädigungsgeldern sei ohnehin längst leer, ausgeschüttet vor allem an Geschäftsleute.

Akilha fuhr zurück nach Pune, etwa hundertfünfzig Kilometer von Mumbai entfernt, hier teilte sie ein Zimmer mit Swetha, einer Frau, die ebenfalls allein ein Kind großzog. Am Bahnhof von Pune stieg Akilha aus, von dort waren es noch neunzig Minuten zu Fuß bis Janta Vasahat, dem größten Slum der Stadt. Akilha wohnte etwas nördlich davon. Sie mied die Polizeistation, weil es dort fast jeden Abend zu Unruhen kam.

In der Parvati Road kaufte sie einen weißen Sari. Weiß, die Farbe der Witwen.

Ich bin allein, dachte Akilha, *jeder soll es sehen.*

Zweimal in der Woche gingen Akilha und Swetha zu »Dr. Raschid's Speednet Store«, einem Internetcafé in der Nähe. Raschid war zwar als »Doktor« eine eher selbstgenannte Kapazität, sein Internet furchtbar langsam, aber Raschid hatte den beiden Frauen einen eigenen Raum aufgeschlossen, eigentlich eine Abstellkammer, stickig, staubig – jedoch geschützt vor den Blicken der Männer. Raschid erlaubte ihnen, die Babys mitzubringen, und stellte sogar einen Ventilator auf.

In »Dr. Raschid's Speednet Store« hatten Akilha und Swetha gelegentlich von den Geschehnissen gelesen, die draußen in der Welt passierten. Sie lasen von den neuen Machtverhältnissen auf der Erde und davon, dass Indien sich von den Russen, Chinesen und Amerikanern nichts vorschreiben lassen würde.

In ihrer Welt jedoch war ein anderer Plan wichtig: Akilha würde wieder unterrichten. Sie hatte eine Stelle gefunden bei der »Schule auf Rädern«, einer Organisation, die mit alten Bussen in die Slums fuhr, unter einer Brücke parkte und im Bus Unterricht in Englisch und Rechnen anbot. »Wenn du nicht zur Schule kommst, dann kommt die Schule zu dir«, so lautete das Motto der Organisation.

Es war Akilhas Idee gewesen, denn im Slum von Janta Vasahat gab es so einen Bus noch nicht. »Schule auf Rädern« schickte einen Sekretär, der einen Anzug trug und mit wichtiger Miene den Slum und die Frauen in Augenschein nahm. Er stellte einen Arbeitsvertrag in Aussicht und versprach, dafür zu sorgen, dass Akilha sogar Papier und Stifte geschenkt bekäme. Unter einer Bedingung allerdings: Den Bus für Janta Vasahat müssten die Frauen selber auftreiben.

Also begannen die Frauen zu recherchieren, sie schrieben Mails, schickten Fotos und probierten, trotz wackeligen Internets, sogar ein Werbegespräch per Videochat.

Schließlich sagte die »Iris Greater Linden Foundation« aus Ohio, USA, ihnen 25 000 Dollar zu. Das würde reichen für einen sehr alten Bus, für die Reparaturen und für einen Fahrer, zumindest das erste Jahr.

Akilha Tiwari war glücklich. Sie würde nun wieder Geld verdienen, es gab wieder eine Zukunft. »Wir werden heute nur kurz nach einem Bus suchen. Und dann machen wir etwas ganz Besonderes«, sagte sie, als sie bei »Dr. Raschid« im Hinterzimmer saßen.

»Was hast du vor?«, fragte Swetha.

»Wir gehen zum Palast. Davon haben wir immer geträumt.«

»Du bist verrückt«, sagte Swetha. »Das kostet mindestens achthundert Rupien.«

Der Aga-Khan-Palast in Pune war berühmt. Indiens Nationalheld Mahatma Gandhi war hier zwei Jahre lang von den Briten festgesetzt worden. Nun diente der Palast als Museum, vor allem besucht von Touristen aus Europa und Amerika.

»Wir leisten uns das!« Akilha strahlte. Dann rief sie schnell die Mails ab, überflog die Betreffzeilen, klickte, las wieder, erstarrte.

Akilhas Leben hatte soeben eine Berührung mit der Weltpolitik gemacht.

»Was ist los?«, flüsterte Swetha.

»Die ›Iris Greater Linden Foundation‹«, sagte Akilha. Dann las sie halblaut: »… schlechte Nachrichten … angesichts neuer Entwicklungen …«

»Was steht da?«

Akilha begann beim zweiten Absatz: »Wie Sie wissen, hat der Staat Indien sich strikt geweigert, die Umweltauflagen der Staaten China, Russland und USA auch nur im Ansatz zu erfüllen und damit ein Embargo der drei Großmächte provoziert. Die Handelsbeschränkungen betreffen den kompletten Finanzverkehr, sodass wir Ihr Projekt – das wir nach wie vor für sinnvoll halten – nicht finanzieren können.«

Sie blickte auf. »Die machen uns alles kaputt.«

Freitag, 7. März 2025

300 Kilometer über dem Ostchinesischen Meer

Der KH-14 schwebte in einer Höhe von 300 000 Metern, dreißigmal höher, als ein Flugzeug fliegt, über dem Ostchinesischen Meer. Der KH-14 war der neueste Spionagesatellit der Vereinigten Staaten. Er wog 21 Tonnen, sein Parabolspiegel maß etwas mehr als fünf Meter im Durchmesser und konnte über jedem beliebigen Punkt der Erde stationiert werden. »KH« stand für *Keyhole*, Schüsselloch. Die United States Space Force besaß acht Stück davon. Intern trugen sie Frauennamen, alphabetisch geordnet: Alice, Betty, Cynthia, Doris, Eve, Fanny, Georgia, Heather.

KH-14 war mit einem Radar-Auge ausgerüstet, damit konnte er Raketen und Flugzeuge über den Ozeanen entdecken – also dort, wo irdische Radarstationen blind waren. Sein wichtigstes Instrument aber war die optische Kamera. Sie nahm Fotos im Infrarotbereich auf, so wurden Wärmequellen aufgespürt, unterirdische Bunker, nächtliche LKW-Kolonnen, Industrie-Anlagen in Wohngebieten. Sogar der Energieverbrauch einer Stadt ließ sich hochrechnen – man musste den Satelliten nur die Abwärme des Kraftwerks beobachten lassen.

Jetzt blickte der Satellit auf die »Shandong«, den modernsten chinesischen Flugzeugträger. Die Kamera des KH-14 konnte bis auf acht Zentimeter auflösen, eine klare Atmosphäre vorausgesetzt. Das hieß: Wenn ein Matrose der »Shandong« gerade das Deck strich, konnte KH-14 auf dem Deckel des Eimers die Marke der Farbe erkennen.

Die »Shandong«, 300 Kilometer unter dem Satelliten, war der erste selbstgebaute Flugzeugträger des Landes, Ende 2019 in Betrieb genommen, 315 Meter lang, die Breite des Flugdecks betrug 75 Meter, die Wasserverdrängung lag bei 70 000 Tonnen. Sie hatte ein Fünftel des gesamten Verteidigungsetats gekostet und war mit 3 600 Soldaten bemannt.

Die Chinesen wussten, dass über ihnen der US-Satellit stand. Es machte ihnen nichts aus. Der Satellit würde ihnen helfen.

KH-14 konnte seine Daten fast in Echtzeit übertragen. Die Radaraufzeichnungen wurden von einem Satelliten zum nächsten weitergegeben und an eine Bodenstation gesandt. Eine lag in Corpus Christi, Texas, die zweite in Ramstein, Deutschland, und die dritte auf Siam im asiatischen Meer. Ein Bild, das auf der Erde ankam, war nie älter als 1,5 Sekunden.

Auf der »Shandong« waren 32 Kampfflugzeuge vom Typ »Shenyang« J-15 und 24 Jagdhubschrauber stationiert. Auf der »Liaoning«, die vier Seemeilen dahinter lag, standen noch einmal so viele. Und KH-14 sollte sie trainieren.

KH-14 registrierte jeden Start der Kampfflugzeuge,

meldete Route, Flugmanöver und Geschwindigkeit an die Bodenstationen.

Dort übernahm ein Rechner die Daten, fügte virtuelle Gegner hinzu, ließ die gegnerischen Flugzeuge Manöver fliegen, beinahe in Echtzeit, und schickte das Kampfgeschehen live an die chinesische Marine.

Ein Pilot im Cockpit einer »Shenyang« sah auf seinen Instrumenten also plötzlich eine »Dassault Mirage 2000« auftauchen oder ein »F-5 Tiger II Jagdflugzeug«, das waren die wichtigsten Flieger der brasilianischen Luftwaffe. Der Pilot flog nun echte Manöver gegen virtuelle Feinde.

Es würden rund zwölf Tage vergehen, bis die beiden chinesischen Flugzeugträger vor der brasilianischen Küste auftauchten. Und bis dahin würden die chinesischen Piloten alles wissen über den Luftkampf mit einer »Mirage« oder einem »Tiger«.

Sie waren vorbereitet.

Hätten die Brasilianer Zugriff auf die Spionagesatelliten gehabt, dann hätten sie noch mehr gesehen:

Den Satelliten KH-14 Nummer sieben, Codename »Georgia«, der über dem Bundesstaat Mato Grosso Position bezog.

Den US-Flugzeugträger »Gerald A. Ford«, der von Norfolk, Virginia, in den Südatlantik auslief, ebenfalls von virtuell kämpfenden Jets umschwirrt.

Die 101. Airborne, die Elite-Luftlande-Einheit der US-Armee, die in Kentucky schweres Gerät verlud.

Die russischen »Berijew A-100«, das wohl modernste Aufklärungsflugzeug der Welt, ein fliegender Leitstand.

Dazu »Antonow«-Transporter auf dem Militärflughafen – bereit, um Mensch und Material nach Südamerika zu schaufeln.

Wer von oben auf die Welt geblickt hätte, hätte ein Netz gesehen, das sich langsam, aber entschlossen um Brasilien zusammenzog.

Aber die Brasilianer hatten am Himmel keine Augen.

Dienstag, 4. Mai 2100, am Abend

15 Quai de la Tournelle, 5. Arrondissement, Paris,
Frankreich

Es ist Abend geworden, die sieben Wissenschaftler haben getrennt gegessen: Robert, der Amerikaner, Anjana, die Inderin, und Ann, die Schwedin, waren unten im Restaurant; Michelle und Seitz haben sich vom Küchenroboter eine Quiche auf Algenbasis anrichten lassen; die Russin Ilyana blieb mit einem Vitamindrink auf ihrem Zimmer. Gundlach ging in der Stadt spazieren.

Die Ruhe- und Rückzugsphase hatte ihnen schon früh ein Soziobot ins Tagungsprogramm geschrieben, dennoch ist die Stimmung, als sie nach dem Essen wieder vor dem Aquarium zusammenkommen, gereizt.

Michelle steht neben dem Aquarium, sie lässt ein verschraubtes Glas mit zwei Garnelen darin ins Becken gleiten; der Oktopus kommt zwar hinter einem Stein hervor, schwimmt über das Glas hinweg, macht jedoch keine Anstalten, sich zu nähern, es zu öffnen. Michelle klopft mit ihrem Ring gegen die Glaswand und nickt dem Tier eifrig zu – vergeblich.

Einen Moment lang blickt sie enttäuscht, beinahe wütend, in das Bassin.

»Dein Show-Tier ist ungehorsam?« Es ist Gundlach, der spricht.

»Es ist kein Show-Tier!«

»Nein? Es sieht aber ganz danach aus. Ich will dir keinen Vorwurf machen, Michelle. Das Aquarium ist groß, sehr sauber, das Tier gesund. Indes hältst du dir ein Wesen in deiner Wohnung, das nicht und niemals hierhergehört, das keine Vorstellung davon hat, wo es sich befindet, mitten in Paris, mit dem du zeigen willst, wer du bist, zur Ausstattung deiner Persönlichkeit. Du hast ihn fast dressiert. Es ist aber ein Meerestier. Und ein Oktopus will auch nicht gefüttert werden, er will jagen.«

»Ach ja?« Michelle geht langsam zu Gundlach, den Kopf gesenkt, sie will nicht kritisiert werden, sie will kritisieren.

»Ach ja. Aber weißt du was? Ich gönne es dir. Die Show gehört dazu. Ich musste erst sehr alt werden, um das zu verstehen. Ich bin ja selbst Teil einer Show, einer Fassade, wir alle hier …«

Ungläubige Blicke.

»Sehen wir es doch so. Was sind wir, was machen wir hier? Wir sind ein Thinktank im Auftrag unserer Regierung. Jeder ein Spezialist auf seinem Gebiet. Wir sollen einen Bericht erstellen, in dem jeder von uns beweisen wird, wie unangefochten und hervorragend er in seinem Fach ist, das wird uns allen leichtfallen. Und wir sollen uns unterhalten, gegen ein sehr gutes Honorar. Wir sollen Ideen austauschen, auf Ideen kommen, das ist unser Job, richtig?«

»Worauf willst du hinaus?«, fragt Anjana, die Inderin.

»Darauf, dass wir Teil einer politischen Inszenierung sind – die Führer können auf uns verweisen und ihr Handeln gleichsam wissenschaftlich sanktionieren. Wir treten vor die Kameras und sprechen als die Weisen vom Berg, beziehungsweise die Weisen aus dem fünften Arrondissement. Das ist zu einem Gutteil Show, und es ist in Ordnung. Ich will euch sagen, was in meinem Bericht stehen wird: genau das. Dass wir wissen, dass wir mit unseren Ideen aus der Komfortzone eine Inszenierung darstellen.«

Längeres Schweigen. Dann sagt Michelle: »Du desavouierst uns mit solchen Ausführungen ...«

»Ich werde vor allem«, sagt Gundlach, »von mir sprechen. Ich erzähle euch, was mir vorschwebt, dann sehen wir weiter, einverstanden?«

Schweigen, dann nicken einige.

»Mitte der Zwanzigerjahre des einundzwanzigsten Jahrhunderts begann für viele Menschen die Zeit der Einschränkungen«, beginnt Gundlach. »Private Reisen zum Vergnügen waren kaum noch erlaubt. Autos zum Beispiel, die als übermotorisiert galten, wurden verboten. Der Konsum wurde reglementiert. Das traf vor allem die Gesellschaften im Westen. Das war also die Situation: die drei großen Regierungen einig, aber die Menschen unzufrieden. Sie glaubten, dass neue Regeln das menschliche Grundrecht auf Freiheit einschränken. Sie nannten es Öko-Diktatur, fühlten sich bevormundet, viele waren arbeitslos. Und gleichzeitig wurde die Lage ja nicht besser. Das Klima erholte sich nicht, jedenfalls nicht spürbar, die Wirtschaft brach weiterhin ein. Mit anderen Worten: Die Regierung brauchte dringend einen Erfolg …«

»Und den brachtest du«, unterbricht Anjana, »du und deine digitale Land- und Forstwirtschaft.«

»Zum Teil«, sagt Gundlach. »Ich lebte in Irkutsk am Baikalsee und arbeitete an einem Programm zur Wiederaufforstung. Für die Regierung sah das nach einem Projekt aus, das gute Bilder liefern würde: Bäume pflanzen wirkt positiv. Damit könnte man zeigen, dass all die Einschränkungen sich lohnen. Wir konstruierten autonome Pflanz- und Aufforstungsroboter. Wir hatten verschiedene Typen, sie maßen die Bodenqualität, wählten den besten Abstand zu den anderen Bäumen, berücksichtigten Lichteinfall, potenzielle Schädlinge, Wasserversorgung und so weiter. Dann wählten sie für jede Stelle den am besten geeigneten Setzling aus. Die Roboter waren solarbetrieben und wurden aus der Luft mit Nachschub an Setzlingen versorgt. Zwei Dutzend Roboter konnten besser, schneller und viel ausdauernder arbeiten als tausend Waldarbeiter.«

»Das wissen wir, und du hast dir Ruhm erworben …«, sagt Anjana.

»Ja, es war effektiv, aber es war auch Teil einer Show«, fährt Gundlach fort. »Denn das Programm und seine Bilder von den emsigen Robotern – das war die Fassade, und dahinter gab es eine Wahrheit, die man lieber diskret behandelte. Die Zeit drängte. Und wir plünderten das pflanzliche Erbe der Menschheit, wir nahmen uns aus dem ›Global-Seed-Vault‹-Vorrat, was immer uns passend erschien. Wir bedienten uns daraus und modifizierten ohne Vorlauf, ohne Tests, und so veränderten wir in wenigen Jahren das florale Gesicht der Erde ...«

»›Global Seed Vault‹?«

»Die Sammlung aller verfügbarer Samen von Fruchtpflanzen«, erklärt Seitz. »Ein unglaublicher Schatz. Eingelagert in einer Höhle bei Spitzbergen, Norwegen. Rund 970 000 Sorten, von jeder Art 500 Samen, dazu Replikationen, nahezu alle Staaten hatten hier Kopien ihrer Saatgut-Banken hinterlegt, es war das absolute Back-up der Menschheit.«

»Genau. *Handle with care*«, sagt Gundlach. »Aber für Behutsamkeit und Tests war keine Zeit. Wir holten uns aus Norwegen, was immer uns passend erschien, und kreuzten es mit genmanipulierten Pflanzen ...«

»Genmanipuliert?«, fragt Michelle entsetzt.

Die anderen schweigen.

»Ja, das geschah hinter den Kulissen. Tatsächlich war, der öffentlichen Ablehnung zum Trotz, der Markt für Gen-Pflanzung ein Boom-Markt, die Gewinne bei Biotech-Crops lagen in einem Jahrzehnt bei annähernd 200 Milliarden US-Dollar. Firmen wie Du Pont, Certis, Dow AgroScience, Syngenta, Mycogen Seeds waren ungemein forschungsaktiv – und wir lösten alle Kontrollmechanismen auf, denn wir hatten keine Zeit. Wir mussten die Begrünung und Aufforstung in zwei, maximal drei Jahrzehnten substanziell voranbringen ...«

»Gefährlich«, sagt Anjana.

»Ja, gefährlich«, sagt Gundlach. »Deshalb mein kleiner Exkurs über Showtime. Die Pflanzroboter waren also eifrig und sichtbar auf der Bühne, sie waren die Show, für die ich Ruhm und Geld einstrich, aber in Wahrheit wurden eilig und ohne Testphasen Tatsachen geschaffen.«

»Das heißt«, sagt Seitz, »die grünen Lungen des Planeten sind – künstlich, genmanipuliert?«

»So ist es«, sagt Gundlach. »Wir haben, um zu reparieren, was in den Jahrhunderten zuvor geschah, eine weitgehend neue, hybride Flora geschaffen, aus teilweise ausgestorbenen Pflanzen, die genetisch verändert wurden. Es war heikel, ein großes Risiko, zum Beispiel weitgehendes Artensterben, aber wir hatten Glück. Doch so etwas sollte nie wieder passieren.«

Schweigen.

»Und das willst du in deinen Bericht schreiben?«, fragt Michelle zaghaft.

Montag, 17. März 2025

Regenwald, Bundesstaat Mato Grosso, Brasilien

Francisco José de Brito Barreiro war Holzfäller, zweiundvierzig Jahre alt, groß, kräftig, irritierend weiße Zähne, sehr saubere Fingernägel. Er hatte allerdings seit Jahren keine Motorsäge in der Hand gehalten, allenfalls mal für ein Foto.

Die Familie de Brito Barreiros gehörte zu den großen Holzfällern und Holzhändlern des Landes, sie betrieb ein kaum überschaubares Firmengeflecht aus legalen Handelsgesellschaften, aus halblegalen Firmen, die ihre Konzessionen nur durch Korruption und Erpressung erhielten, sowie illegalen Holzfällertrupps, die das meiste Geld einbrachten. Es gab zweiundvierzig Familienmitglieder in Führungspositionen, Tanten, Onkel, Brüder, Söhne, Töchter, Cousins zweiten und dritten Grades, jeder und jede hielt Anteile an mehreren Firmen – Barreiro klagte immer, die Familie beschäftige mittlerweile mehr Anwälte als Waldarbeiter.

Barreiro war das Oberhaupt der Familie, und gleichzeitig der Mann mit der saubersten Weste. Sein Büro lag in Cuiaba, der Hauptstadt des Bundesstaates Mato Grosso. Satellitenbilder zeigten regelmäßig, dass die Regenwälder dort schneller verschwanden als in irgendeinem anderen Bundesstaat Brasiliens, aber Barreiro hatte damit nie etwas zu tun. Nichts konnte ihm je nachgewiesen werden, kein einziger illegal geschlagener Baum, kein illegales Sägewerk, von denen es in Wahrheit Hunderte gab, nicht einer der zahlreichen Waldbrände – offiziell betrieb er nur einen Maschinenverleih: LKW, Sägeroboter, Handgeräte. Alles legal.

Nicht ganz so legal war sein Arbeitskräfteverleih: Trupps von Waldarbeitern, die schnell eine Schneise in den Regenwald schlugen, Sägeroboter und Waldmaschinen herankarrten und gleichsam über Nacht riesige Brachen hinterließen. Auf denen dann, wiederum beinahe über Nacht, Sojapflanzen wuchsen. Gelegentlich wurde so ein Trupp erwischt, es ließ sich nur nie feststellen, wer der Auftraggeber war. Es traf sich, dass Barreiro mit der Tochter des ehemaligen Gouverneurs von Mato Grosso verheiratet war, dem Besitzer der »Grupo Sojabom-Viagem«.

Barreiro war in Richtung Utiariti gefahren, ein Kaff am Rio Delgada. Ein Wasserfall bildete die einzige Attraktion des Ortes. Kaum jemand verirrte sich je hierhin.

Es sei denn, man hieß Barreiro und betrieb ein Stück vor dem Ort, nur über eine Stichstraße erreichbar, den größten geheimen Gerätepark von ganz Mato Grosso.

Der Firmenchef stieg aus seinem Jeep, er trug lange dunkelbraune Hosen, feste Schuhe und ein olivgrünes Hemd, auf dem bereits Schweißflecken zu sehen waren. Er hatte einen Termin mit dem Bürgermeister, es sollte um Leistung und Gegenleistung gehen, also um Reichtum für den Bürgermeister und um Ruhe vor den Behörden für die Waldarbeiter. Barreiro führte solche Gespräche gern persönlich. Auf keinen Fall am Telefon.

In letzter Zeit lief das Holzgeschäft schleppender. Ein paar Abnehmer in den USA waren weggefallen, trotz blütenreiner Papiere, die illegal geschlagene Bäume in erstklassig zertifizierte Ware verwandelten. Und auch die Nachfrage nach Futter-Soja sank, weil weniger Rind gekauft wurde auf der Welt.

Barreiro machte sich allerdings keine Sorgen. Es passierte schon mal, dass die Umweltschützer mit neuen Bestimmungen um die Ecke kamen. Dann musste man halt mehr Geld für Bestechung einplanen. Eine seiner Firmen finanzierte sogar ganz offiziell die Wiederaufforstung des Regenwalds – was ihm half, den Wald an anderer Stelle abzuholzen.

An der Straße, die Barreiro jetzt entlanglief, standen Waldvollernter, Maschinen, die an einen Bagger erinnerten, aber mit Säge statt Schaufel. Er lief an den Forwardern entlang, den großen Holztransportern, an den Elliatoren, Transportern auf Ketten – auch die Panzer des Waldes genannt. Vor ihm lag das Unterkunfts- und Gerätehaus der Arbeiter. Darinnen: schwere Motorsägen, Arbeitsschuhe, Schutzbrillen, Helme und Ohrenschützer. Kein Arbeiter konnte sich über fehlende Sicherheit beklagen. Das Holzfällen mochte illegal sein – aber Barreiro kümmerte sich um seine Leute. Am Haus wartete der Bürgermeister, ein hageres Männchen mit Brille und nervösem Blick.

Barreiros privates Telefon klingelte. Er fingerte das

Gerät aus der Hemdtasche, sah »unbekannter Anrufer« auf dem Display, wunderte sich, weshalb jemand, den er nicht kannte, seine Nummer haben konnte, und drückte den Anruf weg.

Wie hieß noch dieser Bürgermeister, dachte er. Kristobal? Luiz? Egal.

»Mein lieber Herr Bürgermeister«, rief er. Da klingelte das Telefon schon wieder. Unbekannter Anrufer.

»Entschuldigung«, sagte Barreiro.

Der Anrufer sprach Portugiesisch mit leichtem amerikanischen Akzent, emotionslos und klar: »Mr de Brito Barreiro, im Namen der Regierung der Vereinigten Staaten teile ich Ihnen mit, dass wir in zehn Minuten Ihre illegalen Aktivitäten im Regenwald beenden werden. Begeben Sie sich unverzüglich so weit weg von den Maschinen wie Sie können, warnen Sie Ihre Umgebung.«

Aufgelegt.

Puta merda, dachte Barreiro. Welche Amerikaner? Und wie, zum Teufel, sollte irgendjemand sein Lager im Wald entdeckt haben? Und falls doch: Niemand könnte es angreifen, wie denn auch?

»Bester Bürgermeister«, sagte er nun, und legte dem Mann die Hand auf die schmale Schulter. »Gehen wir rein.« Der Bürgermeister wand sich unter der Hand weg.

Wieder klingelte das Telefon. »Wer sind Sie?« Barreiro brüllte ins Gerät. »Was soll das?«

Die amerikanische Stimme klang immer noch sehr ruhig: »Niemand muss sterben, wenn Sie sich jetzt beeilen. Versuchen Sie nicht, die Geräte zu bewegen.«

»Verdammt, wer sind Sie?«

Barreiro sah, wie der Bürgermeister sich umwandte, vom Gerätehaus weglief, im Wald verschwand, Richtung Straße. *Arschloch, Verräter*, dachte er, *was wird hier gespielt?*

»Hören Sie, was soll das?«, rief er ins Telefon. Er klang verärgert, nicht ängstlich. Barreiro hatte keine Ahnung, dass dreihundert Kilometer über ihm ein KH-14-Satellit den Standort gefunden und an die Drohne weitergegeben hatte, die in diesem Augenblick eine tödliche Ladung ausklinkte.

»Es wird keine weitere Warnung geben«, sagte die Stimme am Telefon.

»Ach, halt's Maul, Arschloch«, antwortete Barreiro.

Irritiert, ärgerlich stand er vor dem Gerätehaus, holte seine Zigaretten aus der Hemdtasche, steckte sich eine an, versuchte nachzudenken. Was sollte diese Drohung? Wer wollte ihn verscheuchen?

Dann wurde es hell.

Die Explosion hörte Barreiro schon nicht mehr. Die Druckwelle hatte ihn zerrissen, noch bevor der Schall ihn erreichte.

In der Todesanzeige hieß es später, das geliebte Oberhaupt der de Brito Barreiros sei mit seinem Jeep verunglückt und am berühmten Wasserfall von Utiariti beigesetzt worden.

Im Präsidentenpalast in Brasilia wurde ein Video vorgeführt, das angeblich von einer US-Drohne stammte und eine Reaktion auf illegale Waldrodung zeigen sollte.

»Das ist Fake«, beschloss der Präsident. »Jeder Praktikant in Hollywood kann das anfertigen.«

Ton gegenüber Brasilien wird schärfer

Diplomaten fordern »klare Signale« an Brasilia zu senden/Außenminister der Klima-Allianz tagen offenbar/Britischer Geheimdienst meldet Bewegung auf Militärstützpunkten

Frankfurt, Washington – Der Ton der Klima-Allianz gegenüber Brasiliens Regierung verschärft sich. Nachdem sich der Präsident Brasiliens dem Druck der drei Supermächte wiederholt widersetzt hat und bis heute bei seiner abwehrenden Haltung gegenüber den geforderten Maßnahmen der USA, Chinas und Russlands zur Rettung des globalen Klimas bleibt, fordern Diplomaten nun, »klare Signale an die Regierung von Arturo Batista zu senden«.

Das erklärte ein Vertreter der US-amerikanischen Regierung in Washington dieser Zeitung. Irritiert sei man in Washington, Peking und Moskau über das Verhalten der brasilianischen Regierung, auch der Eklat während der UN-Versammlung habe zu »einer großen Verstimmung« geführt, so der US-Regierungs-vertreter. Während der 80. UN-Generalversammlung hatte Brasiliens UN-Diplomat David Marinha während einer Rede des russischen Präsidenten Wladimir Putin das Plenum verlassen, was zu Unmut vieler Staats- und Regierungschefs geführt hatte *(FAZ.net berichtete)*.

Derzeit würden sich drei Außenminister der Klima-Allianz über das weitere Vorgehen gegenüber der südamerikanischen Regierung verständigen, hieß es aus regierungsnahen Kreisen. Ein an den Gesprächen beteiligter Regierungsbeamter, der ungenannt bleiben wollte, sagte der »Washington Post«: »Für Batista wird es eng.«

Samstag, 5. April 2025

*Ginetes, Landsitz »Casa Maria« des brasilianischen
Botschafters in Chile, 140 Kilometer südöstlich von
Santiago de Chile, Chile*

»Wissen Sie, ich reise nicht gern«, sagte der Mann. Er sprach schleppend, nahm die Brille ab, rieb sich die Augen. Der Mann sah tatsächlich etwas erschöpft aus. »Es irritiert mich«, seine Stimme war leise, »das Reisen, am liebsten bleibe ich zuhause, wissen Sie, wir haben ein schönes Haus in der Nähe von Seattle, Mr Telés. Das Wetter allerdings ist nicht so schön bei uns, aber das stört mich nicht, ich war schon immer eher der häusliche Typ …« Er setzte die Brille wieder auf und blinzelte ins Kaminfeuer.

Das Hemd des Mannes war zerknautscht und aus der Hose gerutscht. Er hätte einen Haarschnitt gebrauchen können.

»Und trotzdem sind Sie zu mir gekommen. Oder zumindest haben wir uns auf neutralem Boden getroffen«, sagte sein Gastgeber, es klang etwas ungeduldig. »Dafür bin ich Ihnen umso dankbarer. Allerdings, womit verdiene ich diese Ehre, diese Initiative, wessen Idee …« Er machte eine Handbewegung, beendete den Satz nicht. Er wünschte, der Mann würde zur Sache kommen, dieser verrückte Amerikaner; andererseits war es aufregend, mit diesem berühmten, mit diesem unfassbar reichen, unglaublich erfolgreichen Mann hier in seinem Salon zu sitzen.

Der Amerikaner mit der Brille war William Henry Gates, ehemals Programmierer, Firmengründer, Mäzen, Philanthrop, weltbekannt als Bill Gates, einer der reichsten Männer der Welt mit schätzungsweise einhundertzwanzig Milliarden US-Dollar Privatvermögen, nachdem bereits knapp fünfzig Milliarden US-Dollar in eine wohltätige Stiftung gegangen waren.

Die anderen beiden Männer waren Brüder, und beide sahen ausgesprochen gut aus. Der ältere der beiden war Pablo M. Telés, Verteidigungsminister der *República Federativa do Brasil*, von Anfang an in der Regierung dabei, seit Arturo Batista, der Präsident und Telés' Parteifreund, siegreich in den Palast gezogen war. Sein Bruder Joao, nur drei Jahre jünger, war sein Ebenbild – groß, athletisch, kantige Gesichtszüge, mit sehr blauen Augen bei dunklem Teint und schwarzem Haar. Nur die Haarschnitte unterschieden sich: Der Verteidigungsminister hatte sich, vielleicht als Signal an seine Militärs, einen militärischen Haarschnitt schneiden lassen; Joao, der Software-Unternehmer war, trug die Haare schulterlang, manchmal zu einem Pferdeschwanz gebunden. Beide trugen auf ihrem linken Handrücken eine Tätowierung, ein Auge, etwas schematisiert, aber nicht ungefällig. Sie hatten sich am selben Tag tätowieren lassen, es war ein Geschenk des älteren Pablo an Joao zu dessen sechzehntem Geburtstag gewesen. Es hatte damals symbolisieren sollen, dass sie beide ihr Leben lang auf ihren Bruder aufpassen würden. Deshalb die linke Hand, hatte Pablo damals entschieden, die Seite des Herzens.

Jetzt waren sie fünfundvierzig und zweiundvierzig Jahre alt, und tatsächlich gab es wenige Brüder, die vertrauter und inniger miteinander umgegangen wären.

Joao, der Unternehmer, hatte dieses Treffen arrangiert, seine Firma war einer der vielen – und nicht mal ein besonders wichtiger – Abnehmer von Microsoft-Produkten.

Immerhin, eine gewisse Verbindung hatte es gegeben, und plötzlich hatte Joao das Gates-Büro aus Seattle am Telefon gehabt. In der ersten Reaktion hatte er es für einen Witz oder Streich gehalten; aber nein.

Bill Gates hatte seinen Bruder treffen wollen, den brasilianischen Verteidigungsminister. Dass Gates der US-Regierung nahestand, dass er theoretisch bereit war, als Emissär oder informeller Bote aufzutreten – dieser Schluss war naheliegend. Hatte es mit dem Konflikt zu tun, der sich immer mehr verschärfte, der sich sogar, kaum ausdenkbar, zu einem regelrechten Krieg entwickeln konnte?

Telés war besorgt wegen dieser politischen Eskalation, wegen des rhetorischen Säbelrasselns. Für die Geschäfte war das Gift. Was war nur in Putin, Xi und die US-Präsidentin gefahren, Herrgott!

Joao zwang sich zu einem entspannten Tonfall. »Wie wäre es mit einem Brandy, Mr Gates? Wir haben einen Louis XIII., einen sehr schönen Remy Martin …«

Die Flasche kostete neunhundert Dollar, aber das sagte Joao nicht.

»Kein Alkohol, vielen Dank, das Wasser schmeckt wunderbar«, sagte Gates.

Joao sah, dass der Blick seines Bruders sich verdunkelte. Für Brasilianer war es unhöflich, einen solchen Brandy abzulehnen.

»Nun, was können wir Ihnen sonst anbieten?«, sagte Pablo, und jetzt lehnte Gates sich vor und redete sehr rasch und konzentriert zum Feuer hin.

»Entschuldigen Sie meine Abgespanntheit, diese Rolle hier ist ungewohnt. Denn ich habe *Ihnen* etwas anzubieten, einen Rat. Einen guten und beherzigenswerten Rat. Oder nennen Sie es eine Bitte ...«

»Wir sind sehr interessiert«, sagte Pablo knapp.

»Und dankbar«, fügte sein Bruder rasch hinzu.

»Bitte wirken Sie auf Ihre Staatsführung ein, den Konflikt nicht weiter zu eskalieren. Bitte akzeptieren Sie die Anregungen oder auch Bedingungen der G3. Ich bin autorisiert, Ihnen zu sagen, dass deren Haltung nicht verhandelbar ist. Ich weiß, dass in der Politik und im Geschäftsleben alles verhandelbar ist, normalerweise. Aber hier nicht. Die drei Staatschefs meinen es ernst. Die US-Präsidentin meint es todernst. Ich weiß es. Wir sind eng befreundet.«

Er nahm die Brille ab, sah erst, blinzelnd, Pablo, dann Joao an. »Es wird sonst zum Krieg kommen. Dieser Krieg wird entsetzlich sein. Ein Nachgeben könnte viel Leid verhindern, Ressourcen retten ...«

»Das ist absurd!«, sagte Pablo, der Minister. »Ich meine, wie können diese Länder, besser gesagt: deren Staatschefs, es wagen, meinem Präsidenten Vorschriften zu machen. Brasilien ist eine unabhängige Republik seit ...«

»Ich weiß, seit 1822«, unterbrach ihn Gates. »Es ist eine peinliche Situation. Aber die G3-Allianz ist entschlossen, ihre geballte – auch militärische – Macht zu nutzen, um bestimmte Projekte einzuleiten, bestimmte falsche Entwicklungen zu beenden. Sofort zu beenden! Nicht verhandelbar.«

»Ich finde, das ist eine unglaubliche Arroganz, und ich muss sagen, äh, es überrascht mich, dass ausgerechnet ein Mann wie Sie, den ich bewundere oder ...« Pablo brachte den Satz nicht zu Ende. Sein jüngerer Bruder sagte nichts.

»Ich weiß, welche Zumutung mein Rat darstellt. Einen anderen habe ich nicht. Aber eine Kompensation kann ich anbieten. Die G3-Staaten offerieren Ihnen eine dreißigprozentige Erhöhung des Preises für Kaffee. Brasilien ist der weltgrößte Produzent. Sie werden so viel verdienen, wie Sie durch Brandrodung verlieren, ungefähr ...«

»Hier geht es nicht nur um Geld«, Pablo wurde jetzt laut. »Es geht um Tradition, Autonomie, wir Brasilianer sind stolz auf unsere Autonomie, und Abertausende von Familien ...«

»Ich weiß, ich weiß«, Gates redete jetzt nicht mehr schleppend, sondern sprach laut und klar, sehr entschieden. »Menschen werden ihre Jobs verlieren. Ganze Branchen müssen sterben. Die Wirtschaft muss sich umstellen. Das alles ist schmerzhaft. Aber nach einer Generation ist es vorüber. Im Vergleich zu den ökologischen

Schäden, zu der Katastrophe, die direkt bevorsteht und zu der Brasilien *maßgeblich* beiträgt, im Vergleich dazu sind die Umstellungskosten marginal. Und die G3-Länder sind bereit zu jeder vernünftigen Hilfeleistung ...«

»Das ist Wahnsinn.« Pablo lief jetzt aufgeregt hin und her.

»Es ist zumindest sehr ungewöhnlich«, sagte Joao leise.

»Bitte?«, sagte Gates.

»Nun, diese Erpressung, dieses Angebot, Ihre Reise – einfach alles«, vollendete Joao Telés. *Er meint es ernst,* dachte er. *Er meint es absolut ernst.*

»Ich meine es ernst«, sagte Gates. »Ich bin nicht gekommen, um Sie zu beleidigen, ich bin eigentlich überhaupt nicht gern gekommen, wissen Sie, ich reise nicht gern. Ich will nur – nun ja, Schlimmes verhindern, wenn ich kann.«

»Sie wissen, unser Präsident hat eine klare Meinung zu dem, was die G3 fordern«, warf Pablo ein.

»Das ist der Punkt. Sie müssen ihn loswerden«, sagte der Gast aus den USA.

»Fordern Sie uns etwa auf, gegen unser Staatsoberhaupt zu putschen?«

»Ich fordere Sie auf, das Richtige zu tun. Sie müssen Batista loswerden. Leider.« Gates schaute von einem zum anderen Bruder. »Wissen Sie, jetzt hätte ich doch gerne so einen Cognac oder Brandy ...«

Samstag, 12. April 2025, am Abend

São Paulo/Vila Madalena, Brasilien

Ricardo war überrascht, als er eine sehr kurzfristige Anfrage zu einem Auftrag direkt in der Nachbarschaft bekam, in der Rua Coutinho. Die hier wohnten, konnten sich »Innovation Wei« normalerweise nicht leisten. Der Auftrag war überschaubar: Abendessen für sechs Personen, keine Kinder, keine Vegetarier. Drei davon seien Chinesen, aus Shanghai und Peking.

Normalerweise war Ricardos Catering-Service auf Wochen ausgebucht, aber das Geschäft lief seit einigen Wochen deutlich ruhiger – die drohende Kriegsgefahr machte die Menschen, auch die Reichen und Superreichen, nervös.

Kein Wunder. *Brasil à beira da guerra*, wie die Zeitungen schrieben – Brasilien stand am Rande eines Krieges. Tag und Nacht liefen im Fernsehen Berichte und Talkshows. Regierungsvertreter, Sicherheitsexperten, Militärs, Intellektuelle, Bischöfe, Hausfrauen, Pazifisten, Industrielle, Ökologen – sie saßen, analysierten, rangen die Hände, es wurde geweint und mit der Faust auf den Tisch des Studios geschlagen.

Brasilien hatte nicht viele Kriege führen müssen. Der

Unabhängigkeitskrieg 1822, der Tripel-Allianz-Krieg 1864, der Zweite Weltkrieg, in dem 25 000 brasilianische Soldaten mitkämpften.

Meinte die Allianz es ernst? Das war die Frage, die sich Ricardo, wie alle anderen auch, stellte. War – für sie – ein Krieg nicht ein zu hoher Preis? Und war es nicht umgekehrt ein Irrsinn für Brasilien, sich gegen diese übermächtige Allianz behaupten zu wollen? Man konnte ja auch nachgeben und die Forderungen erfüllen. Wer verdiente daran, dass der Regenwald gerodet wurde?

Der Mann auf der Straße offenbar nicht. Aber es sei auch eine Sache der Ehre, hieß es gerne. Für Ricardo klang das unsinnig, was hatte Ehre damit zu tun? Warum nicht die Forderungen akzeptieren? Die Souveränität in allen anderen Belangen bliebe gewahrt. Und musste nicht die Klimakatastrophe mit allen Mitteln aufgehalten werden, selbst wenn die Mittel brutal und diktatorisch waren?

Über dieser Streitfrage war die anfangs noch einhellige Öko-Bewegung bald in zwei Lager zerbrochen, in Brasilien, im Rest der Welt.

Es gab das G3-Lager, welches das Vorgehen der Allianz unterstützte; völker- und staatsrechtliche Werte, Demokratie und Selbstbestimmung müssten eben zurückstehen. Ihnen gegenüber, unversöhnlich auf der Freiheit des Menschen beharrend, stand das Lager der Liberalen: Jedwede Aggression, egal zu welchem Zweck, war nicht hinnehmbar, nicht verhandelbar.

Ricardo sah jetzt, was er sonst nie getan hätte, abends länger fern, er kaufte sich Zeitungen. Seine Geschäfte liefen ruhiger, egal.

Als also die kurzfristige Anfrage an »Innovation Wei«
für einen Abend in der Rua Coutinho einging, Abendessen für sechs Personen, hatte Ricardo tatsächlich noch
Termine frei. Ricardo nannte am Telefon ein Honorar
in Höhe von 24 800 Real, knapp 4 000 Euro, davon die
Hälfte als Vorschuss. Das war happig, selbst für São-
Paulo-Superreiche. Der Anrufer schien aber nicht überrascht, verhandelte auch nicht. Er würde einen Boten
schicken.

Ricardo legte auf und war sich sicher, nie wieder von
dem Anrufer zu hören.

Zehn Minuten später brachte ein Junge ihm ein Kuvert mit der ganzen Summe, angeheftet ein Zettel mit
Adresse und Uhrzeit.

Kein Gruß, kein Name.

Ricardo bereitete Gerichte für sechs Personen vor,
von der *Amuse-Bouche* bis zum leichten Dessert. Ein Ge-
richt war eine neue Idee, in Anspielung auf das Viertel,
wo es viele kleine Grillstationen gab: marinierte Filet-
stücke von Schwein und Huhn, auf einem Steingrill bei
200 Grad sehr kurz angebraten, belegt mit Streifen von
Ingwer, dazu Sauerampfer und persischen Tahdig.

*

Ricardo war überpünktlich in der Wohnung in der Rua
Coutinho. Er hatte zumindest einen gewissen Wohlstand
erwartet, doch die Wohnung war fast leer, eine Familie
wohnte hier bestimmt nicht. Im Wohnzimmer waren
drei Tische aneinandergerückt, sechs Männer mit Lap-

tops und angeschlossenen elektronischen Geräten blickten kaum auf, als er kam.

Drei waren tatsächlich Chinesen, die anderen sahen europäisch aus.

Ricardo fragte schüchtern und auf Portugiesisch nach der Küche, jemand machte eine unwirsche Handbewegung. Mehr Beachtung gab es nicht, Ricardo war es recht.

Die Wohnung lag im zweiten Stock, kein Fahrstuhl. Ricardo musste fünfmal auf und ab laufen, um die Speisen, Kühlboxen, Servierplatten, Behälter, das Werkzeug nach oben zu schleppen.

Die nächste Stunde verbrachte er damit, Kühlschrank, Küche, Herd aufzuräumen und zu säubern, bevor er auspackte. Wie immer arbeitete er schnell und selbstversunken. Er hatte erleichtert festgestellt, dass die Wohnung einen Balkon besaß. Ricardo hatte einen elektrischen Palazzetti-Steingrill mitgebracht, auf dem Balkon würde es am wenigsten stören.

Er rollte Papier auf dem Tisch aus, wusch sich sorgfältig die Hände und begann mit den Vorbereitungen.

Stadt und Wohnung hatte diesmal Bykow organisiert, er hatte zwei seiner Leute mitgebracht, keine Soldaten, sondern Freiberufler. Dr. Zhiming hatte ebenfalls zwei Mitarbeiter, die deutlich mehr auf dem Kasten hatten und Verschlüsselungs-Spezialisten waren. Zwischen den Chinesen, die unentwegt rauchen wollten, und den beiden Leuten Bykows hatte es beinahe sofort Missstimmigkeiten gegeben.

Man hatte sich auf Rauchpausen auf dem Balkon geeinigt.

Bykow hatte zuvor, um seine chinesischen Mitverschwörer freundlicher zu stimmen, Zhiming berichtet, dass er einen chinesischen Caterer engagiert hätte – angeblich den besten Caterer der Stadt.

Sie arbeiteten die Listen ab, machten neue Listen. Putin und auch Xi wussten, wie angreifbar sie waren. Und sie hatten durchaus Vorkehrungen gegen Angriffe von innen und die »Koalition der Unwilligen«, wie Xi seine Kritiker unlängst genannt hatte, getroffen. Die meisten »Unwilligen« waren schon minimalinvasiv aus dem System herausoperiert worden.

Nun galt es für Bykow und Zhiming, Vorkehrungen gegen die Vorkehrungen zu treffen.

Der Balkon war zwar schmal, lief aber über die Frontseite des Hauses und noch einige Meter über die Ecke. Ricardo hatte drinnen Vorspeisen, Salat, Getränke aufgebaut, seine kupfernen Kasserollen und Töpfe standen auf den Wärmeplatten. Er selbst wartete auf dem Balkon, hinter der Ecke, damit kein störender Rauch in die Wohnung ziehen könnte, bis der Grill bei 200 Grad stand, als zwei Männer von drinnen auf den Balkon traten. Es waren zwei von den Chinesen. Sie konnten ihn nicht sehen.

Sie zündeten Zigaretten an. Einer räusperte sich tief in der Kehle und spuckte vom Balkon. Die Chinesen spuckten gern – nach einem Aberglauben nisteten böse Geister in den Kehlen der Menschen. Indem man spie, konnte man sie hinausbefördern.

160 Grad. Ricardo wartete.

»Gehen wir ein großes Risiko ein?«, sagte der eine

Chinese. Er sprach Yue, also Kantonesisch, mit starkem südchinesischen Akzent.

»Man geht immer ein Risiko ein«, sagte der andere, er sprach Mandarin.

Wahrscheinlich ein Han-Chinese, dachte Ricardo, der jedes Wort verstehen konnte – auch wenn er nur mit halbem Ohr zuhörte. In China gab es 58 Nationalitäten, die Han waren die Mehrheit, sie hielten sich für eine Art Oberschicht.

»Wenn es gelingt, werden wir sehr reich sein.« Er spuckte wieder vom Balkon.

»Und es kann gelingen, oder? Es muss gelingen. *Mei qian, mei jiu*«, das war eine kantonesische Redensart, kein Geld, kein Leben. Der andere wechselte nun auch zu Mandarin, doch aus seiner Wortwahl und Sprechhaltung hörte Ricardo eine gewisse Unterordnung heraus. Der jetzt sprach, war selbstbewusster.

»Wir haben Augen und Ohren im Geheimdienst der Brasilianer. Sie sind dumm und unstrukturiert. Und sie sind stolz auf ihre Sklavennation und ihre Sklavenkultur. Sie glauben, dass der Aufmarsch der G3 ein Bluff ist, ein Hund, der nicht beißt.«

»Aber der Hund wird auf jeden Fall beißen. *Zhe tiao hui yao ren de gou!* Der Hund sind drei Supermächte!«

»Richtig. Und Xi kann nicht mehr zurück. Sonst verliert er sein Gesicht, seinen Namen. Er hat alles auf diese Karte gesetzt, er muss Brasilien bezwingen.«

»Und wir helfen inzwischen den Brasilianern, den *waiguo ren*, an Waffen zu kommen. Wir geben ihnen Stärke und Selbstbewusstsein …«

»Ja, so reime ich es mir zusammen. Damit sie, wohl-
ausgerüstet, in ihr Verderben laufen.« Er lachte, hustete,
räusperte sich und spuckte vom Balkon. Er fuhr fort.
»Damit dieser Konflikt zum Krieg wird, so blutig und
schrecklich wie möglich. Für alle Seiten …«

»Auch für unsere Soldaten. Es wird viele geben. Wie
heißt es bei uns? Man kann Feuer nicht mit Papier ein-
wickeln …«

»Ja, leider. Dieser YU-73-Gefechtskopf ist ein technischer Fortschritt. Es ist der Gefechtskopf aus der Hölle,
plasmagebettet, manövrierfähig. Und wird von uns modifiziert, wie du weißt. Der brasilianische Erstschlag wird
alle Teufel beschwören. Aber er wird nur stark genug
sein, um einen starken Gegenschlag hervorzurufen, und
von da an gibt es nur eine Richtung – Eskalation. Dann
sollten wir ganz weit weg sein …«

Die Temperatur an Ricardos Grill war schon über
200 Grad gestiegen, Ricardo bemerkte es nicht. Jetzt
hörte er nicht mehr mit halbem Ohr zu. Jetzt entging
ihm kein Wort.

»Das ist genau die Falle, in die die Brasilianer laufen
sollen … Und uns wird man nichts nachweisen können …«

»Nein. Xi wird, wenn der Krieg eskaliert, keine Zeit
haben zurückzublicken, nach den Verrätern zu suchen.
Und noch bevor der Krieg vorbei ist, wird er entmachtet
werden. Und der Russe ebenfalls. Und dann die Ameri-
kanerin. Und die Allianz ist zerschlagen.«

»Weil sie diesen Krieg angezettelt hat …«

»Weil dieses ganze Konzept dumm war. Warum sollte

253

China eine Allianz eingehen mit zwei Nationen, die wir längst überholt haben – einem in Lethargie erstarrten Russland, einer entnervten Demokratie, die allenfalls von Baseball und Las Vegas träumen kann? Unser Reich ist die Supermacht unter den Supermächten! Aber anstatt die Welt zu erobern, ist Xi zum Öko-Aktivisten geschrumpft.«

Einer der beiden hatte seine offenbar noch brennende Zigarette vom Balkon geschnippt. Ricardo sah, wie die Glut nach unten trudelte.

»Gehen wir wieder hinein …«, es war der Selbstbewusste, der jetzt sprach.

»Ja«, stimmte der andere zu, »ich möchte etwas essen – wo ist denn dieser Koch?«

»Du weißt immer, wo deine Reisschale steht, richtig? *Ni zhidào shenme dui ni you haouchu?*«

Der andere lachte.

*

Ricardo blieb draußen stehen, er wagte kaum zu atmen. Was hatte er da gehört? Er schaltete den Grill ab, versuchte sich zu beruhigen. Ricardo wartete noch einige Minuten, dann schlüpfte er durch die Balkontür in die Wohnung. Die Männer beachteten ihn nicht. Ricardo machte sich kurz an den Töpfen und Tiegeln zu schaffen. Und dann glitt er in die Küche zurück, wo er allein war.

Er musste diesen Abend überstehen. Er musste unauffällig bleiben, warten, bis die Männer gegessen hatten, abräumen, zusammenpacken, wegfahren.

Und dann musste er über alles nachdenken.

Ein Krieg? Brasilien würde in eine Falle laufen? Die Eskalation war vorprogrammiert? Ein plasmagebetteter Gefechtskopf YU-73? Was sollte das bedeuten?

Er musste nachdenken.

Samstag, 12. April 2025, zur gleichen Zeit
»Café Batman«, São Paulo, Brasilien

Ein warmer Abend im Stadtteil Vila Madalena. Die Läden hatten noch geöffnet, die Kneipen und Cafés ebenfalls. Vor dem »Batman« in der Rua Coutinho, bekannt für seine großen Graffiti an Wänden und Decke, saß an einem Tischchen Bob Olufunmilayo, der nigerianische Waffenhändler. Er trank einen Brandy mit Soda, hatte die langen Beine übergeschlagen, und jeder Passant hätte ihn für einen glücklich-entspannten Touristen, vielleicht sogar für einen *Paulistano* gehalten.

Olufunmilayo hatte ein sehr kleines Fernglas in seiner Hemdtasche, ab und zu führte er es unauffällig an die Augen. Er beobachtete die Wohnung im zweiten Stock des alten Hauses gegenüber. Bykow hatte diese Wohnung angemietet, und ohne dass der Russe davon wusste, hatte Bob sie verwanzt – er hielt sich gern auf dem Laufenden darüber, was seine Geschäftspartner taten, redeten.

Bisher lief alles nach Plan.

Olufunmilayo würde den Brasilianern, wenn alles klappte, eine erkleckliche Anzahl der neuen YU-73 liefern, ultraschnelle und raketengetragene Gefechtsköpfe. Zhiming ließ in der Programmierung noch einige Modifikationen vornehmen – die YU-73 würde für die Brasilianer selbst etwas unkontrollierbarer und damit verheerender sein.

Es kam einfach darauf an, möglichst viel Unheil anzurichten. Darin war Olufunmilayo ein Experte.

Jetzt beobachtete er, wie ein kleiner Kerl, weiß gekleidet, eine Platte, wahrscheinlich eine Grillplatte, auf den Balkon bugsierte, in der Ecke alles aufstellte, wartete. Er trug eine Art Kochmütze.

Wenig später kamen zwei Chinesen auf den Balkon, zwei von Zhimings Leuten, sie standen da und rauchten jeder zwei Zigaretten. Mit dem Koch sprachen sie nicht, sie konnten ihn wahrscheinlich gar nicht sehen, er stand auf der anderen Seite des Balkons.

Kein Grund zur Besorgnis. Chinesen sprachen ohnehin nicht mit Köchen oder Dienstboten.

Seltsam war nur, dass der Koch noch eine Weile dortblieb, aber nichts tat. Er hatte eine Grillplatte aufgebaut, aber er grillte nichts. Olufunmilayo führte sein Fernglas ans Auge: Der Kerl war klein und auf traurige Art hässlich, fand Olufunmilayo, und er stierte vor sich hin. Merkwürdig.

Olufunmilayo hatte vier Leute, die hier in São Paulo für ihn arbeiteten. Er griff zum Handy.

Sonntag, 13. April 2025
São Paulo, Brasilien

Eines der Wegwerfhandys, mit denen Bob Olufunmilayo operierte, klingelte. Olufunmilayo hatte den Anruf erwartet.

»Ja?«

Es war einer der Leute, die Olufunmilayo engagiert hatte, um seine Geschäftspartner zu überwachen. Gestern hatte er einen Mann auf diesen Caterer abgestellt, an dessen Verhalten ihm irgendwas nicht gefallen hatte. Und offenbar hatte sein Instinkt ihn nicht getrogen.

»Er ist jetzt zuhause. Aber es war ein einziges Herumgefahre. Als wäre jemand hinter ihm her. Dabei hat ihn, außer mir, niemand verfolgt. Hier habe ich die Liste: aus Rua Coutinho die Avenida Gualter nach Norden, dann auf die BR 116 nach Westen, auf der 374 stadtauswärts, auf der SP 021 Richtung Süden, dann auf der Rua Pais abgebogen Richtung Osten. Dann Avenida Brasil, dann auf die Alvares Cabral, dann wieder auf die Bandeirantes …«

»Ja, schon gut. Hatte er irgendein Ziel? Ist er ausgestiegen? Hat er irgendwen getroffen?«

»Nein. Er hat nur angehalten, um zu tanken. Er wirkte, selbst beim Tanken, fahrig und ängstlich. Er ist verrückt, glaube ich. *Louco*. Warum fährt einer nach der Arbeit die ganze Nacht im Auto herum – ohne Ziel, ohne Sinn? Warum macht einer das?«

»Aus Angst«, sagte Olufunmilayo.

Montag, 14. April 2025

Brasilia, Brasilien, 1000 Kilometer von São Paulo entfernt

Sofia Della Bettemcour, Geheimdienst-Abteilungslei-
terin im Rang einer Majorin, saß hinter ihrem Schreibtisch, nippte an ihrem Kamillentee und versuchte, eine
Entscheidung zu treffen. Sie musste sich relativ schnell
entscheiden in einer relativ komplizierten Sache.

Es gab eine Anfrage über einen Mittelsmann in der
russischen Botschaft hier in Brasilia. Zwei hochrangige
Regierungsleute, ein Russe, ein Chinese – Männer aus
zwei Ländern, mit denen man gerade auf einen Krieg
zusteuerte – wollten sie, Sofia Della Bettemcour, gerne
treffen. Sehr seltsam. Sofia Bettemcour hatte ein erstes
Dossier über die beiden vor sich, sie hatte es schon zweimal gelesen; der Chinese war ein gewisser Dr. Zhiming,
Vizeminister und IT-Experte, angeblich so etwas wie ein
mathematisches Wunderkind, was ihr Interesse weckte.
Der Russe war ein hochrangiger Militär. Beide standen in der Hierarchie also deutlich über Sofia, die eine
schlichte Bereichsleiterin war in der »Agência Brasileira
de Inteligência«, kurz: ABIN.

Die ABIN-Zentrale befand sich in der Hauptstadt
Brasilia, die Zahl der Mitarbeiter schwankte um 3000,

eine sehr bescheidene Zahl, sogar kümmerlich zu nennen im Vergleich zu den Chinesen und Russen, deren Dutzende von Diensten das Zweihundert-, Dreihundertfache an Personal besaßen. Wenn man es freundlich ausdrücken wollte, war die ABIN ein Boutique-Geheimdienst, niedlich, altmodisch, fast schon rückständig. Dass Sofia – als Frau – es zur Bereichsleiterin geschafft hatte, galt als Sensation. Die anderen drei Bereichsleiter waren zwei Oberstleutnants und ein Oberst. Ihre Beförderung wurde immer wieder verschoben.

Das Ausbildungsniveau, fand Sofia, war lausig. Die Männer in den unteren Rängen, zumeist Rekrutierungen aus dem Polizeidienst, waren zwar körperlich äußerst fit, brachten Einsatz, waren aber nur in Ausnahmefällen intelligent. Sie wollten am liebsten über Autos hechten und in Wohnungen stürmen und an Hausfassaden emporklettern; wenn sie keine Gelegenheit dazu bekamen, wurden sie mürrisch und brutal – ständig musste die Innenrevision Übergriffe vertuschen, ein Auge zudrücken.

In den Offiziersrängen gab es einige junge Männer, die theoretisch das Zeug zu mehr gehabt hätten. Universitäts-Absolventen aus der oberen Mittelschicht, technisch gewandt, mehrsprachig; doch sie wurden ziemlich schnell angesteckt von dem allgemeinen wichtigtuerischen Machismo, der in der »Agência« herrschte, und entwickelten alberne Playboy- und James-Bond-Allüren.

Sofia Della Bettemcour war anders, immer gewesen. Sie war stets das Kind gewesen, das hinter die Dinge blicken wollte – aus eigenem Antrieb. Als sie zu Weihnachten eine Puppe geschenkt bekommen hatte, inklusive Frisierset und zwei Garnituren, eine Puppe, die weinte, wenn man sie hinlegte, und gluckste, wenn man sie hinsetzte, hatte sich die kleine Sofia sehr darüber gefreut und noch am selben Abend das Spielzeug sorgfältig auseinandergebaut, bis sie den kleinen Mechanismus offengelegt und verstanden hatte.

Das hatte sie selbst zutiefst befriedigt, ihre Eltern weniger.

Ihre Mutter, Geschichtslehrerin, war entsetzt gewesen. Ihr Vater, ein Ingenieur, hatte sie allerdings in Schutz genommen. Dann hatte er einen Schraubenzieher geholt und mit Sofia das Ding wieder zusammengesetzt, damit sie fürderhin wie ein braves Mädchen die Puppe ankleiden und frisieren konnte. Was nie geschah, das Interesse war erloschen.

Die Arbeit im Geheimdienst, nicht *field-work*, sondern Analyse und Recherche, war für Sofia, als sie anfing, die Erfüllung gewesen. Hier bekam sie immer neue Fragen, seltsame Rätsel vorgesetzt, die sie systematisch lesend, kühl analysierend lösen konnte. Hierin war sie von einer rücksichtslosen Leidenschaft, rücksichtslos auch gegen sich selbst. Man sah es ihr freilich nicht an.

Äußerlich war Sofia Della Bettemcour mittlere Mittelklasse. Mittelgroß, mittelalt, mittelhübsch. Sie kleidete sich nicht nachlässig, aber irgendwie mittelmäßig-unauffällig, sie nahm von den drei angebotenen Gerichten in der Kantine immer die Nummer zwei, ihr Auto war ein Mittelklasse-Honda in einem irgendwie mittelhellen Beigeton.

Sie nahm ihr Telefon ab, ihre Sekretärin Claudia meldete sich.

»Ist das ›Anjos‹ aus irgendeinem Grund heute belegt?«

»Ich werde nachsehen. Soll ich ein Team reservieren?«

»Höchstens einen Mann. Aber ich bin noch nicht sicher, ob ich hingehe. Haben wir noch mehr über diesen Russen und diesen Chinesen bekommen?«

»Nein, das war es. Sorry. Ich sag gleich Bescheid wegen des ›Anjos‹, okay?«

Sofia legte auf. Das »Anjos e Demônios«, Engel und Dämonen, war ein Nachtclub mit angeschlossenem Bordell der unteren Kategorie. In einem Hinterzimmer hatte die »Agência« vor einigen Jahren einen *Saferoom* eingerichtet, abhörsicher und getarnt. Sie hatten den Laden einem Zuhälter abgenommen, der sich mit Drogen etwas zu sehr verzockt hatte, sie hatten den Mann ins Gefängnis gesteckt, gründlich gebrochen, ihn dann auf Bewährung entlassen und als Strohmann eingesetzt.

Das Ganze war Sofias Idee gewesen, und es funktionierte. Um die Fassade zu wahren, durfte der Zuhälter seine Frauen zwar herumkommandieren, aber nicht schlagen, es gab drei Dutzend Kameras im »Anjos«. Auch die Abrechnungen gingen sämtlich über Sofias Schreibtisch. *Das ist meine Art von Humor*, dachte sie manchmal.

Ansonsten war sie in der »Agência« berüchtigt für ihre emotionslose Tüchtigkeit, ihre kühle Intelligenz und Entschiedenheit, sobald ihr jemand in die Quere kam. Sie wollte nicht geliebt werden, und das war ihr durchaus gelungen. Sie wollte Rätsel lösen.

Ihr Telefon klingelte, Claudia, die Sekretärin, war

dran. »Das ›Anjos‹ ist frei, keine Reservierung die nächsten Tage.«

»Gut.« Sie traf eine Entscheidung. »Ich nehme es, wahrscheinlich für heute, früher Abend, brauche aber nur einen Mann. Ich mache den Termin selbst. Und sage noch Bescheid.«

Sie legte auf und schloss die Augen. *Senhor Zhiming und Senhor Bykow,* dachte sie, *ihr bastardos, was wollt ihr von mir?*

Was wollt ihr wirklich von mir?

Montag, 14. April 2025, am späten Abend
Brasilia, Brasilien

Das Taxi, ein schmutziger Fiat Tipo, bog in eine kleine Querstraße, in die Rua Qualter. Ein Industrieviertel mit kleinen Betrieben, eine Lackiererei, eine Verzinkerei, eine Firma für Rollladenbau, dazwischen viele Brachgrundstücke. Der Fahrer fuhr zügig, offenbar kannte er sich hier aus.

»Mais três minutos«, noch drei Minuten. Er drehte sich kurz zu den beiden Fahrgästen um. *Komische Typen,* dachte er, *aber auch komische Typen werden mal geil.*

Die Typen waren Bykow und Dr. Zhiming, und dieses Treffen war der nächste Schachzug in ihrem Plan. Sie hatten als Kontaktperson nach langem Beratschlagen Sofia Bettemcour ausgesucht, sie war von der Hierarchiehöhe richtig und würde, falls sie misstrauisch war, beim Präsidenten nicht viel Gehör finden. Außerdem stand sie nicht im Ruf, lange zu zögern – sie würde ihre Information, wie es Dienstweg und Pflicht vorschreiben, schnell weitergeben. Bei den anderen drei Bereichsleitern im Apparat konnte man nicht sicher sein.

Sie waren mit perfekten Pässen nach Brasilien eingereist, über Lima und Buenos Aires. Zwar gab es – noch –

265

keine Ausweisungen oder Internierungen für Chinesen, Russen, Amerikaner, doch das war nur eine Frage der Zeit. Die Botschaften wurden bereits wechselseitig aufgelöst. Bis auf eine Notbesetzung, den Botschafter, seinen Militärattaché und ein kleines Team, das in den Kellern die Schredder bediente, waren die meisten Botschaftsangehörigen ausgeflogen worden.

Dr. Zhiming hatte einen japanischen Pass – damit kam er bei Einreise, eventuellen Kontrollen und im Hotel durch. Bykow hatte einen polnischen Pass.

Das Taxi hielt vor einem Bau mit einem rot blinkenden Schriftzug: »Anjos e De_ônios«, verkündete die Neonreklame, das »m« fehlte. Neben der Schrift die ungelenke Silhouette einer Frau mit erhobenen Händen.

Bykow und Zhiming stiegen aus. Einen Moment waren sie überrascht. »Ein Stripschuppen«, sagte Bykow, »hm, wie originell.«

»In der Tat«, sagte Zhiming.

Der Eingang wurde von einem vierschrötigen Türsteher mit fast nahtlos tätowierten Armen bewacht. Es gab keine Tür, nur einen dunkelroten Vorhang. Der Türsteher hatte die beiden Männer offenbar erwartet, er schlug für sie den schweren Vorhang beiseite und machte eine einladende Handbewegung. Dröhnende Musik von innen. Bykow und Zhiming traten ein.

Das Lokal war ein schmaler Kasten, fensterlos, schummerig und warm. Geruch nach Schweiß, Zigarettenrauch, feuchtem Teppich, billigem Parfüm. Bykow zählte nicht mehr als fünf oder sechs Gäste, die, eher müde, einzeln herumsaßen, auf die Bühne starrten und an ihren Bierflaschen nippten. Zwei Frauen in Unterwäsche hockten am Tresen, dahinter war eine Batterie von allerlei Brandy-, Cognac- und Whiskyflaschen, die meisten allerdings leer und angestaubt. In der Mitte des Etablissements befand sich die Bühne, sie war kreisrund, auf der sich lustlos drei Frauen bewegten. Sie waren nackt bis auf ihre Stöckelschuhe. Die Musik, brasilianischer Synth-Pop, war dröhnend laut.

Niemand beachtete sie. Sie standen einfach da.

Bykow verlor als Erster die Geduld.

»Originelle Idee, sich hier zu unterhalten«, Bykow brüllte gegen die Musik an. »Will sie uns beleidigen?«

Zhiming zog bedauernd die Schultern hoch, deutete mit dem Zeigefinger auf sein Ohr.

Doch dann stand der Türsteher vor ihnen, machte eine Geste, ihm zu folgen. An der schmalen Rückseite des Raumes legte er einen Hebel um, der einrastete. Ein Schrank glitt zur Seite, eine niedrige Stahltür schwang nach innen auf. Der Türsteher nickte, deutete mit dem Daumen.

Zhiming ging vor, Bykow duckte sich unter dem Türsturz hindurch.

Die Stahltür schwang hinter ihnen zu, mit leisem Klicken. Ein Vorraum, dahinter ein Zimmer. Es war leer bis auf einen niedrigen Tisch in der Mitte, auf dem eine Wasserkaraffe mit drei fleckigen Gläsern stand. Dann gab es noch drei Klappstühle. Auf einem saß Sofia Della Bettemcour und nickte ihnen ernsthaft zu.

In ihr arbeitete es bereits.

Sie waren tatsächlich gekommen, dachte sie. Und es

waren auch tatsächlich jene hochrangigen Männer Bykow und Zhiming, sie erkannte ihre Gesichter aus den
Dossier-Fotos. Gut. Sie waren gekommen, auch nicht
gleich umgedreht, als sie die kleine, bewusste Düpierung
des Striplokal-Entrées registrierten – also war es ihnen
ernst mit ihrem Anliegen. Sie waren zu zweit gekommen,
also trauten sie einander nicht. Sie baten nicht um Hilfe.
*Sie wissen, dass ich ihnen nicht einfach so helfen werde.
Ohne dass sie mir etwas anbieten.*

Also hatten sie irgendwas anzubieten. Sie wollten
dafür jedoch kein Geld – denn sie wussten wiederum,
bei ihrem Zugang zu Informationen, dass der Etat der
»Agência« lächerlich niedrig war, das Risiko wäre viel zu
hoch. Kamen sie im Auftrag ihrer Regierungen? Aber
warum dann diesen Weg wählen, warum diese beiden
Männer?

Oder kamen sie ohne Wissen ihrer jeweiligen Regierungen? Das würde die Kontaktaufnahme erklären, das
würde erklären, dass sie offenbar ein Angebot machen
wollten. Und sie hatten sich sie, Sofia, ausgesucht. Auch
das war kein Zufall, denn ihr Angebot, ihre Information
sollten schnell und zuverlässig behandelt werden. *Sie haben es also eilig. Interessant. Mal sehen.*

Sofia deutete auf die beiden Klappstühle.

Hinter alldem steckt ein Muster, dachte sie. *Wenn man
die Teile richtig zusammenfügt, sieht man das Muster.*

Bykow und Zhiming setzten sich.

»Welche Ehre, meine Herren, Marschall Bykow, Dr.
Zhiming, Sie hier in Brasilia begrüßen zu dürfen, auch
wenn die Beziehungen unserer Länder gerade keineswegs

zum Besten stehen ...« Ihr Englisch war akzentfrei, allenfalls etwas melodiös gefärbt durch ihre portugiesische Muttersprache. »Ich darf annehmen, dass dies eine Art halboffizieller Besuch ist, im Auftrag ihrer jeweiligen Regierungen ...?« *Kommen wir doch gleich zur Sache,* dachte sie.

»Nein, diese Unterhaltung sollte einen privaten Charakter haben.« Bykow übernahm das Reden, Dr. Zhiming nickte. »Wir sind gekommen, weil wir mit Sorge sehen, wie ihr Staatschef die Situation immer mehr eskalieren lässt ...«

Sofia unterbrach ihn.

»Brasilien lässt die Situation eskalieren? Ach. Wie seltsam. Mir schien es in den vergangenen Tagen, dass eher die Allianz unser Land erpresst, bedroht, dass die Allianz Vorbereitungen für einen illegalen Angriff trifft, einen Angriff, der durch nichts und keine Institution gerechtfertigt ist ...«

»Schon richtig«, Bykow hob die Hand. »Darüber müssen wir nicht diskutieren. Wir sind gekommen, um Ihnen zu sagen, dass Ihr Präsident gut beraten wäre, wenn er weiterhin auf Verhandlungen besteht. Denn das ist es, was vernünftigerweise auch unsere Staatschefs in Wahrheit wollen.«

»Krieg ist nur die letzte und schlimmste Möglichkeit«, sagte Dr. Zhiming sanft. »Die Spielräume für Verhandlungen sind lange nicht ausgeschöpft, das wissen auch unsere Führer in ihrer Weisheit. Sie sind nicht willens, gleich morgen zuzuschlagen ...«

»Wir glauben an die Intelligenz unserer Staatschefs

und ihrer Berater. Es wäre vielleicht angeraten, eine Drohgebärde einzunehmen, aber nicht gleich einen Krieg folgen zu lassen«, sagte Bykow. Er sprach jetzt langsam und hob die Stimme. »Ich wiederhole: Was bedauerlicherweise geschieht, das sind Drohgebärden, ein Bedrohungs-Szenario. Es ist ein – wenn auch unschönes – Mittel der Politik. Aber solche Ankündigungen und Szenarien hat es schon oft gegeben, ohne dass es zum Krieg kam.«

Jetzt schwiegen sie. Sofia war die Erste, die das Wort ergriff.

»Wollen Sie andeuten, die Kriegsdrohung ist eine Art von Szenario ohne Absicht, ein Bluff …?«

»So könnten Sie es deuten«, sagte Zhiming.

»Darf ich fragen, warum Sie diese Information an meinen Präsidenten lancieren wollen? Begehen Sie damit nicht eine gewisse Illoyalität?«

»Wir wollen – im Namen vieler Menschen in unseren Ländern – den Krieg auf jeden Fall vermeiden. Wir wollen die Situation entschärfen. Wenn Ihr Präsident weiß, dass unsere Position nicht unverrückbar ist, wird auch er deeskalieren. Er wird aus seiner Ecke kommen, und man wird wieder miteinander reden, verhandeln, Soldaten müssen nicht sterben, Menschen nicht leiden. Sehen Sie, ich bin ein alter Soldat. Niemand weiß besser als ein Soldat, wie hart der Tod auf dem Schlachtfeld sein kann …« Bykow räusperte sich, sie fiel ihm schwer, diese geheuchelte Freundlichkeit.

Wenn ich unserem Präsidenten von diesem Besuch erzähle, dann wird er sich umso mehr in Pose werfen und

270

große Töne spucken, dachte Sofia. *Dann wird er keineswegs verhandlungsbereit sein. Aber wisst ihr das, ihr* bastardos?

Laut sagte sie: »Die, nun ja, kriegerische Rhetorik, die die Allianz anschlägt, eskalierend anschlägt, wie ich betonen darf, ist lediglich – Rhetorik? Nur eine Drohung, hinter der letzten Endes dann doch Verhandlungsbereitschaft steht? Die Drohungen sind also gleichsam nicht ernst gemeint?«

»Wir wollten nur ausdrücken«, sagte Zhiming, »dass wir denken, dass Ihr Präsident all das ohnehin weiß. Er ist ein so charismatischer und weiser Staatsmann. Er weiß, dass sich hinter Rhetorik oft Verhandlungsbereitschaft verbirgt. Wir sind nur gekommen, um ihn in diesem Urteil – etwas – zu bestärken.«

»Die Allianz blufft?« Sofia wurde schärfer im Ton. »Die Allianz ist ein Hund, der bellt, aber nicht beißen wird? Das ist die Botschaft dieses Besuchs?«

Bei »Hund« war Dr. Zhiming zusammengezuckt, Sofia hatte es gesehen. Bykow nicht, nur seine Augen wurden eine Nuance kälter. Er nickte.

»Das ist die Botschaft«, sagte er, »überbracht von zwei Männern, die einen sinnlosen Krieg zwischen unseren Völkern vermeiden wollen.«

Schweigen.

»Wenn Sie das Wort ›Hund‹ vielleicht vermeiden könnten, falls Sie mit Ihrem geschätzten Präsidenten sprechen«, sagte Dr. Zhiming.

Die beiden Männer erhoben sich.

Sofia drückte auf einen Knopf unter dem Tisch. Die Tür ging auf, da war wieder der tätowierte Türsteher.

»In Brasilia haben wir durchaus auch ein Nachtleben zu bieten, meine Herren«, sagte Sofia Della Bettemcour zuckersüß. »Es kann natürlich nicht mit dem Nachtleben in Moskau oder Peking mithalten, denke ich, aber Sie werden gleich einige schöne Frauen sehen ... Wenn Sie noch einen Drink nehmen wollen?«

»Nein danke«, sagte Dr. Zhiming.

Bykow ging einfach, im Vorbeigehen rempelte er den Türsteher etwas an.

Dienstag, 15. April 2025

Hotel »Royal Tulip Alvorada«, Brasilia, Brasilien

Die Residenz des Präsidenten trägt den poetischen Namen »Palácio da Alvorada«, Palast der Morgenröte, und sie liegt auf einer Halbinsel des Paranoá-Sees, etwas außerhalb von Brasilia. Wie die artifizielle Hauptstadt Brasiliens ist auch der Palast ein Werk des berühmten Architekten Oscar Niemeyer: ein riesiger Kubus aus Glas und Marmor, gehalten von weißen Betonplatten, rhythmisch gegliedert von geschwungenen Arkaden.

Gegenüber dem Präsidentenpalast liegt das Hotel »Royal Tulip Alvorada«, fünf Sterne, das auf seine Nachbarschaft zum Staatsoberhaupt nicht wenig stolz ist. Im Park des »Alvorada« gingen an diesem Dienstagmorgen zwei ungleiche Männer spazieren.

»Warum sind wir eigentlich hier, warum haben Sie dieses Hotel ausgesucht?« Es war Bykow, der fragte.

»Weil wir den Palast des Präsidenten vor unseren Augen haben. Da wir so eifrig daran arbeiten, Batista ins Verderben zu schicken, fand ich, es sei eine hübsche Ironie, unsere kleine Besprechung ausnahmsweise hier abzuhalten, gleichsam von Angesicht zu Angesicht«, erwiderte Dr. Zhiming.

273

»Was meinen Sie mit Angesicht? Wir wissen nicht mal, ob Batista gerade im Palast ist. Vielleicht ist er in São Paulo oder sonst wo …«

»Es war mehr metaphorisch gemeint.« Dr. Zhiming wechselte das Thema. »Glauben Sie, sie hat angebissen?«

»Sie ist skeptisch. Und vorsichtig. Sie sieht einfältig aus, aber sie ist es nicht. Doch egal, was sie privat denkt – sie muss dem Protokoll folgen und die Information an den Präsidenten weitergeben. Und Batista sieht zwar smart aus, ist aber dumm wie ein Stein im Wald. Er wird es glauben, weil er es glauben will.«

»Dann wird er seine Politik des Widerstands fortsetzen?«

»Er wird sie sogar forcieren«, sagte Bykow. »Sie hätten sich die Idee mit dem Präsidentenpalast von mir aus schenken können.«

Er wandte sich dem Hotel zu.

»Batista ist Geschichte. Sein Land ebenfalls.«

Mittwoch, 16. April 2025

»Spiegel-Online«

Schwindende Hoffnung

Medien melden US-Truppenbewegungen in Kolumbien und Paraguay/Flugzeugträger auf dem Weg nach Brasilien/Deutsche Regierung bereitet sich auf »worst case« vor

Hamburg, Washington, Bogotá, Brasilia, 16.04.2025 – Die Umklammerung der Klima-Allianz um Brasilien wird immer drückender: Nachdem sich in den vergangenen Wochen die Anzeichen verdichtet hatten, dass die drei Großmächte USA, China und Russland eine militärische Intervention in dem südamerikanischen Land vorbereiten, liegen jetzt auch gesicherte Informationen über US-Truppenbewegungen auf Stützpunkten in Kolumbien vor.

Wie die Tageszeitung »El Tiempo« mit Verweis auf die Regierung in Bogotá berichtet, seien US-Truppen auf fünf der zehn US-Stützpunkte gelandet. Die Truppenstärke blieb unbekannt.

Auch aus Paraguay berichteten mehrere Medien

übereinstimmend, dass es auf dem Militärflughafen Mariscal Estigarribia im zentralen Norden des Landes zu Aktivitäten gekommen sei. US-Flugzeuge vom Typ C-5 Galaxy und B-52-Bomber seien dort gelandet, US-Truppen hätten das Kommando übernommen. Insgesamt können auf dem Stützpunkt 16000 Soldaten untergebracht werden. Unbestätigten Quellen zufolge sollen mittlerweile auch die beiden US- und der chinesische Flugzeugträger Kurs auf Brasilien genommen haben.

Militärexperten gehen davon aus, dass es sich um einen Truppenaufmarsch handelt, um Brasilien in die Knie zu zwingen. »Es sieht alles danach aus, dass wir es hier mit Vorbereitungen für den Kriegsfall zu tun haben«, so Dr. Peter Käffchen vom Institut für Friedensforschung und Sicherheitspolitik.

Aus dem Kanzleramt ist zu hören, dass man sich auf den »worst case« vorbereite, so ein Mitarbeiter aus dem Referat Sicherheitspolitik. Noch würden sämtliche Versuche unternommen, dabei zu helfen, die Konfliktparteien an einen Tisch zu bekommen und die Krise beizulegen. Der Mitarbeiter: »Die Hoffnung schwindet aber von Stunde zu Stunde.«

Mittwoch, 16. April 2025

Palast des Präsidenten, Brasilia, Brasilien

Sie hatte zwei Tage warten müssen, bis der Präsident Zeit für sie hatte. Heute Abend endlich durfte sie zu ihm. Kommen Sie, hatte es geheißen, aber bringen Sie Zeit mit.

Jetzt saß sie im Wartezimmer des Präsidentenpalastes, in der »Morgenröte«, und wartete. Vor zwei Tagen hatten Bykow und Zhiming sie aufgesucht, seit zwei Tagen schob sie die Puzzlestücke hin und zurück und suchte nach dem Muster.

Muster waren Sofias Leidenschaft – es gab sie überall, in Tapeten, in der Mathematik, es gab die Fibonacci-Folge, die Mandelbrot-Mengen und Pascal'schen Dreiecke, es gab Muster in Klängen und Geräuschen, in der Musik, in der Natur, Wellen, Dünen, Rippen am Strand –, vor allem gab es auch Muster im Verhalten von Menschen, die etwas verbergen wollten und nur scheinbar »zufällige« und nicht nachvollziehbare Entscheidungen trafen, dabei genaue Motivations- und Bewegungsbilder lieferten.

Wenn Eltern zum Beispiel für ihre Kinder Ostereier oder Schokoladenhasen versteckten, so entschieden sie sich nicht einfach »zufällig« für bestimmte Verstecke, sondern folgten einem unbewussten Muster des Vaters, der Mutter. Und es war gleichgültig, ob die Eier in einem Garten oder in einer kleinen Wohnung versteckt wurden: Die Versteck-Wege beschrieben dabei oft Spiralen, und nach einem schwierig aufzufindenden Versteck, im Schrank hinter einem Buch, folgten stets zwei gutmütig leichte Verstecke, am Fuß der Stehlampe etwa, in einem Schuh. Dann wieder ein sehr kniffeliges.

Die Muster unterschieden sich, aber meist nur graduell. Die Kinder, jubelnd und mit roten Wangen auf der Suche nach den Süßigkeiten und Eiern, suchten intuitiv nach den Strukturen, sie versetzten sich unbewusst in das Denk- und Versteck-Muster ihrer Eltern hinein – das Ganze war auch eine Schule der Empathie, der Kommunikation.

Sofia Della Bettemcour hatte sich auch mit dem Versteck-Muster des Ehepaars Hampel beschäftigt. Im Berlin der Nazizeit hatten Elise und Otto Hampel über vier Jahre, von 1940 bis 1944, selbstgefertigte Postkarten-Flugblätter gegen die Nationalsozialisten in Hausfluren deponiert – mit Aufrufen zum Widerstand. Sie waren in großer Heimlichkeit vorgegangen, um nicht entdeckt zu werden, und sie hatten die Orte, Häuser, Flure, zumeist im Stadtteil Wedding, wo sie ihre Botschaften deponierten, immer neu und, wie sie dachten, intuitiv und »zufällig« ausgewählt. Tatsächlich aber steckte hinter ihrem Gefühl für Zufall ein Muster.

Am Ende wurden sie entdeckt und hingerichtet – immerhin aber hatten sie die Gestapo vier Jahre lang genarrt. Mit den Mitteln der Mustererkennung hätten die Verfolger die Fundorte der Hampels nur psychologisch triangulieren müssen: Man hätte einen Straßenzug im Wedding definiert, in dem niemals die Widerstandsbotschaften ausgelegt wurden, und genau in der Mitte lag das Mietshaus mit der kleinen, dunklen Wohnung, in der Elise und Otto Hampel nachts bei zugezogenen Vorhängen ihre Postkarten schrieben.

Sofias Sympathie galt natürlich dem tapferen Ehepaar; ihr Interesse indes galt der mathematischen Seite an der Geschichte, vor allem den Hidden Markov Models. Mustererkennung war ein Zweig der Mathematik, und es gab hervorragende Programme, um scheinbare Zufälligkeiten zu strukturieren, zu modellieren; aber wann immer sie ihren Chef davon zu überzeugen versuchte, winkte er ab.

Als Bereichsleiterin der »Agência« konnte Sofia jederzeit, indem sie auch ihren Chef informierte, um einen Termin beim Präsidenten nachsuchen – ohne Begründung. Sie musste, wenn diese Einschätzung vorlag, bei relevanten Informationen direkt zum Staatsoberhaupt gehen, so lautete die Dienstvorschrift.

Sofia saß aufrecht. Drei unterschiedliche Sessel standen in dem Warteraum, sie hatte sich den mittleren ausgesucht. Auf einem Tisch lagen Zeitungen, die Titelseiten überschlugen sich in Hysterie und Vor-Kriegsberichterstattung.

Versuchen wir es noch einmal mit Logik, dachte Sofia Della Bettemcour.

Zwei unterschiedliche Männer, ein Russe, ein Chinese –

es ist möglich und nicht unplausibel, dass sie sich kennenge-
lernt haben. Die Allianz hat inzwischen eine ganze Reihe
von gemeinsamen Arbeitskreisen, Vernetzungen. Die beiden
sind der Linie ihrer Staatschefs nicht treu ergeben; sie stehen
in einer gespannt-kritischen Distanz, das war deutlich. Sie
hinterlassen eine beruhigende und beschwichtigende Infor-
mation: Ihre eigene Allianz blufft und ist nicht zum Äu-
ßersten entschlossen. Vorgeblich wollen sie, dass von uns der
Druck genommen wird und Batista an den Verhandlungs-
tisch zurückkehrt, Zugeständnisse macht, alles sich wieder
einrenkt.

Sie rief sich, zum wiederholten Mal, die Unterhaltung im »Anjos e Demônios« ins Gedächtnis.

Sie können hochrechnen, dass Batista sich zunächst in
Pose wirft, dies als seinen Sieg verbucht, dann aber erleich-
tert nachgibt. Militärisch haben wir keine Chance, das weiß
Batista. Außer – es gibt etwas, was Batista weiß, von dem
die Männer ebenfalls wissen, ich aber nicht. Dann kann ich
das Muster nicht lösen, was ärgerlich ist.

»Senhora Diretora, bitte folgen Sie mir.«

Zwei Bodyguards des Präsidenten geleiteten sie den
Gang hinunter zu einem Fahrstuhl, die Fahrstuhltür
stand offen. »Drücken Sie bitte minus drei, Senhora Diretora. Der Präsident ist bereits unten.«

Sofia betrat die kleine Fahrstuhlkabine, drückte die
Taste, die Tür schloss sich, der Fahrstuhl glitt abwärts.
Das Untergeschoss war nachträglich eingezogen worden,
um einen *Saferoom* für den Präsidenten und das Kabinett
zu schaffen. Hier lagen auch einige abhörsichere Räume,
über einem brannte eine rote Lampe.

Sofia trat vor die Tür, schob ihr rechtes Auge an einen Netzhaut-Scanner, kurz darauf surrte die Tür auf, schloss sich wieder. In dem Raum befand sich ein einziger Stuhl, darauf saß der Präsident.

Sofia blieb in respektvollem Abstand davor stehen.

»Was gibt es?« Arturo Batista hatte eine weiche, volltönende Stimme, jetzt klang er etwas heiser, er hatte viel, viel reden müssen, selbst für seine Verhältnisse.

»Herr Präsident, ich hatte vor zwei Tagen, gegen Abend, ein Treffen mit zwei hochrangigen Regierungsvertretern Chinas und Russlands – es war inoffiziell und nicht legitimiert von Peking oder Moskau. Natürlich habe ich die Männer überprüft: Sie waren die, die sie zu sein vorgaben. Sie würden, sagten sie, aus dem Wunsch heraus handeln, eine kriegerische Konfrontation zu verhindern ...«

»Und worin bestand die Information?«

»Die Information lautete: Der Aufmarsch der Allianz ist eine Drohgebärde. Die G3 sind nicht zum Krieg bereit. Sie wollen verhandeln. Sie wollen, dass Sie, Herr Präsident, an den Verhandlungstisch zurückkehren.«

»Was? Das ist eine interessante Neuigkeit! Vor zwei Tagen? Verdammt, warum kommen Sie damit erst jetzt?«

Sofia Della Bettemcour sagte nichts.

»Es ist jedenfalls interessant ... Dieser ganze Aufmarsch, das Embargo, die Bedingungen für den verdammten Regenwald – das war alles möglicherweise nur Show? So ein Aufwand, nur, um uns zu demütigen, um eine Weltregierung zu installieren? Aber ich werde darüber nachdenken. Wir werden diese, äh, Möglichkeit prüfen. Aber das eine kann ich jetzt schon sagen – Brasilien ist kein Hinterhof, keine Bananenrepublik. Nun ja. Spannende Neuigkeiten sind das. Seit zwei Tagen haben Sie diese Information? Wie lange gedachten Sie noch zu warten? Warum sind Sie nicht sofort zu mir gekommen ...?«

Er stand auf, begann auf und ab zu gehen. Er wusste, dass es Unsinn war, was er sagte, sie hatte vor zwei Tagen um diesen Termin gebeten, er hatte sie hingehalten. Aber so war er eben. Ein Staatsmann, der auch mal ungerecht ist. Es machte ihm Spaß. Wahre Größe, dachte er, schließt auch ein gewisses Maß an Despotie und Ungerechtigkeit ein.

Sofia widersprach nicht, sie blieb genau dort stehen, wo sie stand.

»Man muss natürlich, Herr Präsident, die Möglichkeit überprüfen, überdenken, dass es sich um eine gezielte Fehlinformation handelt. Wenn ich auch nicht weiß, warum. Aber es könnte ...«

»Jaja. Ich danke Ihnen. Ich werde mich beraten. Ihr vollständiger Bericht liegt ja vor, richtig? Gut. Aber die Information ist interessant ...«

Er glaubt es, weil er es glauben will, dachte Sofia bekümmert. *Ein sehr schlichtes Muster.*

Laut sagte sie: »Die Herren äußerten die Idee, dass man jetzt, gleichsam entspannt, da die Drohgebärde als Gebärde entlarvt wurde, wieder aufeinander zugehen würde. Sie betonten, dass Brasilien in einer militärischen Konfrontation sehr schlecht beraten wäre ...«

»Ja, das betonten die Herren? Warum kümmern sich

282

die Chinesen und die Russen nicht um ihre eigenen Angelegenheiten, ihre eigenen Öko-Sünden? Warum müssen sie ihren heiligen Feldzug bei uns Brasilianern starten? Weil wir das Exempel sind. Wir werden stellvertretend für Indien, Afrika, Europa gedemütigt, dann werden die anderen Nationen schon nicht aufbegehren. Aber wissen Sie was?«

Er hielt inne. Sofia sah ihn fragend an. Batista senkte die Stimme. »So schwach sind wir gar nicht. So schutzlos sind wir nicht. Wir sind durchaus im Besitz von Waffensystemen, die empfindliche – hören Sie? –, *empfindliche* Schläge austeilen können. Wir sind keine Supermacht, aber wir haben durchaus Verbindungen …«

»Neue Waffensysteme?« Sofias Stimme klang leichthin.

»Ja, neue Systeme. Sehr schlagkräftige Waffen. Ein Geschenk Gottes an uns Brasilianer. Aber davon wollte ich nicht reden. Was ich sagen wollte: Es ist Brasiliens Pflicht, diesem neuen Kolonialismus ein klares Nein entgegenzuschleudern. Es ist *unser* Regenwald. Unsere Verantwortung. Und ich werde mich natürlich darum kümmern, zu gegebener Zeit eine Kommission einberufen. Aber erstmal muss ich mein Land verteidigen, Brasilien retten! Sie wissen Bescheid über die Kubakrise? Kennedy?«

Ich habe Mathematik, Geschichte und Politik studiert, summa cum laude, dachte Sofia. *Du Schwachkopf, glaubst du, ich hätte von der Kubakrise nichts gehört?* »Ja, Herr Präsident, ich bin in etwa damit vertraut, aber wahrscheinlich nicht so intim wie Sie.«

Das war eine berechnete Frechheit, er hatte es sehr wohl gemerkt und blinzelte kurz. »Kennedy jedenfalls blieb standhaft. Und das werde ich auch. Diese beiden Männer, der Russe und der Chinese, für mich sind diese beiden Männer, die gegen die Räson ihrer Staatchefs ein Risiko eingingen, mich zu informieren, weil ihnen an Brasilien etwas liegt – diese beiden Männer sind für mich unbekannte Helden. Sollte ich eines Tages meine Autobiografie schreiben, werde ich sie vielleicht diesen unbekannten Helden widmen. Was meinen Sie?«

»Ich meine, es wäre noch verfrüht. Vielleicht sollte man das Ende der Krise abwarten.«

»Ja. Das werde ich. Aber als Präsident muss man in größeren Dimensionen denken. Deshalb, mit Verlaub, bin ich Präsident, nicht Sie. Aber es ist gut. Danke für die Information, Majorin. Ich werde das nicht vergessen ... Sie können gehen ...«

»Danke, Herr Präsident.«

Sofia wartete einen Moment, aber er hatte sie bereits ausgeblendet. Sie drehte sich um, beugte sich vor zum Netzhaut-Scanner, die Tür surrte auf. *Er wird jetzt schon über seine Rede, seine Autobiografie nachsinnen*, dachte sie, während sie den Flur entlang zum Fahrstuhl ging. *Deshalb ist er Präsident, nicht ich.*

Donnerstag, 17. April 2025

Villa des Verteidigungsministers, Brasilia, Brasilien

»Hey, komm herein, komm herein … Bruderherz! Wie schön, dich zu sehen, komm her …« Die beiden Brüder hielten sich für einen Moment fest umarmt, dann löste Pablo M. Telés, *Ministro interino da Defesa*, amtierender Verteidigungsminister der Republik Brasilien, die Umarmung, rückte seinen um drei Jahre jüngeren Bruder Joao auf Armeslänge und musterte ihn. »Du siehst immer noch gut aus, aber müde um die Augen. Wie geht es Incarnacao und den Kindern? Vermissen sie ihren Onkel, der ihnen Spielzeugpistolen mitbringt, die ihre anthroposophische Mutter ihnen nie kaufen würde …?«

Pablo lachte, Joao stimmte ein.

»Als du reinkamst«, fragte Pablo, »haben sie dich oft gefilzt?«

»Zweimal. Ist schon okay. Immerhin bist du der Verteidigungsminister. Es sind auch mehr Security-Leute im Haus, so kommt es mir vor …«

»Ja«, sagte Pablo. »Vorher hatte ich zwei, Tag und Nacht. Jetzt sechs. Im Haus extra Leute. Musste mein Arbeitszimmer hierher verlegen, weil sie hier die Fenster zubetonieren konnten. Diese verdammten G3! Wenn ich eine Minute mit Putin und Xi und dieser Harris-Hexe hätte, eine Minute im Ring, und ich würde sie windelweich …«

»Einer gegen drei, das ist tapfer!«

»Ja! So sind wir Brasilianer.« Pablo stimmte in den leichten Tonfall ein, dann wurde er ernst: »Sag, wie geht es euch tatsächlich?«

»Ach, mir geht es ganz gut. Aber die Geschäfte sind ein Desaster, alle Welt zittert vor dem Krieg, Geld wird in Sicherheit gebracht. Und Incarnacao ist von der allgemeinen Stimmung angesteckt. Ich glaube, ich werde sie und die Kinder ausfliegen lassen …«

»Ausfliegen?« In der Stimme des älteren Bruders war plötzlich eine Schärfe.

Sie saßen im Arbeitszimmer des Ministers. Es war nicht besonders groß und etwas nachlässig eingerichtet. Man hatte einen zu großen schwarzen Schreibtisch mit Löwenfüßen hineingequetscht, davor standen ein paar bequeme Ledersessel, zwei Regale mit Akten. Die Luft war stickig und abgestanden.

Pablo hatte für seinen Bruder und sich zwei Gläser mit einem alten Brandy gefüllt, es war dieselbe Marke, die er Bill Gates angeboten hatte, was eine Ewigkeit her zu sein schien. Jetzt zerrte er sich die Krawatte ab und streckte die Beine aus.

»Ja, ausfliegen«, fuhr Joao fort. »Weg von hier. Und nicht nur nach Chile oder Buenos. Sondern weiter fort. Ich meine, wir sitzen hier mittendrin, umringt von Supermächten, von Waffen. Jeden Tag heißt es: Wann kommt der Krieg? Bunker werden gebaut. Kinder aufs

Land gebracht. Die Leute hamstern wie verrückt. Dieser ganze Irrsinn! Ach Pablo, hätte man nicht nachgeben können? Hätte man nicht sagen können: Okay, wir machen das mit dem verdammten Regenwald so, wie ihr das wollt? Wäre das so entsetzlich schwer gewesen? Weißt du, was das Embargo die Wirtschaft kostet? Wir bluten aus!«

»Nachgeben? Und dann?«, entgegnete Pablo. »Vielleicht wäre das ja nur der Anfang? Soll Brasilien seine autonomen Rechte als freies Land einfach so abgeben, weil eine Super-Allianz eine Öko-Diktatur errichtet? Was kommt als Nächstes? Wir dürfen keine Plastikflaschen mehr benutzen? Wir dürfen nur noch Elektroautos fahren? Manche dieser Maßnahmen sind ja nicht falsch, aber ich will selbst entscheiden. Nein, du verstehst nichts von Politik, kleiner Bruder ... Batista darf nicht nachgeben. Außerdem – es gibt so etwas wie Stolz, Ehre ...«

»Ja, Stolz, Ehre, vielen Dank. Du redest als Regierungsmann, also auch *wie* ein Regierungsmann. Und ich höre daraus vor allem die alten Argumente der Holzindustrie, der Fleischindustrie, der Lobbyisten. Ich hingegen rede als Vater und Ehemann. Ich werde Incarnacao und die Kinder auf die Azoren ausfliegen lassen, solange es noch geht. Ich habe dort ein Grundstück mit Häusern an der Westseite der Insel gekauft, dort sitzt ein zuverlässiger Verwalter. Man spricht Portugiesisch. Aber Lissabon hat die Azoren stets ignoriert, es gibt dort nichts – außer guter Luft, Blumen, etwas Wein. Die Leute kümmern sich um ihren eigenen Kram. Man lebt dort auf der abgewandten Seite der Welt. Aber für die Kinder wird es gut sein, die Seeluft, die Natur, und sie werden in Sicherheit sein …«

»Incarnacao wird sich nach drei Tagen zu Tode langweilen, ohne ihr Power-Yoga, ihre Freundinnen, ihre Frühstücks-Meetings im ›Cascade‹«, unterbrach ihn Pablo.

»Dann langweilt sie sich eben. Es ist besser, sie langweilt sich – als dass sie tot ist, meinst du nicht?«

Pablo schwieg. Er warf einen Blick auf den Handrücken seines jüngeren Bruders, auf die Tätowierung: ein Auge. Joao bemerkte es.

»Weißt du noch, damals, der Tag?«, fragte Pablo. Er lächelte versonnen.

»Natürlich … Ich war so stolz auf meinen großen Bruder. Und bin es noch, das weißt du. Ich weiß, du arbeitest hart und willst das Beste. Batista allerdings – nun ja …«

»Batista ist ein Showtalent, er würde alles tun für etwas Applaus. Aber lass uns nicht über Batista reden. Gilt noch unser Schwur?«

»Selbstverständlich …«

Als Brüder hatten sie sich – es war natürlich mehr Pablos Idee, Pablo liebte schon immer Schwüre, Geheimnisse, politische Ränkespiele – gegenseitige und brüderliche Treue geschworen. Pablo hatte sogar eine Eidesformel entworfen. Er sprach, als würde er ein Gedicht aufsagen: »Ich passe auf dich auf, du passt auf mich auf. Ist das unser Haus?«

Joao räusperte sich. Dann ergänzte er: »Solange mein Herz schlägt. Und darüber hinaus.«

»Ja. Gut, kleiner Bruder. Ich sag dir jetzt etwas, das unter diesen unseren Eid fällt.« Er beugte sich vor. »Es wird nicht zum Krieg kommen. Hörst du? Es wird *nicht* zum Krieg kommen.«

»Was?«

»Wie ich es sagte. Uns liegen entsprechende Geheimdienst-Informationen vor. Topsecret. Die Allianz blufft. Sie wollen uns kleinkriegen, uns Angst machen, aber sie werden mit eingezogenem Schwanz abziehen. Sie sind nicht bereit, ein Land anzugreifen wegen des verfluchten Regenwaldes. Sie hätten die ganze Welt zum Feind, Herrgott!«

»Woher wisst ihr, weißt du …?«

»Glaubst du, wir sind nur Idioten? Wir haben einen sehr fähigen Geheimdienst, Batista hat da ein paar gute Leute. Batista ist nicht so dumm, wie du denkst!«

»Hm.« Joao war nicht überzeugt. Pablo sprach jetzt lauter.

»Sein Verteidigungsminister, mit Verlaub, kleiner Bruder, sein Verteidigungsminister ist jedenfalls kein Trottel. Ja, ich arbeite für mein Geld. Wir haben, ich dürfte dir das wirklich nicht sagen, aber gut – wir haben neue Waffensysteme eingekauft, die der Allianz schweren Schaden zufügen werden. Schweren Schaden! Und abschreckend wirken. Und gegenüber der amerikanischen Zivilbevölkerung zum Einsatz kommen, wenn es nottut.«

»Seid ihr wahnsinnig?« Joao fuhr auf.

»Nur im Notfall. Zivile Ziele nur im Notfall. Jedenfalls sind wir nicht unvorbereitet. Wir besitzen das zurzeit modernste Waffensystem der Welt, verdammt nochmal. Und du willst auf die Azoren …«

»Nicht ich. Nur Incarnacao und die Kinder. Egal.« Joao fühlte sich auf einmal sehr müde. Er ließ die Schultern sinken. »Hör zu, ich muss los, ich wollte nur kurz …«

»Ist gut, ich bringe dich zur Tür. Was ich über das Waffensystem gesagt habe, fällt unter unseren brüderlichen Eid, klar?«

»Natürlich …«

»Gut. Es wird alles gut, ich versprech's dir. Hab ich dich jemals im Stich gelassen …?«

Pablo Telés legte den rechten Arm um die Schulter seines Bruders und hielt ihn fest an sich gedrückt, und so gingen sie den Flur entlang zum Ausgang, wo Security-Leute saßen und ihnen entgegenblickten. Der Flur war fast zu eng für die zwei breitschultrigen Männer, und so schwankten sie ein wenig, wie Betrunkene.

Samstag, 19. April 2025, am Nachmittag

São Paulo/Vila Madalena, Brasilien

Jetzt rächte sich so manches, dachte Ricardo da Silva.

Jetzt rächte sich zum Beispiel, dass er sein Leben dem hehren Ziel des Kochens gewidmet hatte, und um alles andere hatte er sich so gut wie nie gekümmert. Jetzt saß er in seiner Wohnung in Vila Madalena. Und er saß seit jenem vermaledeiten Tag auf einer Information, die er nicht gewollt hatte, niemals, die ihm plötzlich zugefallen war. Wie eine Brieftasche, die man auf der Straße nichts ahnend aufhebt, und plötzlich hält man ein giftiges Geheimnis in der Hand. So war es jetzt auch, er hatte etwas gehört, erfahren, was offenbar von äußerster Wichtigkeit war, für sein Land, für die Menschen – und wohin damit?

Himmel! Er war doch nur ein Koch.

Nach dem Abend in der Rua Coutinho war er ins Auto gestiegen und den Rest der Nacht umhergefahren, um einen klaren Kopf zu kriegen. Das hatte nicht geklappt. Er war am Morgen nach Hause gefahren, hatte sich ins Bett gelegt, um zu schlafen, aufzuwachen – und alles wäre dann nur ein Alptraum gewesen. Auch das hatte nicht geklappt. Es war kein Alptraum. Es war wirklich. Verdammter Schlamassel.

Er hatte sich erinnert und zur Sicherheit Notizen gemacht – zum Glück war sein Gedächtnis immer noch sehr gut. Brasilien sollte ins Verderben laufen, hatte der Han-Chinese gesagt. Und sie hatten darüber gesprochen, dass der Geheimdienst *glaube*, der Aufmarsch der G3 sei ein Bluff. Der Geheimdienst oder die Regierung *glaubte* es. Aber es war kein Bluff. Die Bedrohung war real.

Und dann hatten sie über einen Gefechtskopf gesprochen. Was immer das war. Ricardo hatte den Begriff später googeln müssen. Er hatte ihm einen Heidenschrecken eingejagt. Der YU-73-Gefechtskopf. Dieses Wort würde er nie mehr vergessen, in seinem Leben nicht. Die Frage war, wie lange sein Leben dauern sollte, falls es zum Krieg kam. Plasmagebettet, manövrierfähig. Und die Dinge sollten ihren Lauf nehmen, in eine Richtung, Eskalation.

Von Politik, Krieg, Eskalation und Gefechtsköpfen verstand Ricardo wahrlich nichts; aber, dass diese Informationsbruchstücke an irgendwen gelangen mussten, der dann das Richtige tat – so viel begriff auch er.

Seine Heimat – sein Brasilien – war in Angst und Aufregung. Das Embargo, die Drohung und der militärische Aufmarsch zogen sich immer enger um das Land. Anfangs waren viele im Auto nach Chile oder Argentinien geflüchtet, jetzt waren die Grenzen dicht. Auf den Straßen Soldaten. Gebäude wurden bewacht. Not-Krankenhäuser eingerichtet. Das alles war real. Und irgendwie stand seine Information dazu in Beziehung.

Aber wem sollte er es erzählen? Zu einer Zeitung gehen und die Geschichte einem Reporter auftischen? Lachhaft. Ricardo hatte das eine oder andere Interview gegeben, anfangs, als »Innovation Wei« boomte. Er hatte sich Mühe gegeben, seine Kunst zu erklären, vergebens, die Journalisten hörten nicht zu, sie schrieben irgendeinen Unsinn. Ricardo und Journalisten – das funktionierte nicht. Einen anonymen Brief an die Regierung schreiben? Niemand würde ihn ernst nehmen. Schon weit, weit im Vorfeld, bevor er mit irgendeinem wichtigen Menschen sprechen konnte, würde man ihn für einen Spinner, Wichtigtuer halten, ausschalten.

Und außerdem war es auch noch gefährlich, dieses Wissen. Das hatten die beiden Chinesen zwar nicht gesagt, aber das ganze Drumherum, die Heimlichtuerei – Ricardo war schon klar, dass dies keine Story war, die man überall wiedererzählte, die immer wieder gern gehört wurde. Diese Geschichte war brisant.

Und es rächte sich, dass er niemanden kannte, fast niemanden, an den er sich wenden konnte.

Ich muss mich beruhigen, dachte Ricardo. Er setzte sich an den eichenen Küchentisch.

Ricardo hatte, als er einzog, zwei Wände herausnehmen lassen, um die Küche zu vergrößern. Eine extrem leistungsstarke Manardi-Dunstabzugshaube war eingebaut worden. Zwei professionelle Herde. An den Wänden hatte der Tischler Regale gezogen, die gefüllt waren mit Tiegeln, kupfernen Töpfen, Schüsseln, Terrinen, Mörsern, Beilen, Pürierstäben in verschiedenen Größen, Flambier-Brennern, Hitzestrahlern, Erlenmeyerkolben, und neben dem Rauchabzug hingen märchenhafte kupferne Schöpflöffel und blitzende Tranchiermesser und -gabeln, die einem Riesen hätten gehören können.

Ricardo öffnete sich eine Flasche »Château Lafite Rothschild«, Jahrgang 2007, die er für besondere Gelegenheiten aufbewahrte, und machte sich an eine Liste. Leute, für die er gekocht hatte, wichtige Leute, denen es geschmeckt hatte. Und dann strich er die Namen derer durch, die nicht infrage kamen, die sich nicht an ihn erinnern würden, die ihm nicht zuhören würden. Die zwar reich genug waren, um ihn zu engagieren, aber wahrscheinlich nicht mächtig genug oder zu kaltherzig oder zu angstvoll oder was auch immer. Ricardo kannte sich nicht gut aus mit Menschen. Das rächte sich jetzt.

Übrig blieb ein einziger Name: Enrique Jacob de Surfo. Präsident des FC São Paulo, ausgewiesener Freund guten Essens. Er hatte Ricardos »Innovation Wei« schon mehrfach engagiert. Er war immer freundlich gewesen.

Enrique de Surfo. Ricardo kannte ihn kaum, aber ihm würde er das größte Geheimnis seines Lebens erzählen müssen.

Samstag, 19. April 2025, 19:30 Uhr
Brasilia, Brasilien

Es gab ein Muster, aber sie sah es nicht. Und sie sah es nicht, weil ihr Puzzlestücke fehlten. Und da fehlende Puzzlestücke nicht akzeptabel waren, ging Sofia Della Bettemcour ins Vorzimmer zu ihrer Sekretärin Claudia in der Zentrale der »Agência Brasileira de Inteligência« in der Hauptstadt.

»Claudia, was halten Sie von einer kleinen Nachtmusik?«

Claudia war eine auffallend schöne Brünette, intelligent, schnell, mit einem Faible für Anspielungen und kleine Codes. »Eine kleine Nachtmusik« war ihre Kreation, es bedeutete: Wir arbeiten diese Nacht durch.

»Zu dumm«, sagte Claudia. »Heute Abend wollte Ryan Gosling mich besuchen, zusammen mit seinem Freund Brad Pitt – dem jungen Brad Pitt wohlgemerkt. Sie möchten mir eine kleine Kollektion von Prada-Schuhen schenken …«

»Wie dumm.« Sofia lächelte. »Kann man die Sache mit Senhor Ryan verschieben?«

»Natürlich. Und wer braucht schon Prada-Schuhe?«

»Nein, im Ernst: Wird Ihr Mann traurig sein?«

»Das sollte er – oder?« Claudia war verheiratet, ihr Mann war Kinderbuch-Illustrator, der gutmütigste Ehemann der Welt. Seine Bilder waren schön, aber das Geld brachte Claudia nach Hause. Claudia konnte jederzeit eine Nachtschicht einlegen.

Es war inzwischen Viertel vor acht. Claudia kochte Kamillentee für Sofia, Kaffee für sich.

Sofia ging durch, was sie wusste, nicht wusste.

Erstens: Batista war selbstbewusster gewesen, als es der Situation entsprach. Er prahlte und bramarbasierte, doch hinter der bombastischen Fassade war er normalerweise zögerlich, fast ängstlich. Allerdings nicht in diesem Fall. Die kurze Anspielung auf neue Waffensysteme – sie war ihm herausgerutscht – war wahrscheinlich der Schlüssel. Wann waren diese Waffen geliefert worden? Es kamen nur drei Häfen in Frage. Das Löschen und den Transport würde das Heer übernehmen, die Pioniere.

»Claudia, wen haben wir beim Heer, der Einblick hat in größere Transporte in den vergangenen drei Monaten?«

»Oberstleutnant Goosmann, er schuldet uns einen Gefallen. Ich habe seine Geheimnummern.«

»Fragen Sie ihn.«

Zwei Stunden später hatten sie den Vorgang vor sich. Die Waffen waren auf dem grauen Markt gekauft worden, die Abwicklung lief über eine möglichst verwickelte Kaskade von Schein- und Tochterfirmen. Weitere zwei Stunden und einige Telefonate und Recherche-Anfragen später hatten sie die Mutterfirma: »God Joy Inc.«, Sitz in Liechtenstein und der Schweiz, Inhaber ein Nigerianer, registriert in Lagos.

Etwas später hatten sie den Namen, ein gewisser Robert B. Olufunmilayo, Herkunft unbekannt.

Sie forderten über Freelancer ein Dossier über den Mann und Bewegungsbilder an.

Freelancer waren unauffällig operierende Firmen, die sich aus ehemaligen Agenten zusammensetzten, meist CIA, MI6, BND, Mossad. Sie verkauften mit Duldung ihrer Regierungen den diversen Geheimdiensten Informationen und Service. Kunden waren die Geheimdienste kleinerer oder mittlerer Länder, die sich den Aufwand eines großen Netzes nicht leisten konnten. Es war ein gutes System, die Informationen stimmten fast immer, und man konnte exakt bestellen, was man wissen wollte. Die Privaten hatten Zugang zu etlichen Informanten, in viele Netze: Passfälscher, Kreditkarten, Flugbuchungen, Hotelreservierungen, Überwachungskameras, Mautstellen, Polizeicomputer, Geldbewegungen, Firmengründungen.

Sie gingen um zwei Jahre zurück. Das Bewegungsbild Olufunmilayos ergab etliche Reisen: Lagos, London, Bamako, Marseille, Dschidda.

»In Dschidda fand vor knapp zwei Jahren eine Waffenmesse statt«, sagte Claudia. Sie legte Sofia Ausdrucke hin.

Eine Waffenmesse war eine Kontaktbörse.

»Wen kennen wir in Dschidda, Claudia? Oberst Khalifa – ist er noch im Amt?«

Oberst Siad bin Khalifa war ein Verbindungsmann im saudischen Geheimdienst in Riad. Die Agentur war vor wenigen Jahren von den Amerikanern und Briten neu organisiert worden, sie hatte ein sehr hohes Niveau in inländischen Belangen, war aber schwach bei ausländischen Operationen. Wenn es um Südamerika, vor allem Kolumbien, Venezuela und Honduras ging, halfen die Brasilianer ihren arabischen Kollegen – dafür durften sie im Gegenzug ihre arabischen Freunde um Informationen angehen, für die man Netzwerke im Nahen Osten brauchte.

Sofia Della Bettemcour sprach lange mit Khalifa, sie beschrieb den Charakter Olufunmilayos, wie sie ihn vor sich sah, bat um Entschuldigung, dass der Vorgang so lange zurücklag, und fragte nach »Hintergrund jedweder Couleur«. Das schloss ein: Frauen, Alkohol, alles, was verboten war und eigentlich gar nicht hätte passieren dürfen. Zwei Jahre zurück war kein großes Problem: Die Saudis registrierten alle kleinen und großen Übertretungen und Schweinereien und hoben sie viele Jahre auf.

Khalifa meldete sich drei Stunden später.

»Im Hyatt hatten wir in dem Zeitraum, Mitte Juni 2023, natürlich sehr viele Lieferungen und sieben emotionale Dienstleistungen.«

»Lieferungen« waren Alkohol und weiche Drogen, »emotionale Dienstleistungen« bedeutete Sex.

In Dschidda gab es, skizzierte Khalifa etwa zögerlich, da er es mit einer Frau, einer Christin, zu tun hatte, eigentlich nur zwei Agenturen, die Sex anboten, beide wurden minutiös observiert. Es hatte sich schon viel Gutes daraus ergeben, dass man einen Geschäftsmann oder Diplomaten mit seinem kleinen Hotelzimmer-Abenteuer erpressen konnte. Die reichen Herren dachten, es sei so aufregend, die dummen Saudis auszutricksen und mit einer schönen Hure die Nacht zu verbringen; hinterher waren sie das heulende Elend.

»Unser Mann«, sagte Sofia nachdenklich, »ist erstens Farbiger, zweitens bekannt dafür, dass er in allen Belangen, also auch erotischen, denke ich, zügellos ist – vielleicht hat sich so ein Verhalten eingeprägt?«

»Ich werde nachfragen«, sagte Khalifa.

Eine Stunde später hatte er ein Resultat: Zwei Frauen erinnerten sich an einen Afrikaner oder Afroamerikaner, der ihnen die Kleider weggenommen hatte, ansonsten jedoch nicht brutal oder schwierig, sogar sehr großzügig gewesen war. Es handle sich bei den Frauen, sagte Khalifa, um eine Inderin und eine Chinesin.

»Könnte man den Damen die Fotos zweier Herren vorlegen, es handelt sich um einen Chinesen und einen Russen?«

»*La mushkila*«, sagte Khalifa, »kein Problem!«

Um vier Uhr morgens rief Khalifa zurück. Die chinesische Prostituierte hatte sich an einen der Männer, ebenfalls Chinese, erinnert. Der Kunde hatte die Männer als Gäste mit auf seine Suite genommen, die Frauen dafür rausgeschmissen.

Sofia bedankte sich lange und so weitschweifig, wie das arabische Zeremoniell es erforderte, dann legte sie auf und sagte zu Claudia: »Wir haben ein Puzzlestück gefunden.«

Bykow und Dr. Zhiming kannten also Olufunmilayo. Sie waren mit ihm auf sein Hotelzimmer gegangen, demnach ging es um Details, die man nicht bei einem Kaffee auf der Messe erörtern wollte. Es war keine Party, sonst wären die Huren nicht so schnell fortgeschickt worden. Also ging es um Geschäfte.

Zwei Vertreter zweier Nationen, die Brasilien gerade massiv bedrohten, kannten folglich den Mann, der Brasilien Waffen geliefert hatte. Das war ein Zufall zu viel. Die Waffenlieferung und der dringende Hinweis auf mangelnde Konfliktbereitschaft hingen zusammen.

Warum verhalfen potenzielle Feinde einem schwachen Brasilien zu neuen Waffen? Und beruhigten den nervösen Präsidenten? Wenn es doch nur darum ging, Waffen zu verkaufen, wieso dann dieses mysteriöse Treffen im »Anjos e Demônios«? Weil man wollte, dass Brasilien den Krieg verlor? Oder den Krieg gewann? Was war das Ziel?

Oder war das Ziel vielmehr, dass Brasilien *kämpfte*, ganz unabhängig vom Ausgang des Krieges?

Das angestrebte Resultat war weder Sieg noch die Niederlage, das angestrebte Resultat waren Kampfhandlungen, möglichst viele, möglichst harte, möglichst leidvolle Kampfhandlungen.

Es war halb sechs Uhr morgens. Draußen, vor dem Gebäude der »Agência«, wurde es hell, über dem Parkplatz zogen Schwalben ihre scharfen Bögen.

Das ist das Muster, dachte Sofia Della Bettemcour. Es war eine Falle. *Ich muss den Präsidenten anrufen. Aber der wird nicht hören wollen, was ich zu sagen habe.*

Sie würde den Verteidigungsminister kontaktieren, Telés.

Samstag, 19. April 2025, 21:00 Uhr
São Paulo/Vila Madalena, Brasilien

Angst, heißt es, sei ein schlechter Ratgeber; aber Ricardo da Silva hatte keinen besseren.

Seit er gehört hatte, was er gehört hatte, schlief er kaum, er verließ kaum noch die Wohnung, hatte alle Termine abgesagt und sich deshalb sehr viele und sehr ärgerliche Kommentare anhören müssen – es war ihm egal. Er verwünschte den Tag, da er diesen Termin in der Rua Coutinho angenommen hatte, er verwünschte jenen Abend, die Wohnung, den Balkon, die zwei Chinesen, ihre schrägen Machenschaften und Gefechtsköpfe, er verwünschte die Weltpolitik.

Ich bin kein Agent oder Übermittler irgendwelcher mysteriöser Botschaften. Ich bin Koch. Ich wollte nie etwas anderes sein – einfach, weil es das ist, was ich kann.

Aber jetzt muss ich jemand sein, der ich nicht bin.

Also brauche ich einen Plan.

Ricardo setzte sich an den Küchentisch und schrieb einen Brief. Das war besser, als alles erklären zu müssen. Es aufzuschreiben würde schwierig genug sein. Den Brief zu übergeben – noch schwieriger.

Enrique da Surfo war der Präsident des FC São Paulo,

der wichtigste Mann in der wichtigsten Institution in der größten Stadt des Landes. Er wurde bewacht und abgeschirmt. Er war ständigen Anfragen, Bettelbriefen, Hilferufen ausgesetzt.

Einmal, Ricardo hatte es in der Zeitung gelesen, hatte jemand gedroht, von der Oliveira-Brücke zu springen, falls da Surfo ihm nicht eine Million Real und eine Dauerkarte fürs Stadion gäbe. Da Surfo hatte herzlich gelacht darüber. Der Mann war am Ende nicht gesprungen.

Ricardo machte sich keine Illusionen: da Surfo hatte ihn, Ricardo, lediglich mehrmals *engagiert*. Sicher, er hatte ihn auch gelobt, sich entzückt gezeigt von Ricardos Kochkunst – aber das machte sie nicht zu Freunden. Für einen Mann wie Surfo blieb ein Koch ein Koch.

Vielleicht kam er trotzdem mit seinem Brief durch.

Morgen war das Spiel. FC São Paulo gegen Flamengo Rio. Der Präsident würde in der VIP-Lounge sein, Ricardo konnte bis dorthin vordringen, auch ohne engagiert zu sein. Er hatte, um die Security-Leute zu bestechen, damit sie ihn einließen, Tabletts mit Fingerfood zubereitet.

Ricardo war nicht der größte Briefeschreiber aller Zeiten.

Aber jetzt holte er sich einen Kugelschreiber und schrieb auf, was er wusste.

Es war eine Falle.

Sie hätte eigentlich den Präsidenten anrufen müssen. Aber Batista hatte, da er meinte, nichts befürchten zu müssen, mühelos zu seiner heroischen Standhaftigkeit zurückgefunden – in den ersten Statements und Pressekonferenzen nach Sofias Treffen hatte er von Brasiliens Kraft geschwärmt und wie sehr er, der Volksheld, von der Tapferkeit seines Volkes getragen würde. »Eine Öko-Weltdiktatur«, hatten ihm seine Redenschreiber verfasst, »bleibt immer eine Diktatur!«

Sie würde den Verteidigungsminister kontaktieren, beschloss Sofia, Pablo Telés, am besten ihn persönlich sprechen.

Aber sie hatte kein Glück. Telés befand sich auf einem Flottenstützpunkt unweit von Porto dos Santos bei São Paulo, dort durfte, aus Ortungsgründen, in einem Radius von 35 Kilometern nicht mobil telefoniert werden. Am Morgen wäre Telés wieder in einer der Kabinettswohnungen in São Paulo.

»Claudia? Ich fliege morgen früh nach São Paulo. Ist der Jet frei?«

»Ich muss nachsehen«, sagte die schöne Claudia. »Eine kleine Nachtmusik?«

»Ich weiß es nicht«, sagte Sofia.

In der Nacht zum Mittwoch, 6. Mai 2100

15 Quai de la Tournelle, 5. Arrondissement, Paris, Frankreich

Bewusstsein lässt sich definieren als eine Programmierung – als ein dem Überleben verschriebenes Programm, um zwischen dem Selbst und der Umwelt zu unterscheiden, um Sinneseindrücke zu hierarchisieren und zu verarbeiten. Würde man dieser Definition folgen, könnte man freilich auch Tieren eine Bewusstheit nicht absprechen.

Doch wie soll man sich – als Mensch – das Bewusstsein eines Oktopoden vorstellen?

Ein Wesen, dessen Abstammungslinie sich vor einer halben Milliarde Jahren von der des Menschen trennte, ein Weichtier, dessen Mund in den Achselhöhlen sitzt, das Wasser atmet, das, wie etwa der Pazifische Riesenkrake, aus einem Ei von der Größe eines Reiskorns schlüpft und binnen drei Jahren zu einem gewaltigen Tier heranwächst?

Wie soll man, als Mensch, das Bewusstsein eines Tieres imaginieren, das drei Herzen hat, dessen Hirn um seinen Hals gewickelt ist, das mit seinem gesamten Körper schmeckt, riecht, fühlt, dessen Blut blau ist und dessen Saugnäpfe so stark sind, dass sie, bei einem Durchmesser von sechs Zentimetern, theoretisch eine Saugkraft von 25 000 Kilogramm entwickeln können?

Es ist Nacht. Stille.

In Michelles Wohnung sind alle zu Bett gegangen. Bis auf eine kleine Nachtbeleuchtung ist die Wohnung dunkel. Der Oktopus, den Michelle Lionel nennt, schiebt sich hinter einem Stein hervor.

Es ist möglich, dass er – es ist ein männliches Tier – die Angespanntheit und Missstimmung, die sich gegen Ende des Abends unter den Gästen verbreitet hatte, wahrgenommen hat. Es gibt etliche und verblüffende Berichte von Biologen und Tierpflegern, die die außerordentliche Sensibilität und das Erinnerungsvermögen der Oktopoden beschreiben; sie nehmen Stimmklänge, Untertöne, Gerüche, Gangbilder wahr in einer Breite und Intensität, die der menschlichen Wahrnehmung möglicherweise weit überlegen ist.

Der Oktopus schwimmt jetzt zum anderen Ende des Aquariums, dorthin, wo Michelle ihm das verschraubte Glas mit den Garnelen hingeworfen hat – das er zunächst verschmähte. Jetzt öffnet er den Schraubverschluss mit drei, vier Armen gleichzeitig, angelt die Garnelen heraus, lässt sie wie über ein Fließband von der Armspitze zum Schnabel wandern, verspeist sie.

Dann untersucht er das Glas, den Schraubverschluss, kann aber daran nichts Neuartiges entdecken. Eine Weile berührt er den Deckel, nimmt vielleicht den Geruch von Michelles Hand auf, vielleicht Schweiß, Unsicherheit, Handcreme, Parfüm, Metall, Spülmittel.

Dann beginnt der Oktopus zu schwimmen, langsam,

gleichmäßig, hin und her, hin und her, die Richtungsänderung ist jedes Mal eine kleine Aufwärtsschlaufe.

Seine Schwimmbewegung bildet eine liegende Acht oder auch das mathematische Zeichen für »unendlich«.

Sonntag, 20. April 2025, 13:10 Uhr
São Paulo/Vila Madalena, Brasilien

Ricardo wohnte in der Rua Fleury, einer hübschen kleinen Sackgasse. Er beschloss, den Lieferwagen stehen zu
lassen und seinen Motorroller zu nehmen, einen Peugeot
»Django«. Zwar war der Auspuff kaputt, und das Ding
machte einen Höllenlärm; doch mit dem Roller war er
beweglicher, falls es vor dem Morumbi-Stadion zu Staus
kam. Ricardo kannte sich in São Paulo gut aus, zur Sicherheit aber hatte er sich mehrere Routen angeschaut.

Ricardo brach am frühen Nachmittag auf, er schnallte
die große Kühlbox sorgfältig auf den Gepäckträger. Darin waren vier Etageren mit Sushi und Fingerfood, damit
würde er die Security-Jungs mühelos überzeugen.

Er bog auf die Rua das Tabocas ab, nahm am Pan-
america-Kreis die Ausfahrt auf die Avenida Chaves, fuhr
dann am Rio Pinheiros Richtung Süden. Zwanzig Minuten später war er auf der Avenida Morumbi, und da
lag es auch schon vor ihm, das »Estádio Cicero Pompeu
de Toledo«, 67 052 Plätze, fertiggestellt 1960 von dem
berühmten João Artigas, Heimstatt der *Paulistanos*, und
über den Eingängen und an den Zufahrten hingen schon
die Banner in den Vereinsfarben Rot-Weiß-Schwarz.

Er schloss den Motorroller ab und hievte die schwere Kühlbox von seinem Gepäckträger. Dann machte er sich auf den Weg zum Aufgang zur VIP-Lounge.

Sonntag, 20. April 2025, 14:05 Uhr

São Paulo/Vila Madalena, Brasilien

»Er ist zum Stadion gefahren, nicht mit seinem Lieferwagen, sondern mit dem Motorroller. Er darf offenbar in
die VIP-Lounge. Er hat eine Kühlbox dabei … vielleicht
liefert er Essen aus? Oder er will sich das Spiel ansehen?«

Der Mann, den Bob Olufunmilayo zur Bewachung
Ricardos abgestellt hatte, verstand zwar nicht, warum er
diesen offensichtlich harmlosen, etwas dicklichen Typen
Tag und Nacht beschatten sollte – aber die Bezahlung
war gut.

»Ja, vielleicht … Bleib dort bei seinem Roller, falls er
wegfährt, folgst du ihm. Ich komme zum Stadion. Welcher Aufgang?«

Sonntag, 20. April 2025, 14:22 Uhr

VIP-Lounge, Morumbi-Stadion, São Paulo, Brasilien

Er saß in der ansonsten menschenleeren VIP-Lounge und hatte Hunger. Der Inhalt seiner Kühlbox hatte unter den Security-Leuten begeisterte Abnehmer gefunden, sie hatten seine Behauptung, er müsse die VIP-Lounge wegen eines künftigen Caterings ansehen, verständnisvoll quittiert und ihm dankbar alles abgenommen: drei Arten Sushi, Weinblätter mit Reis und Rosinen, *Amuse-Bouche* vom Lachs mit einer Kruste aus Thymian, Lauchzwiebeln, Dijon-Senf, inklusive Box.

Die VIP-Lounge, auch »Space Vip« genannt, war eine Glasbox, aufgehängt über der Mitte der Seitenlinie. Sie war unterteilt in zwei Bereiche: Es gab den Außenbereich, wo bequeme Ledersessel standen, in der Mitte der Sessel des Präsidenten, und es gab den Innenbereich mit Bar, Buffet und einer Batterie von Bildschirmen. Wenn eine Spielsituation dramatisch gewesen war, eine Entscheidung umstritten, dann stürmten die VIP-Besucher wie eine Herde in Panik nach innen, um die Aufzeichnung in Zeitlupe zu sehen. Zwei Dutzend Kameradrohnen schwebten ständig über dem Feld.

Aber jetzt war noch alles ruhig, die Ruhe vor dem

Spiel. Ricardo saß an einem Tisch ganz hinten. Irgendwann vergaß er, dass er hungrig war.

Irgendwann schlief er ein.

Sonntag, 20. April 2025, 14:30 Uhr

São Paulo, Brasilien

Vila Olímpia galt als das vielleicht schönste und reichste Viertel von São Paulo. Die Avenida da Funchal wiederum hatte den Ruf als feinste Straße in Olímpia, und in der Avenida war die »Villa Mará«, Besitzer: Enrique da Surfo, *presidente* des FC São Paulo, das nobelste Anwesen. Die Vorgartenrasenfläche erhob sich wie ein Tableau, zur Mitte leicht gewölbt und von einem unterirdischen Leitungssystem bewässert, von folgsamen Mährobotern geschoren, und auf dem höchsten Punkt stand das Haus im Maisons-Laffitte-Stil, weiß, dreistöckig, mit dorischen Säulen am Eingang und schlanken, bis auf den Boden reichenden Fenstern. Die Bäume waren alt, riesig und wirkten dabei so sehr wie gemalt und individuell, dass man unwillkürlich das Gefühl hatte, sie könnten Portugiesisch sprechen, und das, was sie zu sagen hätten, würde weise und erhaben sein. Die Bougainvillea blühte bereits. Daneben Hortensien, Rosen, Rhododendren, japanische Kirschbäume.

Die Auffahrt vollführte eine sanfte Schleife vor dem Eingangsportal, und daneben, auf der Terrasse, saß der Hausherr und schaute auf all die Pracht und die Schönheit und war gereizt und höchst unzufrieden.

Surfo war immer gereizt an Spieltagen. Seine Frau ging ihm wohlweislich aus dem Weg. Er war gereizt, weil es nichts mehr für ihn zu tun gab, weil er beim besten Willen nichts mehr ausrichten konnte, nur hoffen, dass die Spieler verdammt nochmal Tore schossen, dass der Trainer verdammt nochmal die richtige Strategie hatte – oder überhaupt eine Strategie. Und er war gereizt, weil dieses Spiel nicht schön werden würde.

Enrique da Surfo glaubte an die Schönheit, wie ein Trotzkist an die Revolution, er war ein Gourmet und Schöngeist. Natürlich aß man, um satt zu sein; aber viel interessanter war es doch, wenn Essen ein Abenteuer und Erlebnis wurde. Natürlich spielte man Fußball, um zu gewinnen, aber viel interessanter war es doch, und es verkaufte sich übrigens auch besser, wenn die Mannschaft das Spiel in Schönheit verwandelte, in eine Geschichte.

Leider waren die Gäste in diesem Fall die Künstler, die Kreativen und Individualisten. Und nicht das eigene Team. Die Gäste aus Rio hatten Magier wie Almeida und Garrida, Erfinder wie Jocinto Hellmann; São Paulo hingegen konzentrierte sich darauf, die unangenehmste Mannschaft der Welt zu sein. Der Trainer hatte diesen hölzernen, stumpfen Stil entworfen: abwarten, die Gegner das Spiel machen lassen, verschleppen, die Gegner ermüden, geduldig und zäh auf Leichtsinnigkeiten und Gelegenheiten warten. Ballbesitz, Ballbesitz, Ballbesitz; kein rauschender Angriffsfußball, kein Risiko.

Und diese Strategie, dachte Surfo verdrossen, *ist zu allem Überfluss erfolgreich.* Seit vierzehn Spielen keine Niederlage. Was natürlich nicht passieren durfte: ein frühes

Tor der Gegner. Das brachte die zäh und geduldig arbeitende Erfolgsmaschine zum Stottern.

Surfo fand, er hatte Grund, gereizt zu sein. Fußball war Schönheit, und in Wahrheit interessierte er sich für nichts anderes.

Er trank seinen Kaffee aus und rief Joao Telés an, den Computer-Unternehmer, dem er heute eine am besten zweistellige Millionenspende für neue Spieler abschwatzen wollte. Er hatte ihn in die VIP-Lounge geladen.

Er rufe an, sagte er, um ihm ein paar Neuigkeiten in der Mannschaftsaufstellung zu erzählen.

Der wahre Grund für seinen Anruf war ein anderer: Er wollte sicher sein, dass Telés den Termin nicht vergaß. Tatsächlich wirkte Telés am Telefon merkwürdig zerstreut.

Verständlich, dachte Surfo, als er auflegte. Der drohende Krieg, das weltpolitische Durcheinander, die Allianz und ihre Öko-Bedingungen, das alles machte die Leute völlig verrückt. Das gute alte Morumbi-Stadion war dennoch ausverkauft. *Wenn es schon zu Krieg und Katastrophe kommt,* dachte Surfo, *dann will ich zuvor wenigstens ein wunderschönes Fußballspiel genießen.*

Sonntag, 20. April 2025, 16:05 Uhr

Morumbi-Stadion, VIP-Lounge, São Paulo, Brasilien

Ricardo da Silva schlief und träumte von etwas Schönem und erwachte von einem Schrei – einem Entsetzensschrei aus schätzungsweise 67 000 Kehlen. Er rappelte sich auf, wo war er? Er war in der VIP-Lounge des Morumbi. Und während er sich das Gesicht rieb und wach zu werden versuchte, da stürmten bereits dreißig oder vierzig VIP-Gäste, allesamt Männer, aufgeregt und gestikulierend, zornig und schimpfend, von der Außenloge herein, drängten sich um die Batterie der Bildschirme, die innen aufgebaut war, und die Torszene wurde wieder und wieder gezeigt, und die Männer vor den Bildschirmen ächzten, als hätten sie eine Zahnextraktion hinter sich, einer ballte die Fäuste, einer stampfte wütend auf.

Flamengo Rio hatte also ein Tor geschossen, dachte Ricardo. Herrgott. Na und?

Ricardo blickte auf seine Uhr. Er hatte mehr als eine Stunde geschlafen. Das Spiel konnte also nur etwa fünf Minuten im Gang sein. Und dort, vor dem größten Bildschirm, stand der Mann, um dessentwillen er hier war, Präsident Enrique da Surfo, groß, schlank, graue Mähne, in grauer Anzughose und blauem Blazer. Er schüttelte

316

unentwegt den Kopf, als könne er einfach nicht glauben, was er sah. Sein Mund war eine dünne Linie. Sein Gesicht rot und fleckig wie bei einer Schalentierallergie.

Das Spiel ging jetzt weiter. Alle rannten wieder hinaus zur Außenloge. Ricardo blieb allein zurück. Er tastete in die Innentasche seiner Lederjacke. Der Brief war noch da. Gut.

Anders als erwartet, hatte Flamengo Rio nicht gleich fulminant eröffnet und das Spiel übernehmen wollen, sondern schleppend begonnen – für São Paulo eine Irritation. Die *Paulinos* waren ihrerseits, als hätten sie eine Einladung erhalten, auf die sie schon lange gehofft hatten, nach vorn gedrängt, und dadurch hatten sie Räume und Korridore geöffnet. Roberto Souza, Kapitän und »klassischer Sechser«, hatte sein Team mehrere Minuten lang nicht unter Kontrolle gehabt. Als Filipe Almeida, der Flamengo-Spielmacher, in der fünften Minute einen Pass auf Marco Frambeja gab, konnte der zwei Spieler einfach überlaufen und aus einer Distanz von etwa zwölf Metern zum eins zu null schießen.

Desaster! Schock! *Derrota!*

Noch 40 Minuten.

Ricardo schlurfte zum Buffet, das aufgebaut worden war, während er geschlafen hatte. Es war, fand er, der übliche einfallslose Murks: Fleisch, Fleisch, Fleisch, Käse und Weintrauben, Salate, die in schlechtem Öl ertranken. Welche Verschwendung! Ricardo nahm seufzend etwas Obst, Brot, ein Glas Wasser und verzog sich in seine Ecke.

Es sah nicht gut aus.

Falls der Rückstand bestehen blieb, würde Surfo für nichts auf der Welt ansprechbar sein, niemals. Man musste kein Genie sein, um das zu bemerken. Ricardo fragte sich, ob es nicht eine idiotische Idee gewesen war, überhaupt zu kommen.

Er war für solche Dinge nicht geschaffen. Was, wenn er sich irrte? Es wäre gut, dachte Ricardo, gut für ihn, gut für die Welt, wenn São Paulo diesen blöden Ball in dieses blöde Tor schösse.

Und dann geschah es.

Dann, in der 41. Minute der ersten Halbzeit, vier Minuten vor der Pause, bewirkten die Fußballgötter oder vielleicht auch die Mächte des Schicksals, dass Berto Souza, der São-Paulo-Spielmacher, von der linken Außenlinie, fast schon in Strafraumhöhe, hoch und gefühlvoll auf den praktisch ungedeckten Zambrano flanken konnte, auf den hochtalentierten Ariu Zambrano, der wie durch ein Wunder nicht im Abseits stand. Die Tordistanz war etwa 14 Meter, Zambrano nahm den Ball mit der Brust an, ließ ihn, während er eine Vierteldrehung beschrieb, abtropfen, einmal auflupfen.

Und dieser dreiundzwanzigjährige Athlet, mit seinem Oberschenkelumfang von 61 Zentimetern, geformt, gestärkt durch unzählige *Box Jumps, Burpee Pull-ups,* Sprints, einbeinige Kniebeugen mit der Langhantel –, dieser junge Mann, der in anderen Bereichen des Lebens vielleicht keine Leuchte war und sich zum Beispiel mit den vier Grundrechenarten nie hatte anfreunden können, der aber *spielen* konnte –, dieser Ariu Zambrano, für den sich bereits Barcelona interessierte, nahm alle Kraft und Konzentration zusammen und setzte sie in eine einzige explosive Bewegung um und zog ab, schoss mit dem rechten Spann …

Und der Ball, diese Blase aus Polyurethan, umnäht mit 32 ledernen Panels, etwa 441 Gramm schwer, der Ball beschrieb eine beinahe gerade Linie von großer ballistischer Schönheit, direkt unter die Torlatte von Flamengo Rio.

Aha, ein Tor, dachte Ricardo, als der Jubel und das Tosen losbrachen. *Umso besser.*

Vier Minuten später, zur Halbzeitpause, als alle wieder von der Außenloge in die Lounge strömten, jetzt erleichtert, aufgewühlt, aber durchwärmt vom Glücksmoment des Torschusses – da sah Ricardo in das Gesicht des Präsidenten Enrique da Surfo, und er erblickte einen einigermaßen gelösten, glücklichen Mann, und das war seine Chance.

Sonntag, 20. April 2025, 16:45 Uhr

Morumbi-Stadion, VIP-Lounge, São Paulo, Brasilien

Die Halbzeitpause wurde im Jahr 1875 von der damals neu gegründeten »Football Association« ins Regelwerk dieser noch jungen Sportart aufgenommen und dauert nach den Bestimmungen der FIFA, also der »Féderation Internationale de Football Association« von 1904, exakt 15 Minuten oder 900 Sekunden, davon waren jetzt acht Minuten verstrichen. Acht Minuten – ohne, dass Ricardo einen Schritt weitergekommen wäre. Den hochwichtigen Präsidenten eines hochwichtigen Fußballclubs in der Halbzeitpause eines hochwichtigen Spiels abzupassen, das erwies sich dann doch als schwieriges Manöver.

In der VIP-Lounge war es laut. Und es war voll. Die Gäste aßen, redeten, lachten, rauchten, schimpften, tranken. Die Kellner schenkten nach. Mehrere Fernseher, auf unterschiedliche Sender eingestellt, plärrten, und in der Mitte der Lounge stand Enrique da Surfo, umgeben von einem Kordon von Männern. Surfo überragte sie alle. Er hatte einen Gin Tonic in der Hand, sprach, erzählte, erklärte, deutete, die Männer um ihn hingen an seinen Lippen, nickten, brachen in dröhnendes Gelächter aus, sobald Senhor Presidente offenbar etwas Lustiges gesagt hatte – und sie wichen keinen Millimeter zur Seite, sie bildeten eine dreifache Abwehrmauer. Ricardo, 163 Zentimeter groß, überragte keinen.

Noch vier Minuten.

Ricardo zerrte einen Stuhl herbei, kletterte darauf, winkte mit den Armen wie ein Schiffbrüchiger, der einen Tanker vorbeiziehen sieht. »Senhor Presidente! Senhor Presidente!«

Stille. Die Gespräche versiegten, 40 Augenpaare richteten sich auf Ricardo. Nur die Fernseher plärrten weiter wild durcheinander.

Ein Quartals-Irrer offenbar, die Security-Leute strafften sich, griffen aber noch nicht ein – noch nicht.

Surfo blickte jetzt auf, sah Ricardo auf seinem Stuhl, erstaunt, irritiert, erkannte er ihn? Nein, er erkannte ihn nicht, Himmel, doch, er erkannte ihn, ein freundliches Leuchten ging über sein Gesicht, denn die Erinnerung an exzellentes Essen ist unauslöschlich. Er winkte. Aber vorsichtig-freundlich, etwa, wie man einen Unzurechnungsfähigen begrüßt.

»Ah! Ah, mein Lieber! *O cozinheiro mais brilhante da São Paulo*, der genialste Koch dieser Stadt! Sie hier?« Zögernd: »Ich wusste ja gar nicht, dass Sie hier sind. Aber kommen Sie doch von diesem Stuhl herunter …« Surfo winkte die Security-Männer zurück.

Ricardo hüpfte vom Stuhl, jetzt teilte sich, wenn auch unwillig, der Abwehrring um Surfo. Ricardo, schnaufend vor Aufregung, schob sich zu ihm durch. Der Präsident reichte ihm, etwas überrascht, aber wohlwollend

321

die Hand – Ricardo ergriff sie und schüttelte sie und ließ nicht mehr los.

»Danke! Danke! Senhor Presidente, ich bin Ihretwegen hier, ich muss Ihnen etwas sagen, ich brauche Ihre Hilfe …«

Ricardo musste erstmal wieder zu Atem kommen.

»Nun, ich helfe natürlich gern, aber vielleicht beruhigen wir uns? Und dann rufen Sie meine Sekretärin an und vereinbaren einen Termin, denn im Vertrauen gesagt, dies hier ist kein guter Zeitpunkt …« Er lächelte wie ein gütiger Chefarzt, machte eine Handbewegung, die Stadion, VIP-Lounge und den ganz offensichtlichen Irrsinn von Ricardo einschloss. »Ich würde Sie übrigens gerne meinem Freund Joao Telés vorstellen – Sie kennen ja ›CompuTel‹? Ein wunderbarer Konzern! Joao, dies ist Senhor Ricardo, der beste Caterer der Stadt …«

»Sehr interessant.« Joao Telés war dazu getreten, hätte aber kaum desinteressierter klingen können. Einige Umstehende hörten immer noch zu, aber die meisten wandten sich ab.

»Sehr erfreut. Und nein. Nein, bitte keinen Termin, *desculpe*, Senhor Presidente, aber es eilt, es drängt, es dauert nicht lange …«

»Ja. Gut. Meinen Sie, mein Lieber, Sie könnten vielleicht meine Hand loslassen? Ich muss mich außerdem um meine Gäste kümmern. Was soll zum Beispiel Senhor Telés von mir denken, wenn ich ihn so sträflich vernachlässige? Das verstehen Sie doch …«

»Natürlich«, aber Ricardo ließ keineswegs los. »Senhor da Surfo, bitte, ich habe eine Information, die, glaube ich, militärisch oder politisch oder sonst wie wichtig ist – ich kann das nicht beurteilen, denn ich bin ganz zufällig an diese Information gekommen, auf einem Balkon, da unterhielten sich zwei Chinesen, und ich spreche zufällig sehr gut Chinesisch, aber das ist eine andere Geschichte und führt zu weit, jedenfalls, ich bin nur ein Koch. Sie jedoch, Senhor Presidente, Sie kennen wichtige Menschen, und Sie kennen Regierungsleute und alle möglichen Leute, also, der Aufmarsch der Allianz ist nämlich keine Finte, und diese neuen Waffensysteme, die Brasilien jetzt bekommen hat, diese Gefechtsköpfe YU-73, diese Gefechtsköpfe werden modifiziert, verstehen Sie …«

»Natürlich. Ausgezeichnet. Ich verstehe sehr gut, mein Lieber, dass Sie sich Sorgen machen …«

Für Surfo gab es jetzt keinen Zweifel, dass Ricardo einen Dachschaden hatte. Aber er wollte keine Szene.

»Wir alle sind besorgt. Denn diese drohende Konfrontation ist ein sehr, sehr ernstes Thema.« Surfo machte ein zutiefst bekümmertes Gesicht. »Aber ich habe Vertrauen in unseren Präsidenten. Und dieses Thema *muss* weiterhin erörtert werden, unbedingt, aber nicht hier und heute! Dieser Abend ist ein Fußballabend. Er gehört dem Spiel! Der Schönheit des Spiels! Sie kennen sich doch aus mit Schönheit, mit Geschmack und Aroma, denn das ist doch auch Ihr Metier – wissen Sie übrigens, was Dostojewski geschrieben hat?«

»Nein«, sagte Ricardo. *Dostojewski?*

»Er schrieb: ›Schönheit wird die Welt retten.‹ Ist das nicht wundervoll? Ich liebe diesen Satz. Aus ›Der Idiot‹.

Ja. Ausgezeichnet. Würden Sie übrigens bitte meine Hand loslassen? Danke. Wir sehen uns später. Oder ein andermal.«

Surfo entzog seine Hand Ricardos Griff, nickte Ricardo halbwegs freundlich, halbwegs ungeduldig zu, wollte ihn beiseiteschieben.

Noch drei Minuten.

Ricardo vertrat ihm den Weg. »Ich benehme mich unmöglich, ich weiß. Ich benehme mich wie dieser Idiot aus Ihrem Buch. Obwohl ich ihn nicht kenne. Egal. Sie lassen mich gleich hinauswerfen, ich hätte jedes Verständnis. Aber es geht nicht um mich, auch nicht um Dostojewski, es geht um diesen Krieg und viel Leid und Zerstörung und Gefechtsköpfe, es ist so kompliziert, und ich verstehe davon nichts ...« Ricardo war kurz davor, in Tränen auszubrechen.

Irgendetwas an Ricardo ließ Surfo zögern. Surfo war der Mann, der Spieler lesen konnte, der Menschen durchschaute. *Dieser kleine Koch hier sagt die Wahrheit.* Er wusste wirklich etwas – was immer es war. »Hören Sie, mein Lieber, nach dem Spiel können wir gerne, aber jetzt ...«

»Nehmen Sie meinen Brief!« Ricardo nestelte den Umschlag aus seiner Jackentasche. »Nehmen Sie diesen Brief, lesen Sie ihn, geben Sie ihn niemandem! Er ist wichtig, er enthält merkwürdige Informationen, die für unser Land gefährlich sein könnten ... Ich kann das nicht so ausdrücken. Da! Steht alles drin!«

»Danke, wunderbar. Und jetzt müssen Sie aber gehen, mein Lieber ...« Surfo nickte den Security-Leuten zu, die die ganze Zeit in Bereitschaft gestanden hatten, im Nu waren sie bei Ricardo, nicht grob, aber doch sehr zupackend schoben zwei, die zusammen viermal so groß und breit waren, den völlig erschöpften Ricardo aus der Lounge.

Noch eine Minute. Die Lounge leerte sich. Surfo winkte einem Kellner nach einem weiteren Gin Tonic.

»Wer war das denn?«, fragte Telés.

»Er ist eigentlich Koch. Hervorragender Koch. Sehr begabt. Ich hatte ihn mehrmals engagiert – einer der besten Caterer der Stadt. Ich wusste aber nicht, dass er nebenberuflich als Wahnsinniger arbeitet. Aber irgendwie … Man steckt nie drin in den Menschen … Neue Waffensysteme! Gefechtsköpfe YU-73! Worauf diese Leute kommen! Er hat mir einen Brief gegeben, der Verrückte …«

YU-73? Telés Interesse war augenblicklich geweckt. »Gib mir den Brief!«

»Gib mir den Brief?« Surfo blinzelte vor Erstaunen. »Jetzt komm! Das Spiel geht weiter. Noch eine Minute! Komm!« Er fasste Telés unter und wollte ihn auf die Außenloge schieben.

»Du willst, dass ich dir zwei, drei neue Spieler finanziere? Dann gib mir den Brief. Und du bekommst deine Spieler.«

»Du bist verrückt. Wie dieser Koch.« Surfo zog Ricardos Kuvert aus seiner Tasche, gab ihn Telés. »Das Spiel!«

»Ich komme gleich.«

Telés ging ein paar Schritte beiseite, riss den Umschlag auf, überflog Ricardos Zeilen. Die zweite Halbzeit hatte begonnen.

Telés ging zu einem Sessel, setzte sich und las den Brief ein zweites Mal, sehr langsam.

Er griff in seine Tasche und holte sein Handy hervor. Er war sehr blass.

Sonntag, 20. April 2025, 17:08 Uhr

*Dienstwohnung II. des Verteidigungsministers, Codename
»Eisenhand«, Avenida da Liberdade, São Paulo, Brasilien*

»Hallo? Ach, du bist es, Joao. Ja, ich war zwei Tage abge-
schottet. Bin jetzt wieder in der Stadt. Klingt komisch,
meine Stimme, weil alles, was ich sage, über zwei, drei
Verzerrer und Chiffrierer läuft … Nein, ich bin okay.
Aber wie geht es dir und Incarnacao und den Kindern …
Wie? Ja, natürlich. Was für ein Koch? Und der Brief ist
von Surfo? Okay, umgekehrt, hab ich verstanden. Der
Brief eines Kochs. Natürlich, lies ihn mir vor. Ich könnte
mir nichts Interessanteres denken, als mir Briefe von Köchen vorlesen zu lassen, die ich nicht kenne und nicht
kennen will … ist ja gut! Lies einfach …«

Pablo Telés, der Verteidigungsminister, stand im Arbeitszimmer seiner Dienstwohnung, er ließ sich in einen
Sessel fallen, es verging vielleicht eine Minute. Ihm fiel
auch das Gespräch ein, das sie mit Bill Gates geführt hatten. Gates hatte sie gewarnt.

Er stand auf. »Joao, hab ich das richtig verstanden:
YU-73? Wo hast du das her? Wer ist dieser Typ? Unsinn!
Das ist kein Koch! Das ist ein, ich weiß nicht, vielleicht
ein verkappter Erpressungsversuch! Hör zu, mach nichts,
gib dieses Papier niemandem, ich schicke dir jetzt ein

paar Leute, die bringen dich hierher, wo du in Sicherheit bist ... Nein, nicht direkt in Gefahr – ich weiß es nicht. Aber wer immer diesen Brief geschrieben hat, ist offenbar im Besitz von Informationen, die höchstens ein Dutzend Männer in diesem Land haben können! YU-73 ist ein geheimes Projekt ... Das ist wirklich *absolut* brisant. Wir finden diesen Mann. Nein! Unternimm nichts! Das ist zu gefährlich! Unternimm nichts! Joao? Joao ...? Verdammt!«

Pablo M. Telés starrte auf sein Telefon, als erwartete er von dem kleinen Ding eine Antwort.

Sonntag, 20. April 2025, 17:10 Uhr

Vor dem Morumbi-Stadion, São Paulo, Brasilien

Am Ausgang von Gate 8 schoben zwei Security-Männer Ricardo zur Tür hinaus, der Aufgang zur VIP-Lounge schloss sich hinter ihm.

Wahrscheinlich für immer, dachte Ricardo. *Was für ein idiotischer Auftritt!*

Er war nass geschwitzt und zitterte.

Zum Glück war sein Motorroller noch da.

Ich habe Termine abgesagt, dachte er, *ich habe tagelang nicht gearbeitet, ich habe mich soeben zum Narren gestempelt, mein Auftritt wird in ganz São Paulo die Runde machen, bestimmt hat man mich gefilmt, wie ich da auf dem Stuhl stehe, und wahrscheinlich wäre ein Herzinfarkt die beste, abschließende Lösung – und warum das Ganze? Was hab ich mit Gefechtsköpfen zu tun?*

Er gab sich selbst keine Antwort, weil es keine gab, und löste, immer noch zitterig, das schwere Kohlburg-Kettenschloss.

Gegenüber von Gate 8, hinter einem Getränkewagen, stand Bob Olufunmilayo und gab zwei Männern, die er in São Paulo engagiert hatte, ein Zeichen. Ein Lieferwagen mit der Aufschrift *Salsichas fritas* setzte langsam zurück, rhythmisch fiepend, setzte zurück, dorthin, wo Ricardo seinen Roller zur Straße schob. Ein Mann in einem grauen Overall mit einer schematisierten Hotdog-Abbildung auf dem Rücken ging rückwärts und schien den Lieferwagen winkend zu dirigieren.

Tatsächlich hatte der Mann einen Elektro-Taser X-28 in der einen, ein Plastiknetz und Kabelbinder in der anderen Tasche. Über seinem rechten Fußknöchel trug er einen Holster mit einem »Enforcer«-Wurf- und Kampfmesser.

Der Lieferwagen setzte vorsichtig zurück, immer näher zu Ricardo. Fieep – fieep – fieep …

Der Lieferwagen und der Mann im Overall waren jetzt nur noch wenige Meter von Ricardo entfernt. Olufunmilayo beobachtete alles. Der Mann warf ihm einen schnellen Seitenblick zu, Olufunmilayo nickte kurz.

Ricardo setzte seinen Helm auf. Er war immer noch erschöpft, alles dauerte länger. Er zerrte einen Schal aus der Seitentasche seiner Lederjacke und band ihn sich um.

Der Mann im Overall zog seinen Taser aus der Tasche.

Plötzlich wurde die Stahltür von Gate 8, VIP-Aufgang, von innen aufgestoßen.

Telés sprang heraus, rannte auf den Vorplatz.

Er sah sich um, hektisch nach links, nach rechts, erblickte Ricardo, erkannte ihn an der Statur und an der Jacke. Ricardo war etwa fünfzehn Meter von ihm entfernt und schwang sein rechtes Bein über den Sattel des Rollers.

Ricardo drehte den Zündschlüssel. Knatternd und krachend sprang der Motor an.

»Hey! Halt! Senhor! Warten Sie! Dieser Brief …
Halt!« Telés stürzte zu Ricardo, der nichts hörte.

Muss endlich den Auspuff reparieren lassen, dachte Ricardo. Er stand jetzt an der Straße und wartete auf eine Lücke im Verkehr, um sich einzufädeln.

Der Lieferwagen war nur wenige Meter entfernt. Der Mann im Overall hielt den Taser eng an sein Bein gedrückt. Der Fahrer verfolgte das Geschehen im Spiegel. Er machte eine Handbewegung, die sagte: Und was jetzt?

Der Mann im Overall blickte fragend zu Olufunmilayo.

Der schüttelte den Kopf.

Um ein Haar hätte Joao Telés Ricardo noch erreicht.

Sonntag, 20. April 2025, 17:12 Uhr

Vor dem Morumbi-Stadion, São Paulo, Brasilien

Ricardo fand eine Lücke im Verkehr, er gab Gas, sein Auspuff hustete, röchelte, spuckte eine schwarze Wolke aus.

Joao Telés war stehen geblieben und blickte ihm einen Moment lang nach. Dann drehte er sich um und rannte Richtung VIP-Parkplatz.

Olufunmilayo nickte dem Mann im Hotdog-Overall zu, deutete in die Richtung, in die Ricardo gefahren war; höchstwahrscheinlich nach Vila Madalena. Der Mann im Overall riss die hintere Klappe auf, sprang hinein, Olufunmilayo ging nach vorne, schwang sich in einer schnellen Bewegung auf den Beifahrersitz. Der Fahrer gab Gas, der Motor wieherte auf, und der Lieferwagen mit der Aufschrift *Salsichas fritas* nahm die Verfolgung auf.

Sonntag, 20. April 2025, 17:20 Uhr

*Dienstwohnung II. des Verteidigungsministers, Codename
»Eisenhand«, Avenida da Liberdade, São Paulo, Brasilien*

»*Sim?* Ja? Hallo?«

»Herr Verteidigungsminister, ich weiß, dass dies
eine sichere und chiffrierte Leitung ist, auch ich spreche über eine sichere Verbindung. Mein Name ist Sofia
Della Bettemcour, ich bin Bereichsleiterin in der ›Agência‹, Bereich Ausland/Terror. Die Codierung für dieses
Gespräch ist 14 92 73. Ich bin laut Kompetenzprofil
zu diesem Anruf autorisiert. Oberst Parimba ist mein
Vorgesetzter, er ist über diesen Anruf informiert. Sie
können ihn jetzt anrufen, und ich melde mich in fünf
Minuten …«

»Nein, ist schon gut!«, sagte Pablo Telés, »es wird ja
wohl nichts Dramatisches sein, oder?«

Bitte nicht, dachte er.

»Nun, wie man es nimmt, Herr Minister. Ich versuche schon seit heute Morgen, Sie zu erreichen. Ich würde
dies gern mit Ihnen persönlich besprechen. Ich brauche
nicht länger als zehn Minuten, um Ihnen meine Erkenntnisse darzulegen …«

»Sprechen Sie jetzt«, sagte Telés. »Sind wir uns eigentlich schon begegnet?«

333

»Ja, mehrmals, bei Besprechungen mit Oberst Parimba. Zuletzt vor vier Wochen …«

»Ich kann mich leider nicht so genau an Sie … äh …«

»Erinnern? Das macht nichts, Herr Minister. Ich bin der Typ Frau, den man vergisst. Aber nicht darüber wollte ich sprechen. Sondern über Erkenntnisse, wonach meines Erachtens Brasilien in eine Falle gelockt werden soll. Ich weiß jetzt, dass zwei Informanten aus dem Staatschef-Umfeld, ein hochrangiger Chinese, ein hochrangiger Russe, in Zusammenhang stehen mit einem nigerianischen Waffenhändler, einem gewissen Robert B. Olufunmilayo, diverse Gesellschaften und Scheinfirmen, Lagos, Paris, Zürich. Und dass die Informationen, die an uns lanciert wurden, höchstwahrscheinlich falsch sind …«

»Falsch?« Pablo Telés hatte das Gefühl, der Boden würde nachgeben.

»Ja, falsch. Ich habe diese Information dem Präsidenten übergeben, aber meinen Vorbehalt deutlich gemacht, auch im Bericht. Die G3 bluffen nicht. Die G3 meinen es ernst. Sie wollen, dass Brasilien in der Regenwaldfrage nachgibt. Politische Offensiven auf der Basis, dass gebluft wird, sind extrem gefährlich. Ich wiederhole: extrem gefährlich …«

»Ja, ich hatte das verstanden. Ich glaube, Sie müssen herkommen. Wir müssen den Präsidenten informieren, und wir müssen eine Strategie definieren … Oh Gott …«

»Und dann gibt es noch Hinweise über die Modifizierungen an Waffensystemen, die über Olufunmilayo verkauft werden. Falls Brasilien – was ich nicht weiß – etwa

Gefechtsköpfe vom Typ YU-73 gekauft haben sollte, müssen die Programme und Quellcodes vollständig überprüft werden ...«

»Diese Informationen sind erschütternd. Und Sie sind glaubwürdig, fürchte ich. Eben hat mich ein Informant aus einem Fußballstadion angerufen. Ich kenne diesen Informanten sehr lange und kann ihm voll und ganz vertrauen, okay? Also, dieser Mann sagte, in der VIP-Lounge wäre ein Verrückter aufgetaucht, der jedoch nur scheinbar verrückt war. Ein Koch ...«

Sofia sagte nichts.

»Sind Sie noch da?«

»Ja, Herr Minister.«

»Okay. Sie haben gar nichts gesagt, ich dachte, die Verbindung ... jedenfalls gibt es da einen Koch, hier aus São Paulo, und dieser Koch behauptet, er hätte zufällig eine Unterhaltung mitgehört, und in dieser Unterhaltung sei es auch um ähnliche Dinge gegangen ...«

»Ähnliche Dinge, Herr Minister?«

»Ein *vorgeblicher* Bluff. Eine Falle. Für unsere Regierung. Modifizierte Waffen. Gefechtsköpfe ... Die Information deutet darauf hin, dass die G3 es ernst meinen. Na, jedenfalls sollten Sie herkommen.«

»Das werde ich, Herr Minister. Mit Ihrer Erlaubnis werde ich allerdings zuerst diesen ... Sie sagten, Koch ... besuchen, gleich jetzt.«

»Ist der Koch wichtiger als der Minister?«

»Keineswegs, Herr Minister. Ich glaube aber, dass wir effizienter diskutieren können, wenn wir wissen, wer dieser ominöse Koch ist, was dieser Mann weiß, woher er

335

es weiß. Wissen Sie den Namen dieses Mannes, dieses Kochs?«

»Nein, woher? Ach doch, *desculpe*, mein Bruder, also der Informant hat ihn mir genannt, mit Adresse. Haben Sie was zu schreiben?«

»Ja, Herr Minister.«

»Rua Fleury 14. Die Firma heißt ›Innovation Wei‹, Catering. Der Mann selbst heißt Ricardo da Silva.«

Sonntag, 20. April 2025, 18:40 Uhr

São Paulo/Vila Madalena, Brasilien

Draußen dunkelte es schon, begann bereits der Sonntagabend in Vila Madalena, dem In-Viertel von São Paulo, als Ricardo in der Rua Fleury im zweiten Stock seine Wohnungstür aufschloss. Als er die Tür hinter sich zudrückte, fühlte es sich so an, als könnte er die ganze Peinlichkeit und Plumpheit seines Ausflugs möglicherweise doch hinter sich lassen, mit ein wenig Glück sogar vergessen.

Die Sinnlichkeit seiner Wohnung war tröstend. Ricardo empfand es so, obwohl seine Wohnung auf jeden potenziellen Besucher wahrscheinlich befremdend und karg und keineswegs sinnlich und behaglich gewirkt hätte. Allerdings empfing Ricardo niemals Besucher, nur einen Sous-Chef, den er gelegentlich engagierte, und ein oder zwei Helfer bei größeren Aufträgen. Und denen konnte es nicht gleichgültiger sein, wie die Wohnung aussah.

Ricardo machte Licht und wanderte durch die riesige Küche, 90 Quadratmeter, zu der er sein Apartment im Prinzip hatte umbauen lassen. Der Fußboden bestand aus alten Fliesen, schwarz-weiß, ein Schachbrettmuster. Er legte die Hand auf den Garland-Herd, das größte Modell, das man kaufen konnte, ein exzellentes Stück. Und da war der Ofen mit den vier separat einzustellenden Brennkammern. Er öffnete die Türen zu den klimatisierten Kühlräumen, die er hatte installieren lassen, einen für Fleisch, Geflügel, Wurst, einen für Käse. Er sog den wundervollen Duft ein, unterschied mit geschlossenen Augen die sich überlagernden Aromen. Für einen Moment blieb er vor dem Peanuts-Poster stehen und betrachtete es: Schroeder, das Beethoven verehrende Wunderkind am Kinderklavier. Ricardo liebte die Figur des Peanuts-Erfinders Charles M. Schulz, Schroeder, ein Comic-Emblem für Hingabe.

Ricardo zog die Lade auf und nahm die vier Messer heraus, die er in geölten Lederetuis aufbewahrte. Er legte sie vor sich hin, auf das polierte Holz des großen Küchentischs. Wie jeder Koch hatte Ricardo eine beinahe fetischhafte Beziehung zu Messern; das Messer war das wichtigste Arbeitsgerät in der Küche. Die Königsklasse waren Damastmesser: mehrfach gefalteter Stahl, der als Stützmaterial um einen sehr harten Schneidkern lag. Vor sechs Jahren hatte Ricardo beim Superstar der Klingenhersteller diese vier Messer gekauft, jedes hatte ihn etwa 21 000 Euro gekostet. Der Schmied war ein Deutscher, ein gewisser Bodo Träger aus Solingen, und der Damaststahl, den er schmiedete, bestand nicht etwa aus nur 100 Lagen geschichteten Stahls, sondern aus sage und schreibe 801 Lagen. Ricardo hatte Griffe aus Mooreiche gewählt, das Holz war schätzungsweise 4 000 Jahre alt. Sie waren schwarz, hatten einen samtigen Glanz, lagen so balanciert in der Hand, dass man ihr Gewicht kaum merkte.

Auf der »Hardness-Rockwell-C-Skala«, Maßeinheit für die Härte technischer Werkstoffe, erreichte die Stahlhärte von Ricardos Messer einen HRC-Wert von 65,5. Die Stahlwelle in einem Motorgetriebe lag bei 48 HRC.

Ricardo setzte sich an den Küchentisch. Sollte er ein Glas Wein trinken, ein Stück Käse essen, um den Geschmack des Tages fortzubekommen? Jetzt noch nicht, entschied er.

Um sich aufzumuntern, versuchte er, an Projekte zu denken, an Gerichte, Kombinationen. Er würde demnächst mit Erlenholz und Rotbuche geräucherte Alaska-Forellen mit Quinoa kombinieren. Quinoa in Butter, Sauerampfer und Safran, die Forelle mit einer hauchdünnen Kruste aus Fenchel und Sesam. Und er wollte immer seine eigenen Garnelen-Ravioli entwickeln, mit Wacholder und Szechuan-Pfeffer. Ach – er wollte noch so vieles ausprobieren.

Warum tröstet mich das, dachte er. *Etwas verrückt ist das wahrscheinlich. Wer bin ich, dass ich mich derartig in ein Thema vernarrt habe – und so vieles einfach nie in mein Leben ließ?*

Aber wir sind alle so.

Alle Köche, die er kannte, die er manchmal widerwillig respektierte, widerwillig bewunderte oder für kläglich befand oder verachtete – sie alle waren individuell, absonderlich und schräg. Ein guter Koch blies immer etwas Feenstaub auf seine Arbeit.

Ricardo liebte die Intensität des Kochens, keine

andere Kunst, Malerei, Literatur, Musik, war derart vergänglich und trotzdem so archaisch-tief im Reaktionsmuster des Menschen verankert. Geschmack und Differenzierung waren die vorantreibenden, gleichzeitig verbindenden Kräfte auf dem evolutionären Sonderweg des Menschen gewesen, darüber waren die meisten Neurologen sich inzwischen einig.

Und Ricardo liebte nicht nur die Alchemie der Aromen, das Spiel der Verwandlungen, sondern auch die schnelle Arbeit, den Umgang mit den Messern, oft so nahe an den Händen, den Fingern; dazu die Hitze, das Sieden, Brodeln, Karamellisieren, Garen, Sautieren, Schäumen, Blanchieren in dem immer zu engen, erhitzten Raum, und dann das Resultat, die Unbestechlichkeit des Urteils.

Ricardos Blick fiel auf die teilweise zerknüllten Entwürfe zu dem Brief, den er dem Fußball-Präsidenten übergeben hatte. Er hatte das Schreiben hier an diesem Tisch verfasst, sechs oder sieben Entwürfe, mehr oder weniger misslungen, lagen dort, verdammt, sie erinnerten ihn an die Blamage.

Wie wirr er geredet hatte, dachte er. Mein Gott. Und dann auf den Stuhl gestiegen, peinlich, wahrscheinlich war er gefilmt worden, bestimmt war der Auftritt schon auf YouTube zu finden.

Ricardo hatte kaum Erfahrung mit misslungenen Situationen. Was er begonnen hatte, war ihm fast immer geglückt.

Doch was er jetzt versucht hatte, lag weit außerhalb seiner Möglichkeiten und Kräfte. Er begriff plötzlich das ganze Ausmaß seiner Machtlosigkeit.

So war also die Welt: Es gab überall kleine Blasen, wo kleine Leute etwas taten und sich mühten, und dann, weit darüber, in der sozialen Stratosphäre, lebten jene, deren Radius nicht durch ihrer Hände Arbeit bestimmt wurde, sondern durch Vernetzung, Geld, Kontakte, Golffreunde, deren Radius darum viel größer war. Es war die Welt, zu der er nie gehört hatte, die Welt seiner Diplomaten-Eltern, seiner erfolgreichen Brüder, zu denen er lange schon keinen Kontakt mehr hatte.

Der Flügelschlag eines Schmetterlings ... Aber das war die Chaostheorie, mit Betonung auf Theorie. In der Wirklichkeit gab es Myriaden von Schmetterlingen, deren Flügelschläge überhaupt nichts bewirkten. Und wer entschied, welcher Schmetterling der Auserwählte war? Niemand? Der Zufall? Gott?

War Brasilien wirklich in Gefahr? Beschrieb diese bizarre Unterhaltung, die er zufällig belauscht hatte, sehr gegen seinen Willen, tatsächlich eine entsetzliche Vernichtungskraft? Der ganze Konflikt war so sinnlos. Warum gab die verdammte Regierung nicht einfach nach? In Brasilien wusste eigentlich jeder, der lesen konnte, dass das, was unausgesetzt im Regenwald geschah, schlimm war, brutal, unnötig, gefährlich. Was würde schon passieren, wenn man die Forderungen der Klima-Allianz erfüllen würde? Einige Holz- und Fleischbarone würden untergehen, aber untergehen würden sie auch nicht – sie würden einige Benetti-Yachten weniger kaufen können. Sie müssten vielleicht auf die eine oder andere Ferienvilla in der Provence verzichten.

Die Leidtragenden wären die Arbeiter und ihre Familien. Aber das könnte man regeln.

Wäre es so schlimm, mal einen Teil der Natur *nicht* zu brechen, *nicht* zu roden, *nicht* dem Menschen untertan zu machen?

Auf diesen Ordnungs- und Ausbeutungsanspruch mal zu verzichten?

Ricardo beschloss, ein Glas Montrachet zu trinken. Er würde einige Pistazien rösten und ein Stück chilenischen Bergkäse dazu essen.

Da klopfte es an der Tür. Ricardo schrak zusammen.

Ricardo ging zur Wohnungstür, deren Fassung metallverstärkt war – Vila Madalena war zwar ein relativ harmloses Viertel, aber so harmlos auch nicht. Er legte die Kette ein und öffnete die Tür einen Spalt.

Im Treppenhaus war es dunkel, er konnte den Mann, der vor seiner Tür stand, nur schemenhaft erkennen. Der Mann war jedenfalls groß, sein Gesicht blieb im Dunkeln. Ricardos Geruchssinn war trainiert, er roch den ungebetenen Besucher: ein teures Aftershave, darunter eine Ausdünstung von Säuerlichkeit, Aggression, Gefahr.

»Ja?«

»Entschuldigen Sie vielmals die Störung«, der Besucher sprach Englisch. Seine Stimme klang ungemein wohltuend, freundlich-amüsiert.

Sie passte allerdings nicht zu dem, was Ricardo wahrnahm. Was er spürte.

»Ich hatte sie unlängst beauftragt, in einer Wohnung in der Rua Coutinho einige Freunde von mir zu verkösten – Sie erinnern sich vielleicht an den Termin, es war ein Abendessen für sechs Personen, Sie erinnern sich, Senhor da Silva …?«

»Ich, nein … tut mir leid, es passt mir jetzt auch nicht …«

»Natürlich. Ich verstehe. Sie wollen Ihren wohlverdienten Feierabend genießen, Sie waren schließlich im Fußballstadion und sind sicherlich erschöpft. Dürfte ich dennoch einen Moment hereinkommen?«

Er weiß es, dachte Ricardo. *Er weiß alles! Wer ist das?* Übelkeit stieg in ihm auf.

»Nein! Gehen Sie«, sagte er, »es passt mir jetzt einfach nicht …«

»Natürlich«, sagte die Stimme. »Entschuldigen Sie. Auf Wiedersehen.« Der Mann machte einen Schritt von der Wohnungstür weg, Ricardo atmete bereits erleichtert auf, noch ein Schritt und …

… und da flog die Tür auf, mit solcher Gewalt, dass Ricardo einen Schlag an die Schläfe erhielt, der ihn zurücktaumeln ließ. Die Kette schlackerte, gerissen. Plötzlich stand eine große und schattenhafte Figur vor ihm, eine Welle von Übelkeit stieg in ihm auf, und etwas Warmes lief sein Gesicht herunter. Ricardo hatte den metallischen Geruch seines Blutes in der Nase, und irgendetwas fasste ihn, drehte ihn wie eine Puppe und schob ihn in die Küche.

Drückte ihn auf einen Stuhl.

Der Mann stand jetzt vor ihm in der Küche, ein Unbekannter, schwarz, sehr groß, fast zwei Meter, schätzte Ricardo, sehr stark offenbar. Der Hals fächerte sich breiter auf als seine Ohren, in riesige Trapezmuskeln, die

343

Unterarme waren wie Keulen, die Sehnen und Adern ein gefrästes Flachrelief. Die Ohren waren klein und wohlgeformt. Der Mann lächelte.

»Bleiben Sie genau dort sitzen. Ich will nur nachsehen, ob mein Eindringen in Ihre Wohnung jemanden aufgeschreckt hat.«

Olufunmilayo ließ Ricardo für einen Moment unbewacht in der Küche sitzen, trat rasch zur Wohnungstür, horchte und vergewisserte sich kurz, aber im Treppenhaus blieb es ruhig.

Ricardo saß immer noch so da, er starrte verblüfft auf seine Hand, die blutverschmiert war, weil er sein Gesicht betastet hatte. Die rechte Seite seines Kopfes war taub.

»Wunderbar!« Olufunmilayo kam zurück in die Küche, er bewegte sich entspannt, klang amüsiert. »Ich muss leider auf unser Gespräch bestehen, und es sollte ungestört verlaufen, Senhor da Silva, Sie werden das verstehen.«

Ricardo schwieg. Der Schmerz wurde immer schlimmer. Er sagte nichts. Starrte den Mann an, gebannt von der definierten Bösartigkeit, die von ihm ausging. Ricardo, ein Reh im Scheinwerferlicht.

»Nehmen Sie das hier«, Olufunmilayo griff zu einem Küchentuch, feuchtete es über der Spüle an, als sei er hier zuhause, warf es Ricardo in den Schoß. »Zumindest tropfen Sie Ihre schöne Küche nicht voll …« Er zog einen Stuhl heran, setzte sich Ricardo gegenüber, sie saßen an dem Tisch wie zwei Freunde, die sie nicht waren.

»Ich will gleich zum Thema kommen, Senhor da Silva. Ist Ihnen, als Sie in der Rua Coutinho waren, etwas Seltsames aufgefallen? Ich habe Sie danach beobachten lassen, Sie haben von diesem Abend an ein äußerst ungewöhnliches Verhalten an den Tag gelegt. Als hätte jemand Ihnen etwas erzählt. Als seien Sie seitdem schockiert, verwirrt – verstehen Sie, was ich meine? Hören Sie mir überhaupt zu, mein Lieber?«

Er weiß es, dachte Ricardo. *Oder er weiß es nicht.* Laut sagte er: »Sind Sie von der Polizei? Ich habe nichts Unrechtmäßiges getan, ich bin nur …«

»Ich weiß doch«, sagte Olufunmilayo, es klang beinahe nachsichtig. »Ich will es Ihnen erklären. Diese Freunde, die Sie so großartig bekocht haben, sind gute Freunde. Und sie leisten eine wichtige, aber auch ›lichtempfindliche‹ Arbeit. Leider bin ich von Natur aus misstrauisch und übervorsichtig. Deshalb bin ich überhaupt nur hier bei Ihnen und habe das Vergnügen unserer Unterhaltung, Sie verstehen? Ich muss den Dingen auf den Grund gehen, genau wie Sie in Ihrem Metier, denke ich. Was ist übrigens das?« Olufunmilayo deutete auf die Briefe.

»Nichts!«

Ricardo hatte es zu schnell gesagt, Olufunmilayo hatte schon die Briefe gegriffen, er überflog das zuoberst liegende Blatt. »Mein Portugiesisch ist äußerst begrenzt, aber hier ist von Dingen die Rede …« Er las weiter.

Ricardo hätte am liebsten, wie ein bei einem Streich ertapptes Kind vor seinem strengen Vater, losgeweint. Aufgeben. Sich fallen lassen. Sein Kopf dröhnte. Das Tuch, das er sich an die Schläfe drückte, war jetzt vollgesogen und glitschig, der Geruch nahm ihm den Atem.

Aber die Blutung hatte aufgehört.

»Hier schreiben Sie von Gefechtsköpfen eines bestimmten Waffentyps, YU-73 steht hier, und das ist nicht gut, Senhor da Silva, nicht gut …« Olufunmilayo nickte ihm ernst zu. »Nicht gut.« Kurzes Lächeln, als wollte er sagen: *Ich weiß noch nicht, wie ich uns beide da rausboxen kann, aber ich werd's versuchen.*

»Bitte, niemand weiß davon, ich stand nur zufällig auf dem Balkon, als die beiden Chinesen sich unterhielten, und ich wollte nicht …«

»Natürlich, ich weiß es doch. Warum sollten Sie sich um solche Dinge kümmern? Sie sprechen wahrscheinlich Chinesisch?«

Ricardo nickte, er stand vor dem Hinrichtungskommando, so fühlte es sich an. Es war wohltuend, alles zu erzählen.

»Chinesisch! Sehr gut! Sprachen sind einfach hervorragend«, Olufunmilayo konnte seine Begeisterung kaum zügeln. »Und so hörten Sie Dinge, die Sie einfach nicht hören sollten, und das war ein Fehler, und Sie werden niemandem etwas davon erzählen, natürlich, das weiß ich doch, und diese Briefe – was ist das schon?«

Olufunmilayo machte eine Pause, der Blick, mit dem er Ricardo ansah, sein Lächeln veränderte sich keinen Achtelzentimeter, aber sein Blick war kälter. »Wissen Sie, dass ich einen Doktortitel besitze?«

»Wa-warum?« Es war mehr gestöhnt als gefragt.

»Ja, tatsächlich, einen Doktortitel! Es hat mich keinen Tag gekostet, etwas Geld hier, eine kleine Spende dort, und ich bin Doktor der Philosophie, verliehen von

346

der Universität von Accra, Ghana, Motto: *Integri proce-damus.* Das ist Latein, es bedeutet: Gemeinsam gehen wir weiter. Schön, nicht wahr? Dabei habe ich kaum drei Jahre in der Schule verbracht. Das Wichtigste habe ich während meiner Kindheit und Jugend auf der Straße ge-lernt. Lagos war meine Schule. Gewalt mein Lehrplan. Warum erzähle ich das? Weil es ein Fehler war. Der Titel. Ja, ein Fehler.«

Er machte eine Pause, als wäre er bekümmert.

»Ich dachte, ein Doktortitel wäre hilfreich für mein Metier. Glauben Sie, dass ich da falschlag? Sie antworten nicht, Sie sind verwirrt, ich verstehe. Ich will es erklären. In meinem Metier, ein kompliziertes Geschäft, war der Doktortitel irritierend. Es war zu viel des Guten. Res-pektabilität ist wichtig, aber das Akademische war über-trieben, zu viel Gewürz, wenn Sie so wollen. Und warum erzähle ich das? Weil man wissen muss, wer man ist. Das ist entscheidend. Wozu sind wir auf der Welt, was mei-nen Sie?«

Ricardo zitterte.

»Ich werde es Ihnen sagen: um zu gewinnen. Ich glaube ans Gewinnen. Und woran glauben Sie, Senhor da Silva? Ans Denunzieren? Sind Sie ein Denunziant? Sind Sie jemand, der Geschäftsleute anschwärzt, der Briefe oder Notizen verfasst, wahrscheinlich, um sie wei-terzugeben …?«

Olufunmilayo beugte sich vor. »Wem haben Sie schon davon erzählt?«

Ricardo fühlte keine Widerstandskraft in sich. »Nie-mandem. Ich wollte … im Stadion, dort kenne ich den

Präsidenten des FC São Paulo. Ich dachte, ich … dachte, ich könnte … Aber ich habe nichts erreicht, bei niemandem …«

»Oh! Jetzt nicht schwindeln. Es ist zu spät für Sie, Senhor da Silva, jetzt zu lügen. Sie sind doch ein Koch, kein politischer Mensch, oder?«

»Nein.«

»Sehr gut. Köche sind meiner Meinung nach sehr wichtig auf der Welt. Sie ernähren die Leute, halten diejenigen in Gang, die die Welt in Gang halten … Übrigens, Sie schauen erkennbar zu Ihren Messern hinüber. Sie denken daran, ein Messer zu ergreifen und mich anzugreifen, ich sehe es in ihren Augen, das wäre verständlich. Aber es wird nicht gelingen. Ich bin unendlich viel stärker als Sie, Senhor da Silva. Ich habe ebenfalls ein Messer, Sie werden es gleich sehen. Aber haben Sie keine Angst, es wird schnell gehen. Ich bin nicht grausam. Ist das nicht ein Glück für Sie? Sie werden hinübergleiten. Auf der anderen Seite ist nur Dunkelheit. Die Schmerzen hören auf. Ich kann Ihnen einen sanften Übertritt versprechen. Ich weiß, was ich tue. Aber es sind übrigens schöne Messer, die Sie haben. Eines werde ich mir vielleicht mitnehmen. Als Andenken an Sie. Ist Ihnen das recht?«

»Sie wo-wollen mich töten?«

»Nein. Ich muss. Später. Ich muss zunächst erfahren, was ich erfahren muss. Das wird wehtun. Ihnen. Und dann muss ich mich um den Mist kümmern, den Sie angerichtet haben.«

Olufunmilayo griff in seine Tasche, zog die Hand mit einer flüssigen Bewegung gleich wieder heraus. In ihr lag nun ein CQC-7, ein *Tactical Knife*, Klinge aus Stahl mit Molybdän und Chrom, ausgestattet mit einer Welle, die das Messer beim Herausziehen öffnete. Der Erfinder dieses Messers, Ernest Emerson, hatte im März 1999 dafür ein Patent erhalten.

»Oh Gott – bi-bitte nicht … Ich …«

»Ja, es ist schlimm. Aber nicht ganz so schlimm. Reden Sie jetzt einfach. Los. Wem hast du diesen Brief gegeben? Sag es, kleiner Koch. Du wirst dir einiges ersparen …«

Olufunmilayo setzte sein Messer an das linke Ohr Ricardos, der schrie auf.

»Wem hast du diesen Brief gegeben. Und wie viele Briefe gibt es?«

Angst, Angst, Angst, immer derselbe Ton, wie ein Spielzeugklavier mit nur einer funktionierenden Taste.

»Wem hast du diesen Brief gegeben …? Sprich, sonst liegt dein Ohr gleich auf dem Tisch, dann deine Finger, sprich, kleiner Koch …«

Reine, destillierte Angst, Ricardo spürte, wie das Messer in sein Fleisch drang und …

»Hey! Halt!! Keine Bewegung! Weg mit dem Messer! Fallen lassen! Sofort!«

Die Stimme war die einer Frau, war die von Sofia Della Bettemcour, Bereichsleiterin in der »Agência Brasileira de Inteligência«. Sofia Della Bettemcour, zweiundvierzig Jahre alt, wie immer energisch, wie immer schonungslos gut organisiert, mittelgroß, mittelhübsch, in Jeans, festen Stiefeletten, einer beigen Jacke von unauffälligem Schnitt.

Jetzt stand sie in der Küchentür. Und sie hielt eine Waffe in den Händen, stand da in der vom amerikanischen FBI seit Ende des vorigen Jahrhunderts propagierten einhändigen Anschlagshaltung: Waffe in Brusthöhe, linker Fuß leicht vorgesetzt, für enge Räume die ideale Schussposition.

Bob Olufunmilayo war irritiert, für einen Moment zumindest.

Ricardo sackte stöhnend weg. Ihm war, als fiele er in ein Loch, eine Ohnmacht. Aber er hörte immer noch Stimmen. Diese Frauenstimme war sehr kühl, sehr laut.

»Messer fallen lassen!«

Irgendetwas klirrte.

Olufunmilayo hatte das Messer fallen lassen. Wusste aber genau, wo es lag.

»Auf die Knie … Jetzt auf den Boden! Gesicht nach unten, auf den Boden!«

Olufunmilayo überschlug, immer noch sehr entspannt, seine Möglichkeiten. Um Ricardo musste er sich nicht kümmern. Die Frauenstimme war nur eine Stimme *einer* Person, sie klang entschieden, aber nicht trainiert. Ein Schuss konnte natürlich immer abgegeben werden. Aber das Risiko musste er eingehen. Jedenfalls durfte er sich nicht hinlegen. Er musste jetzt handeln.

Er schnellte aus den Knien hoch, im selben Moment drehte er sich, machte einen Karatetritt, *Mawashi-Geri*, einen aus der Hüfte ausgeführten Halbkreis-Tritt zum Kopf der kleinen Frau. Er vollführte den Angriff sehr, sehr schnell und …

… und dennoch löste sich aus der kleinen Taschenpistole Sofia Della Bettemcours, einer einschüssigen »Taurus 25/4« aus São Leopoldo, ein Schuss. Fünfteilig war die »Taurus«, gefertigt aus Polymergehäuse. Man kam damit, wenn sie zerlegt war, durch jede Kontrolle, und man konnte sie in weniger als zwanzig Sekunden zusammensetzen. Aus dieser Waffe löste sich der Schuss und traf Olufunmilayos Oberschenkel, während er den Angriff ausführte. Die Kugel traf ihn, Sekundenbruchteile bevor sein geschwungener Fuß Sofia am Kopf erwischte, schmetternd, und sie gleichsam von den Füßen hob und gegen die Wand schleuderte.

Die Kugel hatte ihn getroffen.

Schmerz. Brennen.

Er musste sich das ansehen.

Verdammt!

Olufunmilayo überschlug seine Möglichkeiten. Die verfluchte Frau – wer war sie eigentlich? Wieso war sie hier aufgetaucht? – war kein Problem mehr. Sie war mit einem Griff zu töten. Aber er war getroffen, er spürte die Verwundung im Bein. Er hatte so viele Verwundungen überlebt. Und seine Gegner waren stets so viel stärker gewesen als diese Frau, diese Witzfigur. Trotzdem musste er sich um die Verwundung kümmern. Er verlor viel Blut, merkte er, sehr viel Blut.

Ein Streifschuss?

Nein, das war kein Streifschuss. Fleischwunde?

Olufunmilayo nahm sich einen Moment Zeit, die Hose aufzureißen, er sah, wie das Blut in dicken Blasen aus der Innenseite des Oberschenkels pulsierte.

Das war schlecht.

Die Femoralarterie geht hervor aus der *Arteria iliaca externa*, die wiederum aus der Aorta entspringt, der linken Herzseite. Die Femoralarterie, etwa einen halben Zentimeter dick, verläuft in der Schenkelinnenseite, etwa eine Handbreit unter der Leistenregion, der *Regio inguinalis*. Wird diese Arterie getroffen, ist der Blutverlust nicht aufzuhalten – nur durch professionelle Hilfe. Die Wunde muss sofort abgebunden werden, dem Getroffenen bleiben vielleicht sieben bis zwölf Minuten.

Immer noch Zeit, die beiden zu töten, dachte Olufunmilayo. *Muss mich beeilen. Die Frau zuerst. Dann den Koch.*

Sein Blut pulste auf den Kachelboden in der Küche von »Innovation Wei«, Inhaber: Ricardo da Silva.

Der gleich tot sein würde. Der Hass auf diese beiden stieg in Olufunmilayo auf wie eine siedende Flüssigkeit.

»Raus! Raus hier aus meiner Wohnung! Schwein! Bastard! Raus …«

Olufunmilayo drehte sich langsam um. Sehr ungläubig.

Dort stand Ricardo.

Er hielt in jeder Hand ein Messer.

Es waren nur zwei Küchenmesser, aber die besten Küchenmesser der Welt, geschmiedet von Bodo Träger aus Solingen, 801 Lagen Damaststahl, sie schnitten durch alles, durch Finger, Gesichter, alles.

Aus Ricardos Ohren rann Blut, es lief und tropfte und tröpfelte auf seine Schultern, aber es war weniger, weit weniger Blut, als Olufunmilayo verlor. Und Ricardo konnte sich noch – oder wieder – bewegen, alle Angst und Übelkeit hatte er abgeschüttelt, er bestand nur noch aus Endorphin und Wut. Die Messer lagen, wie Olufunmilayo mit leichter Verwunderung sah, sehr gut, sehr sicher in seiner Hand, die Messer waren ein Teil von Ricardo, es würde gar nicht so leicht sein, ihn anzugreifen … mit nur einem Bein und auf dem glitschigen Küchenfußboden. Jemand, der nichts zu verlieren hat, dafür zwei Messer, die er zu halten weiß, ist kein so leichtes Ziel. *Er ist wie eine Ratte*, dachte Olufunmilayo, *die in die Enge getrieben ist; mit den Händen weniger leicht zu erledigen, als man denkt.*

Man braucht Zeit.

Und er hatte keine Zeit.

Das Blut pulste. Er starrte Ricardo an, voller Hass, sein Wildhundblick schien aus einem dunklen Loch hervor zu glühen. Er wollte ihm die Haut abziehen, die Augen ausstechen, jeden Finger brechen, und dann würde er die Frau zerstückeln, aber er hatte keine Zeit, er verlor Blut.

Und Ricardo starrte zurück, schrie, sprühte Speichel, während er schrie. »Du willst mich töten? Gut! Dann komm! Es gibt ein chinesisches Sprichwort: Man muss das Messer halten, bevor man mit dem Messer arbeitet. Ich kann mit Messern arbeiten. Komm, ich zeig's dir! Oder verschwinde! Hau ab!«

Und Bob Olufunmilayo, was in der Sprache der Yoruba so viel bedeutet wie »Gott hat mir die Freude geschenkt«, Bob Olufunmilayo drehte sich um und humpelte, die rechte Hand gegen die Innenseite seines Oberschenkels pressend, aus der Küche, aus der Wohnung, aus Ricardos Leben.

Ricardo stand eine Weile regungslos. Dann ließ er die Messer fallen. Sie klirrten auf den Boden. Er taumelte zur Wohnungstür. Daneben stand eine gedrungene Kommode. Mit viel Ächzen und Mühe konnte er sie vor die Tür schieben.

Er schwankte zurück. Die Küche. Alles war voller Blut. Schrecklich. Und dort lag eine Gestalt, eine Frau, an der Wand, die sich stöhnend aufrappelte. Keine Ahnung, wer sie war. *Aber egal,* dachte Ricardo, *gut, gut, dass sie gekommen ist. Sehr gut sogar.* Ricardo hielt sich am Küchentisch fest. Sein Herz flatterte, als hätte es irgendwo eine sehr wichtige Verabredung.

Eine Minute verging, zwei Minuten.

Ricardo starrte die Frau an.

Sie setzte sich an der Wand auf, stöhnte, überblickte die Situation in der Küche, es sah für Ricardo so aus, als würde sie sich gleichsam Notizen machen. »Sie sind Ricardo da Silva?«, sagte sie.

Nach einer Pause: »Ja.«

»Gut.« Sie sprach langsam und offenbar unter Schmerzen. Ihr Kiefer sah aus, als wäre er gebrochen.

»Und wer sind Sie?«, fragte Ricardo. »Wie-wieso sind Sie hier? Ich meine … Und wer war das, der da, der Mann …?« Undeutliche Bewegung in die Richtung, in die Olufunmilayo gegangen war.

»Das ist eine lange Geschichte«, sagte Sofia.

»Ich hab Zeit«, sagte Ricardo mit heiserer Stimme.

Und draußen, am Himmel über der 30-Millionen-

Metropole, über der Stadt des heiligen Paulus, standen, wenn auch smogverwischt, zwei sehr helle Sterne, die wie Zeiger auf das »Kreuz des Südens« wiesen.

»Glauben Sie ans Gewinnen?«, sagte Ricardo nach einer Weile.

Es kam krächzend heraus.

Sofia bedachte die Frage mit der ihr eigenen unerbittlichen Sachlichkeit und Exaktheit, fand sie zwar ungewöhnlich, aber beantwortbar.

»Manchmal«, sagte Sofia. »Manchmal glaube ich ans Gewinnen.«

Und draußen, am smogverwischten Nachthimmel über der Stadt des heiligen Paulus, zogen Sternbilder auf, das Sternbild des Löwen, des Großen Wagens, die Sternbilder des Herkules und der Leier.

Sonntag, 20. April 2025, 21:02 Uhr

São Paulo/Vila Madalena, Brasilien

Fehler! Fehler! So hämmerte es in Bob Olufunmilayo. Er hätte besser nicht gleich gehen, sondern er hätte in Ricardos Wohnung nach einem Gürtel oder einer festen Schnur suchen sollen, aber die Situation war außer Kontrolle geraten. Dieser irre, kleine Koch, der messerfuchtelnd und spuckend und kreischend vor ihm auf und ab sprang – Olufunmilayo hatte viele, viele Gegner besiegt, diesen schwanzlutschenden Kerl hätte er normalerweise zerquetscht. Aber nicht mit der Schusswunde, dem glitschigen Boden in der Küche, dann der Blutverlust – der Blutverlust war momentan sein Hauptproblem, er musste den Schenkel abbinden. Er sah sich nach irgendwas um, einem Kabel, einem Stück Leder, er sah nichts.

Er humpelte, die Zähne zusammengebissen, die Rua Fleury entlang, kam nach ein paar Metern an eine belebtere Querstraße, die Rua Justolorenzo. Instinktiv hielt er sich rechts, dort sah er Lichter, dort waren Kneipen, Bars, Leute.

Im Treppenhaus hatte er sein Hemd in Streifen gerissen und eine Art Druckverband angelegt, aber nicht ausreichend, überhaupt nicht ausreichend. Er befühlte sein

Hosenbein, es war getränkt von seinem Blut, nur noch Minuten, schätzte Olufunmilayo …

Ein Mann von der Statur Olufunmilayos verfügt etwa über sechs Liter Blut, das pro Minute einmal durch das Herz gepumpt wird. Im Fall einer Schussverletzung pumpt jedoch das Herz bis zu zweieinhalbmal schneller, kann der Blutdruck rasant von 120 auf 180 steigen. Olufunmilayo spürte sein Herz: ein großer Vogel, panisch, in einem zu kleinen Käfig.

Er humpelt jetzt die Rua Justolorenzo entlang, inzwischen verengt sich sein Gesichtsfeld, als würden von links und rechts schwarze Kaschierungen in sein Blickfeld gezogen. Er weiß nicht, wie schnell er vorankommt. Wenn er eine Arztpraxis sähe. Aber es ist später Abend. Seine Leute hat er weggeschickt. Sie anrufen? Dauert zu lange. Er sieht sich nach jemandem um, der ein Auto aufschließt, ihn zu einem Krankenhaus fahren könnte. Er könnte schnell selbst ein Auto aufbrechen. Kann aber nicht fahren mit dem Bein.

Dauert auch zu lange, das alles.

Er ist durstig.

Braucht jetzt dringend ein Krankenhaus. Wieso hat er das so schlecht organisiert? Leute weggeschickt. Fehler. Keine Schusswaffe. Fehler. Kontrolle verloren. Wieso so viele Fehler?

Er bleibt stehen. Hält sich an etwas fest, was ist das? Ein Laternenmast, aber dunkel. Jetzt bleiben Leute stehen, starren ihn an, den großen schwarzen Mann, keuchend, vorgebeugt, dessen Hosenbein durchtränkt ist von Blut, auf dessen Stirn Schweiß steht.

Jetzt sagt jemand etwas zu ihm. Was, das weiß er nicht. Die Stimme kommt wie aus weiter Ferne. Sie klingt verhallt.

Olufunmilayo zwingt sich, zu der Stimme hinzusehen. Eine Frau. Junge Frau. Besorgtes Gesicht. Dahinter zwei Männer. Nicken. Von ihnen geht keine Gefahr aus.

Sie nötigen ihn, sich zu setzen. Er gibt nach. Er setzt sich auf den Bordstein, die Leute starren auf sein Bein, eine Frau kniet neben ihm, kann nicht hören, was sie sagt, kann ihr Gesicht nicht mehr genau erkennen.

»Please help me«, sagt Bob Olufunmilayo.

Verblüffend. Er lächelt über sich selbst. Er hat noch nie einen anderen Menschen um Hilfe gebeten. Aber gerade eben hat er das getan.

Er sagt es gleich nochmal. »Please help me.«

Die Frau nickt eifrig, jetzt ist da auch ein anderes Gesicht, das nickt, beruhigend auf ihn einredet, die Leute telefonieren offenbar, wahrscheinlich rufen sie eine Ambulanz, das ist gut, kein Fehler.

»Please help me.« So ist das also, wenn man andere Menschen um Hilfe bittet. Er selbst hat immer nur gekämpft. Wenn er jemanden gesehen hätte, der stirbt, damals in Lagos, auf der Straße, niemals hätte er ihm geholfen, er hätte geschaut, wo dessen Geld ist, dessen Uhr, dann hätte er ihn getötet. Aber diese Leute hier wollen ihm helfen. Er selbst, denkt er, hätte auch theoretisch ein anderer Mensch werden können, ein hilfsbereiter Mensch, ein Arzt oder Lehrer. Was auch immer.

»Please help me.« Olufunmilayo weiß nicht mal, ob

er das gesagt hat oder gedacht. Er sieht Bruchstücke seines Lebens. Er lächelt.

Er hätte auch Kinder haben können. Etliche Frauen hatten im Laufe der Jahre behauptet, sie seien schwanger. Von ihm. Er hat diese Frauen beseitigen lassen. Wollte sich nicht belasten. Wäre ein Fehler gewesen. Oder nicht. Hätte er einen Sohn gehabt, hätte er ihn ausbilden können. Hätte ihm nachgeeifert, der Sohn. Wäre wie er geworden, der Sohn. Wäre ihm deshalb irgendwann gefährlich geworden. Hätte ihm viel geben können. Geld. Aber keine Liebe. Man kann nur Liebe geben, wenn man sie hat. Wenn man sie empfangen hat. Warum das so ist, sagt einem keiner. *Please help me*, denkt er, *das ist das erste Mal, dass ich das sage, und es ist auch das letzte Mal.*

So durstig.

Kann den Kopf nicht mehr halten. Unter seinen Füßen alles nass.

Sein Gesicht, im schrägen Licht der Straßenlaterne, drückt Verwunderung aus.

Pfütze. Blut. Er fällt.

Die Ambulanz traf laut Protokoll um 21:27 Uhr ein, zwei Rettungssanitäter sprangen heraus. Sie drängten die Schaulustigen beiseite, die um den Körper des zusammengesackten Mannes standen. Sie untersuchten den Mann, Ende dreißig, schwarz, keine Lebenszeichen. Sie legten ihn dennoch auf eine Trage, die sie mit einem Plastiküberzug gegen Verunreinigung schützten. Sie luden ihn ein und fuhren zum Madalena-Krankenhaus, wo Bob Olufunmilayo von einer übermüdeten Ärztin namens Dr. Sabrina Drega für tot erklärt wurde.

Montag, 21. April 2025, am nächsten Morgen

Rio de Janeiro, Brasilien, knapp 360 Kilometer von
São Paulo entfernt

Rio de Janeiro lag im Dunst, wie so oft. Vom Corcovado aus, dem berühmten Berg mit der Christusstatue, konnte man kaum die Rio-Niterói-Brücke über der Bucht erkennen, die Hochhäuser standen im Nebel, draußen auf dem Meer war schemenhaft etwas zu erkennen.

Etwas, das dort nicht hingehörte.

Da lag eine Kriegsmaschine im Wasser, schwer und bedrohlich, ein grauer Klotz am Horizont. Es war die »Shandong«, größter Flugzeugträger der chinesischen Flotte. Ringsum, kaum zu erkennen, kleinere Schiffe, wahrscheinlich Fregatten und Zerstörer.

Ein Flugzeugträger war im Grunde die moderne Version des mittelalterlichen Belagerungsturms vor einer Burg: ein Symbol von Macht, Stärke, Technik und Geduld – wer dieses Symbol auf sich zurollen sah, konnte sich hinter seiner Burgmauer nicht mehr unbefangen in Sicherheit wiegen.

Aber noch startete nicht ein einziges Flugzeug, die »Shandong« lag einfach nur da. Am nächsten Morgen tauchte ein zweiter Schatten vor Rio auf, das war die »Gerald R. Ford« der US-Navy.

In der Nacht sahen die Bewohner der Stadt einen Lichtschweif aus der Bucht heranrauschen. Er beschrieb eine gebogene Linie, überquerte die südlichen Slums, zog schließlich an bewohntem Gebiet vorbei und endete mit einer dumpfen Detonation gute zwanzig Kilometer von der Stadtgrenze entfernt. Ein Tomahawk-Marschflugkörper hatte den Tower eines stillgelegten kleinen Militärflugplatzes zerstört und den leeren Hangar daneben zum Einsturz gebracht. Ein Show-Schuss, eine Demonstration von Zielgenauigkeit und Zerstörungskraft.

Danach passierte nichts mehr.

Der zweite chinesische Flugzeugträger, die »Liaoning«, lag weiter südlich vor Porto Alegre, ebenfalls begleitet von kleineren Zerstörern und drei U-Booten der Jin-Klasse, 137 Meter lang, bestückt mit zwölf Raketen vom Typ JL-2, die bis zu 7200 Kilometer weit reichen konnten, außerdem jeweils sechs 533-mm-Torpedorohre. Die Boote waren auffällig bemüht, gesehen zu werden, am zweiten Tag tauchten sie ab.

In den internationalen Nachrichten war nun häufig von den »Klima-Terroristen« in Brasilien die Rede, weltweit hieß es, ihnen müsse das Handwerk gelegt werden. Bei Umfragen sank die Zahl der Kriegsgegner stetig. In amerikanischen und chinesischen Talkshows traten Strategen auf, die eine Bombardierung der Ölhäfen vorschlugen. Die Armeen der G3-Staaten hatten aber offenbar anderes vor.

In Paraguay, an der südwestlichen Grenze Brasiliens, gab es einen Stützpunkt namens Mariscal Estigarribia, das war eine Ortschaft im Departamento Boquerón. Sie lag in der Nähe der Grenze zu Bolivien, hatte ungefähr 2 500 Einwohner und einen Militärflugplatz. Hier landeten die Truppen der 101. Airborne, die stets zuerst ins Kriegsgebiet zogen. Sie bauten mobile Baracken auf, entluden ihre M-16-Gewehre, Panzerfäuste, Handgranaten, sie stellten Granatwerfer, Panzerabwehrlenkwaffen und Maschinenkanonen bereit und betankten die selbstfahrende Artillerie.

Die Transporter brachten mobile Toiletten, Equipment zur Trinkwasserreinigung und Nahrung heran, »MRE« genannte Tagesrationen: Pasta mit Gemüse in Tomatensauce, Chili mit Bohnen, Hühnerfleisch mit Eiernudeln und Gemüse, Rindfleisch-Taco, Käse-Tortellini und Rösti mit Speck. Dazu Mandel-Mohn-Kuchen, Preiselbeeren, alkoholfreien Apfelwein, Erdnussbutter und Cracker. Außerdem gab es eingeschweißte Pizza, die extra für die Armee entwickelt worden war. Sie sollte drei Jahre haltbar sein und auch nach einem Fallschirmsprung noch ihre Form behalten. Amerikanische Journalisten filmten jedes Detail, und die Botschaft ihrer Berichte lautete: Diesen Aufwand betreibt nur jemand, der es ernst meint.

In Bolivien, im Grenzort Las Petas, richteten sich die Russen ein, die 1. Gardepanzerarmee, der Eliteverband für schnelle Reaktionen. Von Las Petas bis zu Hauptstadt Brasilia waren es gerade 800 Kilometer, es gab eine Schnellstraße und praktisch niemanden, der die Russen hätte aufhalten können.

Im Norden, in Kolumbien, Peru und Venezuela, standen weitere Truppen. In Kolumbien hatte die US-

Luftwaffe vierzehn Stützpunkte, in Peru und Venezuela wartete eine russische Infanteriedivision. Die taktische Wirkung war ungeheuer. Die Brasilianer sollten spüren: Wir sind umzingelt.

An diesem Tag machte ein Video von General Norman B. Richards die Runde, der im Planungsstab des Weißen Hauses saß und täglich bei den Pressekonferenzen auftauchte. Einmal wurde er gefragt, warum die zahlenmäßig größte Armee, nämlich die chinesische, nur so wenig im Aufmarschgebiet vertreten sei.

Richards, bis dahin bekannt als ruhiger und sachlicher Stratege, sagte: »Das heben wir uns auf. Wenn die gesamten chinesischen Fußtruppen auf den Bergen um Rio stehen und herunterpissen, spülen wir die Stadt ins Meer.«

Dieser Satz, dieses Video, mehr als alles andere, verbreitete sich in Brasilien, zog eine Schneise von Angst und Schrecken.

Präsident Arturo Batista ließ die Zahl der Werbespots, in denen er seine Wir-wollen-nicht-nachgeben-Botschaft formulierte, nahezu verdoppeln.

Montag, 21. April 2025, 09:00 Uhr

Brasilia, Brasilien

Im zweiten Stock des »Palácio da Alvorada«, mit seinen 7 000 Quadratmetern Wohnfläche, Kino, Fußballplatz, Schwimmbad mit olympischer Bahnlänge, Verwaltungsräumen, eigener medizinischer Versorgung inklusive Operationssaal – in diesem Palast befindet sich auch eine Bibliothek mit ursprünglich 3 400 Büchern, darunter sehr wertvolle Erstausgaben, signierte Bücher von Márquez, von Llosa und Neruda, aber auch frühe Ausgaben von de la Vega, Stefan Zweig, Diderot, Cervantes.

Der Raum war bis vor drei Jahren ein behaglicher Lesesaal gewesen, die Bücher in fast deckenhohen Schränken, mit Sesseln und Leselampen und einem großen Arbeits- und Konferenztisch in der Mitte. Vor drei Jahren indes hatte man, auf Betreiben der Staatssekretärin für Kultur, die Bibliothek einer gründlichen Revision unterzogen und schonungslos auf modern und ehrgeizig getrimmt. Die Bücher waren zum Teil umgelagert worden, die gemütlichen Sessel verschwunden. Man hatte in London und New York moderne Kunst eingekauft, der Raum sah aus wie ein Galerie-Showroom, Arbeiten von Banksy, Richter, Baselitz, Eliasson, Kiefer, Hirst hingen, etwas durcheinander, an der Wand – die Umgestaltung war noch vor dem Amtsantritt Arturo Batistas gewesen.

Der das alles grauenvoll und hässlich fand. Und der eigentlich schon den Abtransport der modernen Kunst ins Archiv oder, zum Teufel, in irgendein Museum verfügt hatte.

Die Staatssekretärin für Kultur war indes auf den klugen Einfall verfallen, dem Präsidenten eine Preis- und Versicherungsliste in die Hände zu spielen – worauf Batista sehr große Augen machte und seine Meinung schlagartig und mühelos änderte.

Die Preise regten auf die angenehmste Weise sein Selbstwertgefühl an, und er lernte schnell die Handvoll Künstlernamen auswendig, um seine bedeutende Kunstsammlung fortan bedeutenden Besuchern mit bedeutender Stimme zu zeigen, zu erläutern – auch wenn er manches von dem Zeug insgeheim eher krank und hässlich fand. Stroh und Schmutz auf einer Bleiplatte? Ein spinnertes Bild auf Pappe? Aber das eine war ein früher Kiefer, das andere ein signierter und originaler Banksy, und sie waren viele Millionen Real wert.

Also verlegte der Präsident, um modern zu sein, oft genug seine Kabinettssitzungen hierher. Auch jetzt, in Zeiten der Krise, wo eigentlich Kabinettssitzungen in einem geschützten Raum vorgeschrieben waren, setzte Batista sich oft genug über das Protokoll hinweg und beorderte seine Damen und Herren Minister in die Bibliothek, wo er sie gerne fünf bis zehn Minuten warten ließ.

So auch heute.

Aber als Batista die Bibliothek betrat, waren dort nur Telés, der Verteidigungsminister, Parreis, Minister für Justiz, Benzlo, der Innen- und Gesundheitsminister.

»Wo sind die anderen? Was ist hier los?«

»Senhor Presidente«, es war Telés, der das Wort ergriff und dabei sogar aufstand, »ich habe die Kolleginnen und Kollegen gebeten, uns einen Moment allein zu lassen. Wir haben Ihnen eine Eröffnung zu machen, es wird protokolliert …« Telés nickte hinüber zu Parreis, der eifrig mitschrieb.

»Eine Eröffnung? Was soll das?«

»Wir, das gesamte Kabinett, Senhor Presidente, appellieren mit äußerster Dringlichkeit an Sie, die Krise, in der sich unsere Republik gegenwärtig befindet, sofort und unverzüglich zu beenden, indem Sie sofort und unverzüglich Verhandlungsbereitschaft und Nachgiebigkeit gegenüber den Forderungen der Klima-Allianz signalisieren. Wir appellieren dringlich an Sie, eine militärische Auseinandersetzung auf jeden Fall zu vermeiden. Wir sind entschlossen, diese Linie durchzusetzen. Mit Ihnen oder ohne Sie. Bitte entscheiden Sie sich, Senhor Presidente …«

»Sind Sie von Sinnen? Verrückt geworden? Nachgeben? Jetzt? Niemals, wir haben Waffen, und die G3 bluffen, und …«

»Das tun sie nicht, Senhor Presidente, und diese Sachlage liegt Ihnen vor, und wir haben das alles schon diskutiert. Ich stelle fest, dass Sie unserem Appell nicht folgen wollen …?«

»Da können Sie verdammt nochmal Gift drauf nehmen! Und jetzt verschwinden Sie! Sie sind unverzüglich entlassen ...«

»Senhor Presidente«, Telés räusperte sich, die anderen Männer standen jetzt auf, bis auf Parreis, der womöglich noch eifriger mitschrieb, »ich enthebe Sie hiermit unter Bezug und Verweis auf die Artikel 12 und 26 unserer Verfassung, auf die Paragraphen 29, 446 und 448 unserer Wahlordnung Ihres Amtes. Ich übernehme die Verantwortung und stelle mich allen weiteren Schritten. Bis auf Weiteres übernehme ich Ihr Amt, in Übereinstimmung mit den Kollegen des Kabinetts.«

»Sind Sie wahnsinnig, Telés? Dafür werden Sie eingebuchtet ... bis an Ihr Lebensende ...«

»Nein, das glaube ich nicht, Senhor Batista. Wenn Sie mich ansprechen, nennen Sie mich Senhor Presidente, und hier ist die Verschriftlichung, hier zwei weitere Dokumente ...« Telés drückte dem erstaunten Batista drei wattierte Kuverts in die Hand.

Parreis stand auf und ging zur Tür, öffnete sie. Vier Sicherheitsbeamte kamen herein. Die Minister standen im Vorraum und schienen beklommen, aber auch etwas erleichtert.

»Wenn Sie Senhor Batista in einen Raum geleiten würden, den er bitte in den kommenden zwei Tagen nicht verlässt?«

Batista ließ sich hinausführen, er ging wie ein Schlafwandler.

Telés wandte sich an die anderen. »Jetzt signalisieren wir umgehend den Staatschefs der Klima-Allianz unsere

Bereitschaft zur Erfüllung ihrer Forderungen, meine Damen und Herren.«

Er ließ sich auf den Präsidentenstuhl fallen.

»Und dann beenden wir diese verfluchte Krise. Gott im Himmel!«

Mittwoch, 23. April 2025

Rio de Janeiro, Porto Allegre, São Paulo, Brasilia/Paraguay,
Bolivien, Kolumbien, Peru, Venezuela, Chile

23. April 2025, 22:54 Uhr. Der US-Flugzeugträger
»Gerald F. Ford« verließ seine Position vor der Küste
und nahm gemeinsam mit seinen Fregatten, Zerstörern
und Versorgungsschiffen Kurs auf den Heimatstütz-
punkt Norfolk, Virginia. Gleichzeitig machten sich
die chinesischen Partnerschiffe »Shandong« und »Liaoning«, gelegen vor Porto Alegre, zurück auf den Weg
nach Zhanjiang, der Zentrale der Südflotte im Chinesischen Meer.

23. April 2025, 23:01 Uhr. Es erging Order aus der
Kommandozentrale an die U-Boote vor der Küste Brasiliens zum Abdrehen.

24. April, 07:15 Uhr. Auf den Stützpunkten Mariscal Estigarribia in Paraguay, in Las Petas in Bolivien, in
Kolumbien, Peru und Venezuela erging der Befehl zum
Abrücken. Die Soldaten der Versorgungsbataillone aus
der Logistiktruppe, die Männer der *Supply-Troups* der
U.S. Armed Forces begannen je nach Zuständigkeitsbe-
reich mit dem Verstauen des Materials. Die Soldaten
der *Class I* kümmerten sich um das Verpacken von Nahrung und Trinkwasser in große Stahlkisten, *Class II* von

Kleidung und Ausrüstung, Zelten und Handwerkszeug, *Class V* von Munition aller Art, Bomben, Sprengstoff, Minen, Zündern, Raketen; die Soldaten der *Class VI* verstauten Hygieneartikel wie Seife und Zahnpasta, aber auch Zigaretten und Alkohol.

24. April, 11:10 Uhr. Die erste Transportmaschine der U.S. Air Force rollte über die Landebahn des Stützpunkts Las Petas. Lastwagen brachten Material, Gabelstapler hievten die ersten Paletten voller umschnürter Kisten in ihren Bauch.

25. April, 9:03 Uhr. Nachdem die Soldaten der *Class VII* am Vortag alles für den sicheren Abtransport der Trägerraketen, Panzer, mobilen Werkstätten und Fahrzeuge vorbereitet hatten, fuhr der erste Schwerlasttransporter auf den Stützpunkt Mariscal Estigarribia und verlud den ersten Panzer. Die Transporter wurden begleitet von bewaffneten GIs in MRAP-*Vehicles*, Marke »Oshkosh JLTV«, minengeschützte Fahrzeuge, die vor Handfeuerwaffen und Artilleriesplittern Schutz boten.

26. April, 12:00 Uhr. Das Pentagon setzte die Alarmbereitschaft von DEFCON-Stufe 3 auf 4 herunter.

Und in Brasilien, das so viele bedrückende Tage an der Schwelle zum Krieg gestanden hatte, atmeten die Menschen auf, auf dem Land und in den Städten, in Porto Allegre, São Paulo, Brasilia, in Rio.

Und in Rio etwa, am Praça Floriano, dem Herzen der Stadt, strömten die Menschen herbei, weil niemand allein sein wollte, sie liefen, stolperten, rappelten sich auf, lachten, tanzten, sangen, umarmten sich, küssten sich,

Mädchen hielten sich an den Händen, Frauen dankten dem Herrn, »*Deus, o nosso protetor*«, Gott ist unser Beschützer, zitternd, weinend, Männer knieten auf dem Bürgersteig und riefen: »*Acabou!*« Es ist vorbei!

Mittwoch, 5. Mai 2100, am Vormittag

15 Quai de la Tournelle, 5. Arrondissement,
Paris, Frankreich

Beim Frühstück stellen sie fest, dass Gundlach fehlt. Sein Bett ist abgezogen, die Bettwäsche am Fußende zusammengelegt, ebenso die Handtücher. Der mobile Sauerstofftank, den er offenbar nachts nutzte, ist wieder aufgefüllt. Der Koffer weg. Gundlach hat sich sehr früh am Morgen davongeschlichen, um 4:52 Uhr zeigt die Haustür-Überwachung einen Schatten.

Sie essen schweigend. Dann füttert Michelle den Oktopus.

An diesem Morgen ist Seitz an der Reihe. Der Soziophysiker untersucht digitale Methoden zur Erreichung gesellschaftlicher Ziele, deshalb lautet der Titel seines Vortrags »Die Rolle der künstlichen Intelligenz im Entscheidungsfindungsprozess von Regierungen«.

Natürlich, denkt Ilyana, Seitz ist dafür genau der Richtige: einer, der nach Datenlage entscheidet, niemals nach Bauchgefühl. Es ist erstaunlich, denkt Ilyana, dass Seitz mit seinen gerade mal vierunddreißig Jahren so weit vorn in der Wissenschaft mitspielt.

Auch Ilyana arbeitet mit künstlicher Intelligenz, aber ihr Ansatz ist ein anderer: Sie forscht am Upgrade des menschlichen Gehirns. Seitz will weiter gehen, es mit Bauteilen ergänzen.

»Liebe Kolleginnen und Kollegen« – Seitz hat sich erhoben.

»Ich möchte euch zunächst einen kurzen Überblick über die Geschichte künstlicher Intelligenz verschaffen.« Seitz zieht einen rechteckigen Koffer zum Tisch, er öffnet ihn, man sieht mehrere, unterschiedlich große Schachteln, eine schmale, etwa sechzig Zentimeter lang, die meisten anderen kleiner und rechteckig, eine quadratisch. Sie sind so angeordnet, dass sie den Koffer exakt ausfüllen.

Seitz öffnet die quadratische Schachtel, legt den Deckel auf den Tisch, sodass er genau mit der Tischkante abschließt. Dann zieht er ein flaches, schwarz-weiß kariertes Teil aus historischem Kunststoff hervor. »Darf ich vorstellen? Das ist ›Mephisto II‹, einer der ersten Schachcomputer der Welt. Beinahe hundertzwanzig Jahre alt. Ich habe ihn aus dem Magnus-Carlsen-Museum in Oslo entliehen.« Er lässt das Gerät herumgehen.

»Als diese Schachcomputer populär wurden, ahnten die Menschen zum ersten Mal, dass Technik ihnen überlegen sein würde. Dabei war ›Mephisto‹ in Wahrheit sehr dumm. Er konnte nicht planen, er konnte nur schneller rechnen. Trotzdem würde er wahrscheinlich auch heute noch die Hälfte der Anwesenden hier besiegen.«

»Können wir gerne ausprobieren«, murmelt Anjana, die Inderin.

»Vor etwa hundert Jahren hat zum ersten Mal ein Computer den damaligen menschlichen Weltmeister ge-

373

schlagen. Vor vierundachtzig Jahren konnten Menschen nicht mehr im Go gewinnen. Wie ihr wisst, ist dieses asiatische Brettspiel noch komplexer als Schach.«

Seitz sammelt den »Mephisto« ein, legt ihn zurück in die Schachtel, verschließt sie und räumt sie sorgfältig in den Koffer. Er öffnet nun eine quaderförmige Box, zieht eine orangefarbene Metallbox heraus, zwölf Zentimeter lang, zweieinhalb Zentimeter hoch und etwa genauso breit.

»Ein Container im Maßstab 1:100«, sagt Seitz. »Darin wurden früher Waren transportiert. Etwa neunzig Prozent der Kleidung, der Gebrauchsgegenstände und der Nahrung wurden per Schiff transportiert – in diesen Containern. Die Lieferanten, die Reeder und die Häfen hatten ein sehr komplexes System geschaffen, damit jeder Container genau dort landete, wo er hingehörte, und auch im Hafen problemlos gefunden und abgeholt werden konnte.«

»Zählt das schon als künstliche Intelligenz?«, fragt Robert. Er dreht den kleinen Container in seinen Händen.

»Nein«, sagt Seitz. »Das System konnte zwar die Container überwachen, konnte die Planung für Schiffe und Häfen übernehmen – aber es war nicht lernfähig. Das zeigte sich, als vor etwas mehr als achtzig Jahren eine der größten Reedereien angegriffen wurde. Sie hieß Maersk. Ein Computervirus legte das Netzwerk lahm, fast achthundert Schiffe, ein Fünftel der gesamten Welthandelsflotte. Die Terminals in den Häfen funktionierten nicht mehr, die Ladung konnte nicht mehr gelöscht werden, vor den Gates der Industriehäfen stauten sich die Lastwagen. Schiffe lagen nutzlos in den Häfen, während sich woanders die Ware stapelte, die nicht abgeholt werden konnte. Beinahe wäre die Weltwirtschaft zusammengebrochen.«

Seitz packt den Spielzeugcontainer wieder sorgfältig weg. »Die Firma hatte sich auf ein System verlassen, das zwar intelligenter war als die Menschen – aber bei einer Krise genauso überfordert.«

»Wie wurde das Problem gelöst?«, fragt Michelle.

»Die Firma hatte Glück im Unglück, denn in Ghana gab es einen Stromausfall. Während des Cyber-Angriffs war also ein ghanaischer Server nicht mit dem Netzwerk verbunden gewesen und deshalb nicht befallen. Um das gesamte System wiederzubeleben, musste dieses einzige Back-up so schnell wie möglich nach Großbritannien übertragen werden. Doch die Bandbreite war dafür zu gering. Also sollte sich ein ghanaischer Mitarbeiter ins Flugzeug nach London setzen. Aber keiner der Mitarbeiter des westafrikanischen Büros besaß ein britisches Visum. Man organisierte einen Staffellauf: Ein Mitarbeiter aus dem ghanaischen Büro flog nach Nigeria, um einen anderen Maersk-Mitarbeiter am Flughafen zu treffen und die Festplatte zu übergeben. Der flog nun nach Heathrow. Es dauerte dann noch Monate, bis sich Maersk vollends von der Cyberattacke erholt hatte.«

Nun öffnet Seitz Kistchen um Kistchen, lässt smarte Insekten herumgehen, die eigenständig Blüten bestäuben können, er zeigt Nanomeds, die in der Blutbahn mitschwimmen, eine Kraftwerkssteuerung, das Kompositionsprogramm »Amadeus« sowie »petlife«, den Chip für das perfekte Haustier. Dann lässt er den Gesichtsabdruck von »David One« herumgehen, dem ersten marktreifen Humanoiden.

»Vor zwanzig Jahren war das sehr modern«, sagt Seitz, »aber in erster Linie waren Humanoide ein großer Marketing-Erfolg.«

»Wie meinst du das?«, fragt Robert.

»Nun ja, für echte Maschinenintelligenz muss man keinen menschenähnlichen Körper bauen. Da braucht man einen Stromanschluss, aber nicht unbedingt zwei Beine. Humanoide wurden populär, weil die Hersteller ihre Intelligenz sogar beschränkt hielten. Die Menschen hätten nichts gekauft, was ihnen überlegen ist.«

Das Gesicht von »David One« fühlt sich beinahe echt an, nur eine Spur zu hart und zu kühl.

»Die Humanoiden kamen bald wieder aus der Mode«, erzählt Seitz. »Ein paar Pflegeroboter gibt es noch auf dem Markt, Lehrerbots – und in manchen Schlafzimmern helfen Sexbots aus.«

In seinem Koffer befindet sich jetzt noch eine lange, schmale Box.

»Hier ist noch ein letztes Objekt für heute«, sagt Seitz. Er öffnet die lange, schmale Schachtel und zieht einen Oktopusarm hervor, weich und gummiartig, mit mattweißen Saugnäpfen und silbrig glänzend.

Seitz steht auf, geht die drei, vier Schritte zum Aquarium, entschlossen, er hebt den Deckel und wirft den künstlichen Arm ins Becken.

»Nein!« Michelle schreit.

Der Arm versinkt.

Seitz tritt zur Seite, damit die anderen einen besseren Blick haben.

Der Oktopus versteckt sich.

Der Arm aber lebt.

Zumindest sieht es so aus. Er bewegt sich tastend, dreht sich, die Saugnäpfe haften am Boden. Er scheint sich zu orientieren.

Jetzt sind alle aufgestanden und stehen dicht vor dem Becken.

»Was soll das?«, fragt Michelle, mühsam beherrscht.

Seitz bleibt ruhig. »Das, liebe Kolleginnen und Kollegen, ist der Beweis, wie gut sich künstliche Intelligenz inzwischen in bestehende Systeme einfügen kann«, sagt er. »Dieser Arm besteht aus bionischem Material, er hat Sensoren für Licht, Temperatur, Nahrung. Er ist autonom, lernfähig und jedem einzelnen Oktopusarm überlegen. Er wird an das Tier andocken, wenn nicht jetzt, dann spätestens in ein, zwei Tagen, er wird sich perfekt integrieren – und zwar so gut, dass der Oktopus« – Seitz zeigt auf den kleinen Felsen, hinter dem das Meerestier hervorlugt – »also, dass der Oktopus keinen Unterschied spüren wird. Die künstliche Intelligenz in dem Arm wird Entscheidungen treffen, die im Sinne des ganzen Organismus sind. Es würde mich nicht einmal wundern, wenn einer der natürlichen Arme verkümmert und ersetzt wird.«

Michelle holt tief und hörbar Luft. »Du meinst, dass Lionel einen Arm verlieren wird für dein Experiment? Ist das dein Ernst?«

Bevor Seitz antworten kann, tut sich etwas im Becken. Der Oktopus ist neugierig geworden, er schiebt sich über den Beckenboden an den Arm heran, ganz vorsichtig. Der Bionic-Arm dreht sich ein wenig, als würde er das Becken scannen. Der Oktopus lässt einen seiner Arme nach vorn gleiten, dabei ändert er die Farbe. Er sieht jetzt bräunlich aus.

Der Bionic-Arm ändert ebenfalls die Farbe. Dasselbe Braun.

Der Oktopus streckt einen zweiten Arm aus. Grau.

Der Bionic-Arm wird grau.

Auf dem Körper des Oktopus erscheinen Flecken, wie Augen. Auf dem Kunstarm auch.

»Kontaktphase«, sagt Seitz.

Dann bewegt sich der Bionic-Arm langsam auf den Oktopus zu, dabei wechselt er von Grau zu Grün und zurück.

Der Oktopus bleibt, wo er ist, spielt die Muster aber nach. Grün-Grau-Grün-Grau. Bis die beiden synchron blinken.

Schließlich schiebt sich der künstliche Arm nach vorn, immer näher an den Korpus des Oktopus. Und kurz danach hat er sich angeflanscht, das Blinken hört auf.

»Ich fasse es nicht«, sagt Michelle. Seitz lächelt.

Der Oktopus bewegt sich mittlerweile durchs Becken, kein bisschen ungelenk, obwohl er nicht mehr symmetrisch aufgebaut ist.

Seitz will zurück zum Tisch, schließlich muss er doch die leere Box wieder in den Koffer räumen.

In diesem Moment bricht hinter ihm im Becken das Chaos aus. Der Oktopus, der eben noch neunarmige Schwimmzüge machte, zuckt hin und her, er ist rot vor Aufregung, nur der Kunstarm grau – und diesen Arm reißt der Oktopus sich jetzt ab.

Sand wirbelt auf, das Tier ist nicht mehr zu erkennen im trüben Wasser, die Arme wirbeln.

Nach einer Minute scheint der Kampf vorbei zu sein. Allmählich wird das Wasser klarer, an der Oberfläche treiben ein paar ausgerissene Pflanzen. Der Oktopus hat sich versteckt. Vorn, am Beckenrand, liegt der bionische Arm – oder besser: was davon noch übrig ist. Er ist in zwei Teile gerissen, das kleinere davon die Armspitze, sie zuckt orientierungslos hin und her.

Das dickere Stück ist komplett tot. Der Oktopus hat es sich nicht nur vom Körper gerissen, er hat mit seinem messerscharfen Schnabel die organische Hülle durchtrennt und die Elektronik zerstört.

»Das verstehe ich nicht.« Seitz spricht zu sich selbst.

»Ich verstehe es vielleicht«, sagt Anjana. »Es ist dieser Verbesserungs- und Ordnungsanspruch des Menschen. Wir haben ihn alle in uns, er ist quasi Teil unserer DNA. Aber wir müssen uns darüber bewusst sein, wir müssen wissen, wo wir in die Natur eingreifen und wann und ob. Wir müssen uns zurückhalten, die Natur will nicht immer und überall reguliert, verbessert werden – ich glaube, das ist die Botschaft dieser kleinen Vorführung.«

»Könnte sein«, sagt Michelle.

Donnerstag, 24. April 2025

620 Eight Avenue, New York City, USA
»New York Times«, Büro des Chefredakteurs

Gegen 18:15 Uhr, etwa eine halbe Stunde vor Andruck, saß Dean M. Bradley, Chefredakteur der »New York Times«, an seinem Schreibtisch im siebenundzwanzigsten Stock und las einen Artikel, der auf der morgigen Titelseite erscheinen sollte.

Die Überschrift, in fetten 48-Punkt-Lettern, rief:

»Kriegsgefahr gebannt – Wendepunkt für die Welt«

Tropenwald-Krise in letzter Minute beigelegt/
Brasiliens neue Regierung gibt nach/Präsident
Pablo Telés: Keine Holzungen und Brandrodungen,
doch wir bestehen auf staatlicher Autonomie in
allen anderen Punkten/Indien, Nigeria signalisieren
Bereitschaft zu Konzessionen

Von unseren Sonderkorrespondenten Caroline Corner, Joséf M. Hadrusek, Anna L. Kent

Washington D.C., Brasilia, São Paulo (NYT/ap/dpa) – Die *crise da floresta tropical*, die sogenannte Regenwald-Krise, ist nach achtundzwanzig Tagen, in denen die Republik Brasilien am Rand eines Krieges mit den Supermächten der G3 stand, vorerst beigelegt. Beide Seiten signalisierten Verhandlungsbereitschaft. Der neue Präsident Brasiliens, Pablo Telés, erklärte, seine Rolle sei eine provisorische; doch die Absetzung des vorigen Präsidenten Arturo Batista (wir berichteten) habe sich »als leider nicht vermeidbar erwiesen«. Batista habe einen Konfrontationskurs eingeschlagen, von dem er nicht mehr abgewichen sei.

Nach dem Vorbild Brasiliens signalisierten auch die Staatschefs Indiens und anderer Staaten eine Bereitschaft zum Einlenken.

»Wir werden das Problem der Bevölkerungsexplosion nach dem Vorbild Nigerias endlich energisch angehen«, sagte der indische Staatschef in einer Pressekonferenz.

»Zur Einsicht gelangt« sei auch Brasilien, so der provisorische Präsident, Pablo Telés. Die Forderungen der Klima-Allianz, den Regenwald betreffend, würden erfüllt, Finanzhilfen, um Härten abzumildern, würden bereitgestellt. Diese Aussage wurde von einem Sprecher der G3 als »sehr positives Zeichen« bewertet. Der Sprecher: »Wir wollen Brasiliens Autonomie respektieren, wir bestehen nur auf einen einzigen Punkt – die Vernichtung des Regenwalds muss gestoppt werden.«

Tatsächlich war im vergangenen Jahr eine Fläche von mehr als 120 000 Quadratkilometern gerodet und brandgerodet worden – so viel wie nie zuvor, trotz der gegenteiligen Beteuerungen der vorherigen Regierung in Brasilia. Gesammelt wurden die offenbar neuen und objektivierten Daten durch das Internationale Institut für Weltraumforschung, INPE, das mit Hilfe des satellitengestützten DETER-Systems (Real Time Deforestation Detection System) Veränderungen der Waldbedeckung über fünfzehn Hektar sofort erkennt.

Der als rechtskonservativ und populistisch eingestufte frühere Präsident Arturo Batista hatte jede Verbindung zu der sogenannten Holz- und Fleisch-Mafia seines Landes wiederholt als »irreführend und verlogen« bezeichnet. Indes scheinen neuere Erkenntnisse auf Wahlkampfunterstützung durch ebenjene Gruppierungen hinzudeuten. Auch sollen Mittel in private Fonds geflossen sein. Die Staatsanwaltschaft ermittle in dieser Sache, hieß es in der jüngsten Stellungnahme in Brasilia …

Das las sich gut, dachte Bradley. Er legte den Bleistift hin, hörte auf zu lesen. Die große Weltkrise war überstanden, dachte er, und auch die kleine Karrierekrise des Chefredakteurs Dean M. Bradley war ausgestanden.

Das war knapp. Aber es ist vorbei.

Zu Beginn der Auseinandersetzungen, als die G3 sich formierten, hatte Bradley eindeutig und frühzeitig Partei ergriffen – für die Initiative der drei Supermächte. Die Mehrheit der Redakteure hatte sich gegen ihn ausgesprochen, hatte seine Haltung als unerträglich und antiliberal bezeichnet.

Inzwischen hatte die Weltöffentlichkeit ihre Meinung geändert, wie auch die Redaktion der »New York Times«.

Es ist vorbei, dachte Bradley. Er nahm den Bleistift wieder auf, las weiter.

Die Krise, die sich bisher unaufhaltsam zuzuspitzen schien, wurde nach exklusiven Informationen der »New York Times« beigelegt unter anderem auch durch die bisher nicht restlos geklärte Mitwirkung privater Kreise, vor allem durch die Aktion eines Brasilianers namens Ricardo S. (Name der Redaktion bekannt). S., darauf deutet vieles hin, hat offenbar ein internationales Komplott aufgedeckt. S. habe sich, hieß es in brasilianischen Geheimdienstkreisen, dabei offenbar in einer Art und Weise in geheimdienstliche Vorgänge eingeschaltet, die ihn anfänglich zu überfordern schien, die jedoch zu einem guten Ende führte ...

Bradley stutzte. Er drückte die Sprechtaste auf seinem Telefon.

»Geben Sie mir Miss Corner, falls sie im Haus ist.«

»Ja, Sir«, sagte Mrs Trabitzky, Bradleys Sekretärin.

Er legte auf, gleich darauf klingelte es.

»Corner.«

»Hi, Caroline, hier Bradley.« Er wartete einen Moment. Caroline Corner war eine junge, schöne Reporterin, intelligent, schnell, aber noch vergleichsweise neu im Geschäft.

»Oh. Ja, Sir?«

»Ich lese gerade Ihren Aufmacher, sehr schön, gute Arbeit ...«

»Danke, Sir.«

»Nur der letzte Passus. Dieses Komplott? Ist das wasserdicht, sind wir da sicher?«

»Ja, Sir, ich bin alles mit Grimes mehrfach durchgegangen. Die Rechtsabteilung hatte zwei Tage Zeit, um meine Unterlagen zu prüfen, eidesstattliche Versicherungen, Fotos, Mitschnitte, es liegt alles in der Rechtsabteilung, Mr Kastner hat alles freigegeben ...«

Frederik Kastner war der Chef der Verifikations- und Rechtsabteilung, misstrauisch, penibel, unangenehm – der perfekte Mann für diesen Job.

»Ja, äh, gut. Vielleicht sollten wir da noch etwas genauer werden, nachfassen ...«

»Ja, Sir.«

»Brauchen Sie ein größeres Team? Wir könnten folgende Nachklapp-Storys machen ...«

Und während Dean M. Bradley und Caroline Corner die weitere Arbeit und mögliche Storys besprachen, begannen etwa viertausend Kilometer südlich, im Regenwald des Amazonas, die Wunden zu verheilen, jene Wunden und Schneisen, die die mächtigen Rodungsmaschinen und Elliatoren und Hydraulikbagger und Schnitzelharvester und Feuersbrünste gerissen hatten.

384

Bald würden die Wildnis und das Grün zurückkehren.

Und zurückkehren würden Myriaden von Insekten und die Goldregen-Orchideen und die Helikonien und die Kolibris und Tukans und Giftpfeilfrösche und Amazonas-Delfine und Tapire und Brüllaffen und Jaguare und Nachtfalter.

Und ihre täglichen Rhythmen und nächtlichen Kämpfe und ihr Gefressenwerden und ihr Gedeihen und ihr Farbreichtum und ihre Schönheit.

Der Wald, den man hatte vernichten wollen, würde leben.

Abspann

Dr. Yuan Zhiming fürchtete etwa vier Wochen lang um sein Leben, bis ihm klar wurde, dass er diese brasilianische Geheimdienstfrau, Sofia Della Bettemcour, unterschätzt hatte. Sie war klüger als angenommen. Sie würde ihn nicht denunzieren; sie würde ihre Informationen zurückhalten und ihn erpressen, sobald sie ihn brauchte.

Erpressbar und im Amt war er ihr viel nützlicher als tot oder entmachtet.

Dr. Zhiming hatte aus sicherer Halbdistanz das Fiasko mitangesehen: Wie der brasilianische Präsident abgesetzt wurde, wie das Land *nicht* in den erwünschten blutigen Krieg stolperte, sondern einlenkte, wie die Klima-Allianz ihren ersten großen Sieg verbuchte – und die drei Staatschefs weitermachten mit ihrem ökologischen Feldzug.

Der Plan war gescheitert, aber immerhin hatten sie die Spuren verwischt. Die Onion-Router und Proxi-Server in der Ukraine und in Indonesien waren aufgelöst. Einzige Schwachstelle war Bettemcour. Sie hatte sie gesehen, sie konnte sie identifizieren. Zhiming hatte einige Fluchtwege vorbereitet.

Zhiming überschlug die Wahrscheinlichkeiten. Das Problem würde er lösen, sobald die Konfiguration konkret wurde. Ein halbes Jahr später wurde Dr. Yuan Zhiming, wie er befürchtet hatte, auf einen schmachvollen, staubigen Provinzposten versetzt.

Boris Michailowitsch Bykow kam zu demselben Ergebnis wie sein chinesischer Mitverschwörer, doch an Flucht dachte er keine Sekunde. Er trug, seitdem der Plan gescheitert war und er täglich damit rechnen musste aufzufliegen, eine Giftspritze mit sich herum. Er war Soldat und Patriot, er hatte für sein Vaterland gehandelt. Darum schockierte es ihn, mit der Zeit feststellen, zu müssen, dass er sich geirrt hatte. Denn das gemeinsame Vorgehen der drei Staatschefs führte nicht zu einem Macht- und Einflussverlust Russlands – im Gegenteil. Dass die ökologische Katastrophe abgewendet worden war, erwies sich sogar als richtig und als überlebenswichtig. Bykow hatte diese Gefahren dramatisch unterschätzt. Zwar würde er seinen Fehler niemals zugeben, doch er zog sich mit der Zeit zurück. Nach seiner Pensionierung übernahm er einen Posten als Direktor des Oldtimer-Museums in St. Petersburg.

Caroline Corner, die Reporterin der »New York Times«, arbeitete weiterhin an der Aufdeckung der ganzen Story, sie setzte dem zögernden Ricardo zu, mit der Wahrheit herauszurücken – und scheute sich auch nicht, sich mit ihm privat zu treffen. Ricardo kochte viermal für sie, nach dem vierten Mal ließ sie Story Story sein und fragte ihn beim Dessert, wann sie heiraten könnten. Ricardo war zu überrascht, um abzulehnen; sie bekamen drei Kinder, alles Töchter, bei der jüngsten bestand Ricardo auf den Namen Sofia.

Akilha Tiwari bekam ihr Kind, es war ein Sohn, sie nannte ihn Katekar. Sie arbeitete weiter im Schulwesen, eröffnete in der Gegend um Suparwaljanda mehrere Schulen und setzte sich in den folgenden Jahren für die Ein-Kind-Politik ein. Sie heiratete nie mehr.

Den Staatschefs Xi, Putin und Harris wurde gemeinsam der Friedensnobelpreis verliehen. Zur Zeremonie in Oslo wurde auch, auf Betreiben Putins, der ehemalige deutsche Kanzler Gerhard Schröder eingeladen, der wiederum für seinen Freund Dirk Rossmann eine Karte erwirkte.

Sofia Della Bettemcour wurde zum Oberst befördert, sie klärte, mit tatkräftiger Hilfe ihrer Sekretärin Claudia, die Intrige restlos auf, behielt ihr Wissen jedoch für sich. Sie und Ricardo blieben ihr Leben lang befreundet.

Gennadi Schadrin und seine Familie starben – und nicht nur sie: Für den Volksstamm der Nenzen kam die Wende zu spät. Die wenigen Überlebenden gingen in die Städte, von ihren Traditionen, ihrer Sprache und Kultur blieb nichts übrig.

Dean M. Bradley bereiste für sein Buch »Rise and Fall of Terror« unter anderem auch den Südwesten Nigerias, wo er eine Caritas-Chefin namens Lisha Aluko traf und für das Boko-Haram-Kapitel interviewte. Bradley fand zwar Lisha verwegen und ausgesprochen attraktiv, auch wurden seine Gefühle erwidert, doch er musste zurück nach New York. Als er sie bat, auf ihn zu warten, antwortete Lisha, sie sei nicht der Typ, der warten würde.

Maximilian Gundlach war verschwunden. Die eher halbherzigen Versuche, ihn zu finden, blieben ergebnislos.

Seitz veröffentlichte ein Buch unter dem Titel »Was ist falsch am neunten Arm? Die Natur braucht etwas Nachhilfe«, ein Plädoyer für bionische Methoden und humantechnisches Crossover. Das Werk verkaufte sich schleppend.

Epilog

Der »Kokenhof« in Großburgwedel, unweit von Hannover, tut sich hervor als das stattlichste Haus am Ort, ein Vier-Sterne-Hotel, dreigeschossig, mit sechzig Doppelzimmern, Tagungsbereich und Restaurantbetrieb. Architektonisch hat man bei der Modernisierung Wert gelegt auf eine gewisse ländliche Anmutung: ein breites Fassadenbild, alt-eichenes Fachwerk, roter Backstein.

Schmuckstück im »Kokenhof« ist ein weiträumiger Innenhof mit sechzehn Metalltischen der Herstellerfirma »Rausch«, separiert durch halbhohe Eibenhecken. Der Hof ist beliebt an warmen Frühsommerabenden wie etwa diesem.

Der 8. Mai 2018 war ein Dienstag, etwa die Hälfte aller Tische war besetzt. An einem dieser Tische saßen vier soignierte Herren und spielten Skat.

Sie spielten drei Bockrunden, eine Ramschrunde, drei Bock, ein Ramsch. Einer der vier Männer trug kurze Hosen, so warm war der Abend.

Es war ein heiteres und freundschaftliches Quartett, man spielte keineswegs in verbissenem Schweigen, aber mit einer gewissen legeren Hingabe. Zwischendurch ließen die Männer das Spiel auch ruhen, unterhielten sich – sprachen über Musik, Golf, Bücher, die letzte Wanderung, die einer von ihnen unternommen hatte. Dann nahm man das Spiel wieder auf.

Die Männer waren der Zahnarzt Klaus Schwetje aus Hannover, der Unternehmer und Fußball-Präsident Martin Kind, der Konzerninhaber Dirk Rossmann, der ehemalige Kanzler Gerhard Schröder – er war derjenige mit den kurzen Hosen.

Schröder war gerade aus Moskau zurückgekehrt. Noch am Vortag hatte er der Inauguration Putins für dessen vierte Amtszeit beigewohnt, einer großen Zeremonie im Kreml. Schröder war als Ehrengast behandelt worden, eine deutliche Geste Putins an seinen deutschen Freund, die deutschen Medien hatten darüber berichtet. Aber an diesem Abend ging es um Skat, nicht um Gaslieferungen, Politik und Staatschefs.

Man war hier privat, so waren die Regeln. Am Nebentisch saßen Schröders Security-Leute, ab und zu blickten sie lächelnd hinüber zu den vier Männern, die mit Hallo und lärmender Fröhlichkeit ihren Abend genossen.

Dirk Rossmanns Gedanken allerdings schweiften immer wieder ab. Er las gerade ein Buch – er war ein Vielleser – der amerikanischen Naturforscherin Sy Montgomery. Es handelte von der Spezies der Oktopoden, und irgendetwas an dieser Lektüre ließ Rossmann keine Ruhe, bewegte ihn zutiefst. Am liebsten hätte er seinen Freunden davon erzählt, aber wie und wo beginnen, außerdem hätte es die Stimmung gestört.

Denn es war mehr, als dass er nur fasziniert war von

diesem Buch. Er trug seit Monaten ein Gefühl mit sich herum, seit einiger Zeit schon hatte er sich intensiv mit ökologischen Themen befasst, Studien gelesen, er stand in Brief- und Gesprächskontakt mit Klimaforschern, Afrika-Experten, Ökologen, und die von ihm mitbegründete »Stiftung Weltbevölkerung« arbeitete eng mit der Gates-Stiftung zusammen.

Rossmann machte sich seit geraumer Zeit große Sorgen – um nicht mehr und nicht weniger als um die Zukunft des Planeten Erde.

Und dabei wollte er es nicht belassen; er wollte etwas tun.

Seit ein paar Tagen trug er einen Gedanken mit sich herum, eine verrückte Idee, wenn man so wollte, er hatte den Plan vor Augen, schemenhaft zwar noch, aber der Gedanke faszinierte ihn. Eine politische Vision in Form eines Pamphlets, in Form eines Thrillers, ein Ausweg aus der Misere, gekleidet in eine spannende Geschichte. Am liebsten hätte Rossmann mit Schröder sofort und jetzt darüber gesprochen, dessen politischen Rat eingeholt, doch die Usancen des Skatabends waren nicht danach.

Und also spielten sie weiter, und also knallten die vier Männer ihre Karten auf den Tisch, sie aßen, tranken, lachten, bestellten noch mehr Wein und alkoholfreies Bier, zogen sich gegenseitig auf. Es wurde dunkel, die anderen Gäste waren gegangen, die Skatrunde spielte indes noch in dem jetzt leeren Atrium, man brachte Kaffee und Windlichter herbei – und gegen Mitternacht schließlich wurde die Runde aufgelöst. Schröder hatte mit 5 462 Punkten gewonnen, was ihn in die allerbeste Laune versetzte.

Die vier Männer gingen, beseelt und etwas erschöpft vom Reden und Lachen, auf den Parkplatz. Große Verabschiedung, Umarmungen, Händeschütteln. Der Abend war mild, die Luft frühlingshaft. Jeder ging jetzt zu seinem Wagen.

Rossmann saß schon in seinem etwas betagten schwarzen Mercedes.

Und hatte plötzlich eine Idee.

Das Buch, von dem er sich in den letzten Tagen eigentlich keine Sekunde getrennt hatte, lag neben ihm auf dem Beifahrersitz. Er nahm es und eilte damit zu Schröders Auto. Der ließ das Fenster herab, blickte Rossmann fragend an.

»Gerd, pass auf! Ich bin den ganzen Abend nicht dazu gekommen, aber ich wollte dir dieses Buch geben, lies es, und wir reden darüber, es handelt von Oktopoden, aber eigentlich handelt es von der Schöpfung ...«

»Oktopoden?«

»Lies einfach den Anfang, lies die ersten neunzig Seiten. Dann reden wir. Ich brauche vielleicht deinen Rat. Ich hab da eine Idee. Mir schwebt was vor. Lies es bitte, einfach mir zuliebe ...«

Schröder zögerte. Man musste immer so viel lesen, lesen. Doch dann griff er nach dem Buch.

»Na klar, ist gut.«

»Versprochen?«

»Versprochen.«

Und so begann es.

Danksagung

Die acht Arme des Oktopus bewegen sich unabhängig voneinander und arbeiten doch zusammen. Teamarbeit ist für mich als Unternehmer unverzichtbar, und auch als Autor setze ich auf Gemeinschaft. Bei diesem Buch konnte ich mich auf starke, kluge und kreative Menschen verlassen.

Mein großer Dank gilt meiner Familie – meiner Frau Alice, die mir die Oktopoden, diese ganz besonderen Wesen, erstmals nahegebracht hat. Dann meinem Sohn Raoul, der mich bei der Arbeit kritisch hinterfragt und etwa bei der Präsidentinnen-Rede entscheidend mitgewirkt hat, und meinem Sohn Daniel für seine Recherchen und seinen Blick fürs Detail.

Ein Thriller, der in so vielen verschiedenen Ländern spielt, Kulturen und Sprachen vereint und auch noch einen Sprung in die Zukunft wagt, braucht Menschen, die all das nötige Wissen und die Ideen zur Umsetzung dafür zusammentragen. Mein großer Dank gilt dem Recherche- und Autoren-Team, das mit individuellem Fachwissen und Können zum Gelingen dieses Buches beigetragen hat: Jelda Beck, Valerie Gorris, Konstantin Muffert,

Thomas Friemel, Niclas Seydeck, Robert Stier, Li-chen Stier-Chiou, Joao Barista, Dr. Nicole Gorris-Vollmer, Oberstleutnant Peter Gorris und Sonia Wong. Mit ihren kulinarischen Kenntnissen hat Silke Hadrossek uns besonders erfreut.

Auch bei diesem Buch wurde ich wieder durch Olaf Köhne und Peter Käfferlein unterstützt, die bereits an meiner Biografie 2018 mitgewirkt hatten. Ich danke ihnen für ihre Motivation und Begeisterungsfähigkeit.

Als Unternehmer bin ich auf gute Mitarbeiter angewiesen. Für mein Buch konnte ich mich besonders auf drei von ihnen verlassen: Sabine Träger, Anna Kentrath und Petra Czora.

Neben den Menschen, die mitarbeiten und die Geschichte vorantreiben, waren mir einige Freunde eine besondere Stütze. Sie hatten ein offenes Ohr für mich, haben geduldig den neuesten Kapiteln gelauscht und mich angetrieben: Mein Dank gilt Martin Kind, Sepp Heckmann, Prof. Christian Pfeiffer und Dr. Klaus Schwetje. Ich danke Gerlinde und Prof. Hans-Werner Sinn dafür, dass sie mich von Anfang an ermutigt haben. Ich danke Christian Wulff für unsere intensiven Gespräche und sein politisches Wissen, und ich danke Ralf Hoppe, einem vielfach preisgekrönten Journalisten und ehemaligen SPIEGEL-Mann, für seine Freundschaft.

Zu guter Letzt möchte ich mich bei einer Frau bedanken, die einen nicht unerheblichen Beitrag zu diesem Roman geleistet hat: der Naturforscherin und Autorin Sy Montgomery. Ihr Buch »Rendezvous mit einem Oktopus« hat mich berührt und mir ein Bild dieser wunderbaren Geschöpfe vermittelt.

Die Oktopoden brauchen keinen neunten Arm. Wir Menschen hingegen müssen unsere Demut vor der Natur wiederfinden, dann ist vieles, vielleicht sogar alles möglich.

...ege der... leiden und an ein Schicksal... sich...
... sie... ihn an.
... jetzt auf? Wer... den kleinen Kummer froh...
Mund... ... ... unter... ... ... für die
... an glücklich... ... oder weiß... vielleicht sogar auf...
... zurück.

NORD-
AMERIKA

Washington, D.C.

Boston
New York City

Pasadena

Golf von
Mexico

Miami

Mexico
City

Atlantischer
Ozean

Karibisches Meer

London

Paris

Madrid

Casabla

Ita Eg

SÜD-
AMERIKA

Brasilia

São Paulo

Rio de Janeiro

Santiago
de Chile

Buenos
Aires